JN088957

病んだ言葉
癒やす言葉
生きる言葉

阿部公彦

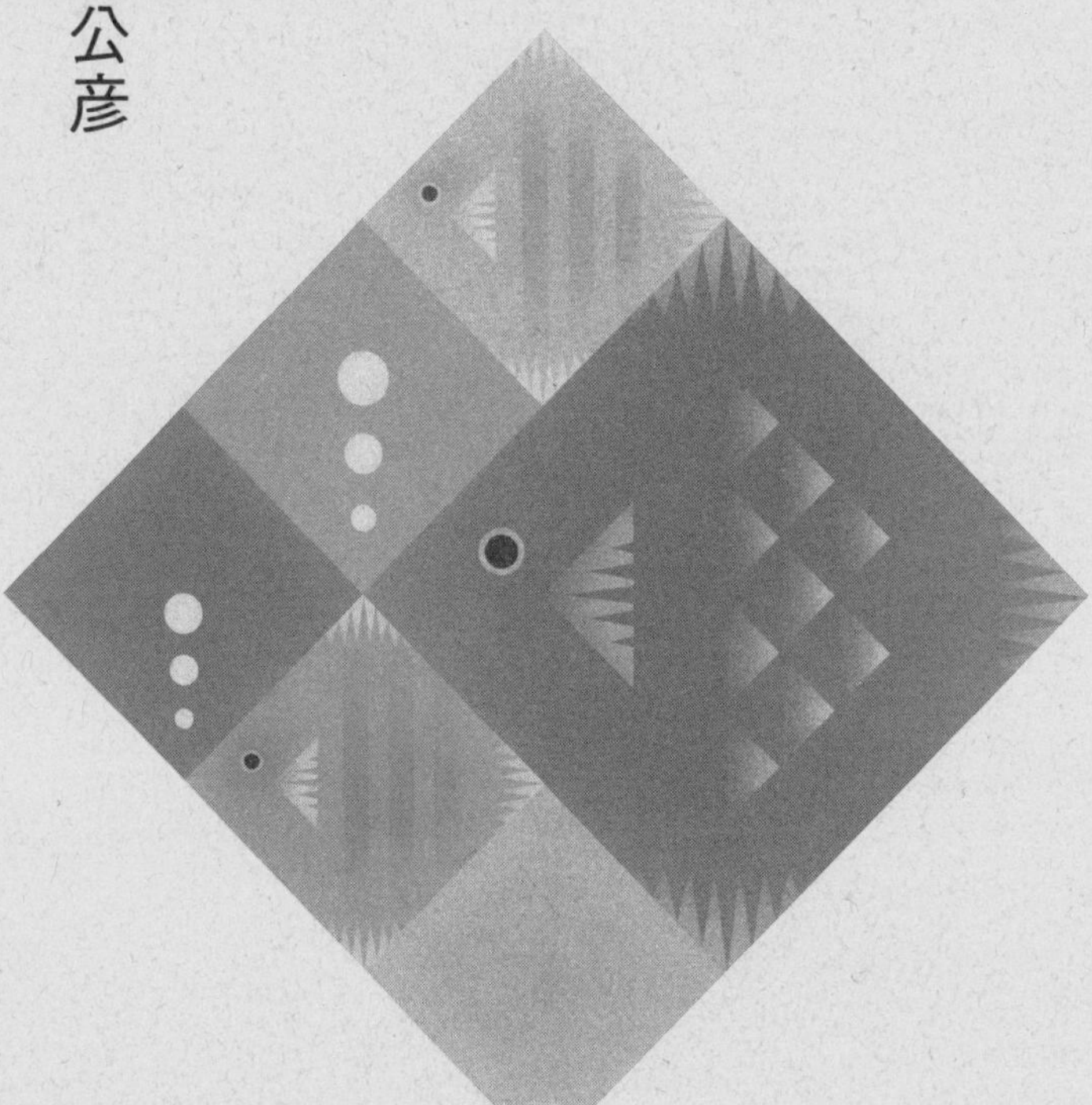

青土社

はじめに

本書に収めた文章はいずれも「言葉の生理」を扱っている。出会うこと、勉強すること、読んだり書いたりすること、教えること。言葉との関わり方はさまざまだ。そこにどう「生理」や「病」がからむのか。本書のタイトルからは〈病→癒やし→再生〉というストーリーが想像されるかもしれない。うまく機能しない言葉が、癒やされ回復し、生き生きとする。一種の再生譚がそこには読み取れるだろう。

もちろん、そうした含みはある。しかし、私が本当に示したいのは、病から生という並びに必ずしも一方向の矢印がないということである。「病」や「癒やし」や「生」はゆるやかに等号で結ばれてもいい。病むことも、癒やすことも、そして生きることも、いずれも言葉の貴重なあり方だ。どれを切り離しても全体性が損なわれる。これらをすべて視野に収めることでこそ、言葉の働き方が理解できる。

これを、私たちの「今」の状況に置き直して考えてみよう。

言葉が伝わらない、と思うことがある。納得できないことが起きて、「それはおかしい！」と言っても、声が届かない。「こうするべきだ！」と叫んでも誰も振り向かない。フラストレーションがたまる。

言葉を伝えるための方法は発達した。手紙から電話という時代をへて、今や、デジタル空間にはメールからSNS、さらには個人単位のミニラジオ局のようなものまで、次々に新しい装置が生み出されてきた。

それでも伝わらない。届かない。何とかならないか、と思ってしまう。何とかしたいのはみんな同じなのである。しかし、どうすればいいか、というところで意見が分かれる。

一方にはこういう見方がある。

「簡単だ。ちゃんとコミュニケーションの方法を勉強すればいい。正しく伝わるようにすればいい。言葉の技能を磨け」

なるほど。もっともな意見だ。こうした意見が社会では多数派なのかもしれない。しかし、ある程度、言語活動のことを考えてきた人なら気づくかもしれない。実は、言葉の失敗は日常茶飯事なのである。うまくいく方が珍しいくらい。完璧なコミュニケーションなど、絵に描いた餅にすぎない。言葉が伝わらないのはあたりまえなのだ。

だから、昔から人は暴力・武力に頼って他者に言うことを聞かせようとしてきた。その後、人類は少しだけ賢くなり、力に訴えるかわりに、言葉を上手に伝えるための方法や、そのための装置を開発した。そんな中でとりわけ重要だったのは、「相手の言葉を勉強する」という方法を発見したことだった。「相手の言葉」とは外国語であったり、新しい探求の方法であったり、敵対する人物の論法だったりする。あるいは、非常に独特な感性や感情だったりする。そこには見知らぬ文法が埋め込まれている。

「相手の言葉」を完全に理解するのは無理だ。一生かかってもそんな「技能」は身につかない。しかし、少しだけ賢くなった人類は「相手の言葉を勉強する」過程で学んだのである、言葉が伝わらないのはあたりまえだ、ということを。

言葉はつねにずれる。誤解される。伝わらないのがふつう。相手の言葉は、永遠に相手の言葉なのであり、自分の言葉と完全に重なることはない。

これは物と言葉の関係でも同じだ。科学の発達で、私たちは世界のすべてを言語化し、説明してしまえるような気分になった。しかし、新型コロナウイルスの到来でもはっきりしたように、それは幻想だ。物とすっかり一対一で対応して、すべてをきれいに説明できる言葉などない。物どころか、人間の心だって不可解なことだらけである。言葉にできることはたかがしれている。

言葉を使うとは、まさにそういう場で格闘するということなのである。自分の言葉がそのまま相手に届くという期待は捨てた方がいい。言葉ですべてを解き明かすのも無理だ。意思疎通にまったく無駄のない究極のウルトラ・コミュニケーション法などもない。誤解されたり、ずれたり、とらえそこねたりする言葉を、何とかして届ける。あるいは聞き取る。全部ではなくても、八割、いや半分でもいい。

私たちはつい言葉に「強さ」を求めがちだ。「全部伝えたい」という気持ちは、このように言葉を強力な武器のように使おうとする気分とつながっている。強く、効果的に、説得力をもって語り、相手にうんと言わせたい。語ることによって相手を支配したい。そういう言葉の使い手が偉いと思っている。それを、すごい、と賞賛する。

しかし、言葉は本来的に弱いものでもある。だから伝わらない。そこをやっと何とか乗り越える、というふうに考えるべきだろう。言葉が故障したり、病んだりするのはあたりまえなのである。

とはいえ、賢い人類は知っている。言葉には、弱さゆえの力がある。その細身と、やわらかさを生かして、薄暗い心の隙間や、物と物の隙間に入りこみ、とんでもない宝物を発見することができる。かと思うと、「まさかそんなふうに言うとは！」と奇跡的な形で世界をつかまえたりする。

本書に収めた三一篇の文章は、いずれも言葉のそうした側面について語ったものばかりである。弱く、不安定で、しばしば失敗し、ずれることの多い言葉の背後には、同じく弱く、不安定な人間の本性がある。興味深いのは、弱さを抱えた人ほど、しぶとく周到で魅力的な表現者になるということである。近代英文学の世界では、心や身体の失調が作品内で語られることが非常に多かった。一八世紀の英文学ではメランコリーが流行病になったと言われるほどだ。日本文学でも多くの文章に何らかの〝失調〟が反映されてきた。表現者には病の香りが付きまとうのである。

言葉は毒にも薬にもなる。病を抱えた言葉はそれゆえに癒やしをもたらすこともあるだろうが、さらに病を広げてしまうこともある。取り扱い注意なのは間違いない。しかし、私たちが言葉を使って生きていかなければならない以上、言葉にさらされ、その危険や魅力と出会いながらやっていくことは回避不能の必然なのである。言葉の病がまるでないもののように、知らぬふりを決め込むことなどできない。ちょうど人間などいないかのように振る舞うことができないのと同じように。これは自分が数字だけの世界に住んでいると信じる人にも適用されることだ。

本書は六つのセクションに分かれている。各部のはじめに説明をつけたので、興味をもったセクションから読んでいただければ幸いである。もちろん全体を一気読みしていただいても私としては嬉しいが、まずは気分と都合に応じて気に入ったセクションからページを繰っていただければいいと思う。

その上で、あえて言えば、第1部冒頭に収めた「言葉は技能なのか」は短いものでもあり、本書全体の前提をとらえるためにも、ぜひ目を通していただきたい。その後、第1部、第2部は広く言語と教育や社会の問題を扱っており、それほど深くコミットしなくても中に入っていけると思う（変な言い方だが）。

著者として、「ここは何としてもいずれは読んでほしい」と願っているのは第3部である。

本書の幹となる部分であり、ここから枝葉のように各部・各章が広がっていく。鷗外と漱石と太宰と西脇。どの章もちょっと重いかもしれないが、どうぞよろしくお願いします。

第4部、第5部では〝何とか伝えること〟、〝受け継ぐこと〟が主眼となった。たしかに言葉は伝わらないことが多いが、一度で伝わらなければ、もう一度言ってみればいい。あるいはリレーのバトンのように、誰か他の人が受け継いで、灯を絶やさなければいい。批評の役割は、そのように語られたものをさらに語り継いでいくことだ。その過程でオリジナルのものに生命が吹き込まれることだってあるだろう。

第6部もその延長だが、ここではあえて、語りにくい作家たちをとりあげた。大江健三郎とカズオ・イシグロはノーベル賞を受賞したことで誰よりも名が知られた作家となったが、実際には彼らの作品について語るのは簡単なことではないと私は思っている。これまで何度か大江について書いてきたが、毎回、挑戦者の気持ちになる。

病んだ言葉　癒やす言葉　生きる言葉

目次

第2部　英語入試大混乱の後先

第3部　「病」と「死」を生かす言葉

第4部

言葉を伝えるために汗をかく

ワーズワスを教えたい

第5部

書くことへの「こだわり」は病なのか、救いなのか

第6部
どうしてもうまく語れない作家たち

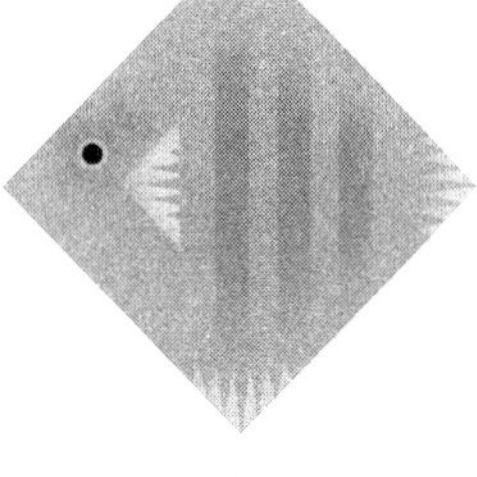

病んだ言葉 癒やす言葉 生きる言葉

第1部

言葉を甘く見てはいけない

言葉は技能なのか？　第1部と第2部に通底するのはこの問いである。

　大学に入ったら言葉にかかわる勉強をしたいと思っていた。お世話になっていた高校の先生に相談すると、ドサッと本を貸してくださった。大修館書店の『言語』のバックナンバーだった。どれくらい読んだか、どれくらい理解したかはよく覚えていない。そもそもちゃんと返しただろうか……。ともかく、これがきっかけとなり池上嘉彦や鈴木孝夫などの書物を手に取ることになった。

　ドサッと積まれた本は、私にとって大切な「言葉の原風景」となった。おかげで「塀の向こう側」の景色を目にすることができた。

　言葉との付き合い方は人それぞれだ。強制はできない。でも、本をドサッと置くのは悪いことではない。塀の向こう側を見るためには、梯子や双眼鏡が必要だ。そもそも塀があることに気づかない人もいる。

　強制はできない。でも、準備はさせたい。

言葉は技能なのか

ここ数年、私は「英語民間試験の活用に一生懸命反対する人」の一人でした。休学届のハンコをもらいに来た学生さんにまで「先生。ほら、あの、入試のやつ、がんばってくださいー！」と声をかけられるほどでした。

なぜ、私はこれほど一生懸命だったのでしょう。この入試政策に制度として問題があったのはたしかです。でも、私がまず気になったのは「四技能」なる理念でした。「四」とか「二」といった区分でいいのか。そもそも言葉を「技能」と割り切っていいのか。言葉とはもっと扱いの難しいものではないのか。もっと「あやうい」ものではないのか。政策が中止された今も、この問題は解決していません。

英語の skill の訳語である「技能」という語は、この二〇～三〇年くらい英語教育の世界で頻繁に使われるようになりました。たしかにその利点はあります。一つには、言葉の世界が身近になるということです。歴史上、言葉を身につけることは知識の習得や文献解読といった知的な営みと連携することが多く、どうしてもエリート主義的な言語観を生みがちでした。ルネッサンス期のヨーロッパの宮廷人がしばしば詩歌に通じていたのは、言語運用能力が身分の高さや知性の証とされていたからだという指摘もありますし、日本の歴史でも地位の高い人の間では漢文の素養が重視され、近代になっても選抜試験では外国語科目に大きな比重が置かれてきました。

言葉が宗教的な権威と密接につながってきたことも忘れてはなりません。太古の昔から人間は言葉に神聖な力を見て、超越的な存在から言葉的なメッセージを受け取ることに関心を持ってきました。近代になり世俗化が進んでも言葉の神聖視は形を変えてつづき、ロマン主義の時代には詩人が天才と見なされたりします。

しかし、過度な畏怖には弊害もありました。言葉は地道な努力でそれなりに身につく。神聖視しすぎれば、そうした側面に目がいかなくなるでしょう。技能という語はそんな過大な神聖視を乗りこえ、言葉をいわば「民主化」するのに役立ちました。英語などの外国語科目を理科や社会などの「内容教科」と区別し、音楽や美術、体育などと同じ実技中心の「技能教科」とすべしと主張する人がいるのもそのためです。習得は高度な知性よりも、努力とコツ。人を選ぶわけではない、ということです。

このように技能という語には、解放性があります。ただ、それで「すべてよし」ともいきません。ここからが私の懸念です。このところ世の中では「今までにはなかった」とされるような事件が起きています。たとえばSNSで自殺願望者と知り合った人が、本人が翻意したのにその人を殺害してしまう。あるいはテレビ番組に出演した女性がＳＮＳでの中傷に耐えられず、自ら命を絶つ。これらはネット時代ならでは事件と見られがちですが、根は古いところにあります。言葉とどう付き合うかということなのです。

言葉は相手を惹きつけたり拘束したり、逆に暴力性や殺傷力を持ったりもします。不思議な力があるのです。上記の事件は決して特異な事例ではなく、人目につかないところで数多くの事例が発生しているはずです。私の身近でも起きています。たしかに被害を増幅させたのはインターネットでしょうが、その点ばかりに注目しても事の本質を逃してしまいます。

私があらためて思うのは次のようなことです。たしかに、技能／skillという語の導入のおかげで、人間の言葉との付き合い方はより自由で解放されたものとなった。しかし、そうした解放感は、言葉を甘くみることにもつながったのではないか。言葉を単なる道具や技能と見なし、使用法さえ覚えれば簡単に使えると過信したら、言葉の（そして究極的には人間の）あやうい部分に思いが及ばなくなるのではないか。

私たちはあらためてこのあやうい部分を見つめ直す必要があると思います。「あやうい」には、「暴力的で危険な」との意もこめていますが、他方でそこには「デリケートで毒にも薬にもなる」という含意があります。言葉の危険さと有用性や魅力は紙一重なのです。

象徴的なのは嘘です。嘘は道徳的に「悪」とされがちですが、実際には言葉の重要な機能の一つでもあります。具体例をあげて考えましょう。吉田修一さんの『悪人』（朝日文庫）は九州を舞台に、ある殺人事件を描いた作品です。必ずしも謎解きが主眼ではなく、丁寧な人物描写が読み所になっています。

今、注目したいのは、主人公の清水祐一に殺害される石橋佳乃という女性のことです。彼女はわりと気軽に嘘をつく人として描かれます。小さな難局を切り抜けたり、体裁をつくろうために、便利な道具として躊躇なく嘘をつく（「技能としての嘘」というフレーズが思い浮かぶほどです）。しかし、彼女は「嘘」の本当の力をわかってはいません。それが不幸を呼ぶ。そのあたり、私は次のように解説したことがあります。

〔これは〕ある意味で佳乃が世界の一義性のようなものに安心しきっていることの証拠でもあります。だからこそ、平気で戦略的な嘘がつける。ついた嘘がどんな恐ろしい現実を引き起こすかも想像せずに、嘘は嘘だから、と切り離して考える。言葉は言葉、物は物、とわりきっているのです。佳乃はどうやら物の世界の安定感を信じ切っているようなのです。だから、言葉とか心といった部分に、おそろしく鈍感でいられる。だから、言葉や心に復讐される。（『小説的思考のススメ』東京大学出版会、一〇九―一一〇頁）

彼女は嘘を多用しますが、それは嘘の力を知っているからではなく、嘘を甘く見ているということです。実際、彼女は嘘だと知りながらわざと祐一を強姦魔呼ばわりし、それが事件につながります。祐一は「俺は何もしとらん」と抗弁するものの、「早く嘘を殺さないと、真実のほうが殺されそうで怖かった」と彼女の首をしめてしまうのです。

このように嘘はひどい毒を生み、人を傷つける。でも、効能もあるし魅力もある。目の前の現実から離れて、仮想的な世界を構築できるのはすごいことです。それがどこまで広がりうるか、どんな機能があるか、どんな危険や奥行きがあるかは、実は十分には理解されていません。だから、言葉を使う過程で思いもかけないことが起きる。ときには恐ろしい事件にもつながる。私たち現代人にとっても発見の連続です。だからこそ、嘘は言葉のもっとも「あやうい」部分の一つなのです。政治、行政から教育、芸術、さらには日常の言葉のやり取りにおいても、真実性の判断を保留して言葉にしてみるという行為は、私たちが世界と付き合うのに重要な役割を果たしてきましたが、使い方を誤れば大きな被害をもたらします。「早く嘘を殺さないと、真実のほうが殺されそうで怖かった」という反応はけっして大袈裟なものではないのです。

ではどうすればいいのか。やはり言葉を甘く見てはいけない。個々人のレベルでも、社会としても、私たちは言葉の働き方がすべてわかっているわけではありません。でも、それは前向きにもとらえられます。言葉の働きをさぐり、興味を持ち、理解を深めれば、私たちの生活はより豊かなものにもなるはずです。

卑近な例で言えば、私たちは生活の中ではわかりやすい価値に注意が向きます。数値が欲しくなる。最たる例がお金です。しかし、お金の価値は一義的ではない。よくお金について「真水《まみず》を注入する」「色つきのお金」といった比喩が使われますが、同じ一万円でも意味作用はさまざまです。振り返ってみる「あのときの一万円」。一週間後に約束された「楽しみな一万円」。突然、もらった「え、一万円も？」。心理的にはみな異なります。そのメカニズムを理解するには、言語的な想像力を駆使して人間化することが必要です。これも「嘘の効用」の一環です。

近代人が取り憑かれてきたお金は、実用性の究極の物差しとされがちですが、その機能はほんとうはとても言葉的なのです。演算処理だけでは理解できない、隠れたニュアンスや錯誤や仮想イメージを通し人間の心を動かす。「お金の修辞学」という視点には、まだまだ探究の余地がありそうです。

もうひとつは「安全保障」。国レベルであろうと、個人レベルであろうと、危険から身を守ることは重要です。しかし、いわゆる武力だけで身を守ることができるでしょうか。歴史研究が明らかにしたのは、諍《いさか》いの勃発やその行方でほんとうに意味を持つのが、単純に数値化される武力だけでなく、外交努力や、それ以前の信頼関係の構築、価値観の共有だということです。さまざまな国際機関がそうした理念の下につくられてきたのは周知の通りです。ここでもまた、言葉に媒介された考え方やヴィジョンの共有が大きな意味を持っています。

経済や安全保障は「実用性」を象徴するものでしょうが、これらも金額や兵力などの数値だけでは測れない事が多いということです。やわらかい地盤に載《の》った「あやうい」ものなのです。繰り返しますが、言葉を甘く見てはいけない。言葉や人間をめぐる学問の最大の効用は、世界を知り尽くしてやっつけることにはありません。むしろ世界の不思議さに驚き、日々新しい畏怖の念にかられること、それが先につながります。今、私たちに必要なのは、まずは驚く力なのかもしれません。

小説と「礼儀作法」

小説の「礼儀作法」ということが最近気になっている。たとえば手紙のように読み手が限定される文章では、出だしでも明確に「作法」が意識される。「こんにちは！」なのか、「ごぶさたしています」なのか、「桜の便りが次々に聞かれるこの折」なのか、親しさの度合いによってこちらの態度も決まる。では、小説ではどうか。そもそも小説は誰が読むのかわからないものだ。書いてある内容も文字通りフィクション。作法など意識しようがなさそうに見える。所詮すべては「嘘」なのだ。しかし、虚構の世界であればこそ、「礼儀作法」がより大事になってくる、というのが私の考えである。このことについて簡単に説明してみたい。

「安心型社会」と「信頼型社会」という分類がある。心理学者の山岸俊男は『信頼の構造』（東京大学出版会）の中で、「安心」と「信頼」という区別を立て、仲間内での価値観の共有などからもたらされるのが「安心」、仲間うちを超えた他者一般や人間一般に対するのが「信頼」だとしている。この区別を基準にすると、社会にも二つの潮流が見て取れるのがわかる。

まず一方にあるのは、どちらかというと既存の社会的安定感や価値の共有に頼る、いわば「安心型」の社会。他方には、安定感があまりなく価値も共有されていない、つまり、いちいち誰を信頼するのか個別に判断しなければならない「信頼型」の社会。前者の典型は、たとえば日本。後者はアメリカである。

この安心型と信頼型という二分法を言語学者の滝浦真人は敬語にも応用してみせた（『日本語は親しさを伝えられるか』岩波書店）。私たちは敬語というとついきわめて日本的なものだと思いがちだが、近年「ポライトネス」（「配慮」と訳される）という新しい概念が確立され、「敬意の表し方」の普遍性に注目が集まるようになってきた。どうやら他者との距離の取り方について、人類全体に共通した何かがあるらしい――そんなことがこの概念を通して見えてくる。ただ、それでも日本的な敬意・親しさの表現と、普遍的に世界中で見られる配慮には若干の違いがある。滝浦はこの違いを「安心型」か「信頼型」かという枠で説明する。

日本的な敬語表現は明確に決まりがある。朝起きたら「おはようございます」。道で会ったら「こんにちは」。まるで判で押したように守られるルールだ。やらなければ叱られるが、やってさえおけば叱られない。まさに「やっておけば安心」の「安心型」なのである。これに対しそうでない方法がある。決まった形はないが、相手や状況に応じて、たとえば質問や同意によって配慮のジェスチャーを示すというやり方である。後者の場合、明確なルールがないだけに、こちらの提示したものを相手が読み取るかどうかで意図が通じたり通じなかったりする。このように状況に応じてシグナルをやり取りして行われる配慮を滝浦は「ポライトネス型」と呼び、ルール重視の日本的な「敬語型」と区別する。ポライトネス型は、ルールが明確に共有されていない分、不安定である。「これだけやっておけば！」という安心感はない。しかし、文化を共有しない共同体外からの他者も配慮のやり取りに参加できるという利点がある。システムが開かれているのである。

さて、ここからが小説の話だ。近代のヨーロッパで発達した小説というジャンルでは、個人のごくプライベートな体験や事件を多数の読者に向けて暴くという形がとられた。これは画期的なことだった。近代になって個人の内面やプライバシーといった感覚が生まれたからこそ、それを「暴露」することも可能になったのである。そこに小説的「関心」も生まれた。ただ、はじめから小説が不特定多数の読者に向けて語られたわけではない。一八世紀の小説がしばしば書簡体の語りという形をとったことからもわかるように、小説といえども語るためには顔の見える読み手を設定することが多かった。

一九世紀ともなると、「神の視点」と呼ばれる、世界全体を俯瞰するような語り口が主流となってくる。現在では誰かに語りかけるようなスタイルの小説はむしろ少数派だ。しかし、対人関係が見えなくなったとしても、聞き手／受け手の関係は依然として大事である。というのも――他のジャンルの文章と比較してもそうだと思うのだが――小説は作品ごとに大きく異なる「読み方のルール」を読者に提示するからである。背景、設定、人物、文体など、すべてをゼロから構築するのが小説なのである。受け手の柔軟な協力なくしては成り立たない。語り手は、どのような協力が必要かをいちいちシグナルとして示す必要があるし、聞き手／受け手もそれを解釈し消化することではじめて内容が受け取れる。小説を読むという行為の肝は、このようなシグナルのやり取りにあると言っても過言ではない。

こうしてみると、小説の礼儀作法が「とりあえず型を守っておけば安心」という敬語型ではなく、そのたびにジェスチャーを示して相手と交渉するようなポライトネス型なのは明白だろう。これは近代になって、形式重視の定型詩のようなジャンルが廃れていったこととも連動している。近代社会では、見知らぬ他者と交渉する機会が劇的に増え、それだけに各自が決まった形式に寄りかかるばかりでなく、新しい人間関係に柔軟に対応することを求められてきた。文章も例外ではない。小説はそうした出会いを練習するための装置となってきたのである。

それにしても不思議なのは、私たちにこのような読解の能力が備わっているということである。小説の語り手からの要請を受け入れ、構築に協力することが私たちにはできる。たいしたものだと思う。それを単に想像力と呼ぶだけでは十分でない。コミュニケーションの円滑化や、対人関係の調整ともかかわる複雑な心のメカニズムが、小説を読むという作業にはかかわっている。まだまだ私たちが気づいていないことは多い。それだけにおもしろい発見がありうる領域だと思う。このあたりの問題意識をもとに私は『善意と悪意の英文学史』(東京大学出版会)を刊行し、英文学作品の中で語り手がどのように「礼儀作法」や「配慮」を実践してきたか考察したので、参考にしていただければ幸いである。

しようと思ったことができない病

本を読むのは苦手である。学生に文献を紹介すると、二、三日して「あ、こないだの本、読みましたよ。Aはまあまあだったけど、Bはつまらなかった。Cはいいと思います」なんていうふうにすいすい読んでくる人がいる。読めと言っておいて何なのだが、こちらは胸の中で「すげえ」と思っていたりする。どうしてそんなに素早く読めるのだろう。

本は車と似ている。車の運転もやっぱり苦手だ。誰かを乗せて話しでもしていれば大丈夫だが、ひとりで運転しているとどうしても、エアコンの調子だのCDの設定だの、通算走行距離だの信号機の形だの道路沿いのガソリン価格競争だのと、どうでもいいことに目がいってしまう。それでいて長時間高速などを走っていると眠くなる。危なくて仕方がない。

車の運転をするときは、車の運転だけをするべきだ。本を読むときも本を読むことだけに集中した方がいいに決まっている。でもやっぱりエアコンだの、CDの設定だのに目がいってしまうし、高速道路のように路面がなめらかで信号もないような文章を読んでいると眠くなってくる。

これではいけない、と高校生くらいのときに思った。しかし、「いけない」と思ったくらいで治るようなものではないらしく、人生ずっとそのまま来てしまった。「しようと思ったことができない病」とでも言うのだろうか。相変わらず本はなかなか読めないし、車の運転も得意ではない。

ただ、運転はともかく、少なくとも読書が仕事の重要な一部である職業についてここまで何とかやってこられたのは、「しようと思ったことができない病」を患っているけれど、「しなくてもいいことをしてしまう病」も患っているからだと思う。

本を読むときは本だけあればいい。でも、頼まれてもいないのに必ずペンを手にし、あれこれ書きこんでしまう。基本的には線を引く。傍線、波線、三本線。単語や文を丸ごと囲むこともある。☆印も使う。目次のあたりにメモをしたり、章ごとに○×で採点をしたりもする。「でも……」と勝手に反論したり、「そうかね？」とか「バカ！」とか書きつける。文句を言っていても、書きこみが多いのは本と親密な関係になっているときだ。「しなくてもいいこと」をいろいろさせる本は、後になると意味のわからない書きこみがあちこちにあって、ページ面も古いお札みたいにメラメラと強張っており、「まだまだお前には負けんよ」というしぶとさを見せつけている。本を読むのは苦手だけれど、そういう本との付き合いは好きだ。

読書というのは、それほど一直線にまじめくさってやらなくてもいいものかもしれない。本は〝うるさい場所〟にあるものだ。外からの噂が耳に入ってきたり、自分でも「おっ」と感動したり、ぶつぶつ文句を言ったり、噂を流してしまったり。ときにはこちらが読むのをやめたのに、向こうから声が聞こえてくることもある。それをはじめて体験したのはイギリス詩人ウィリアム・ワーズワスの『序曲』という作品を読んでいたときだ。ワーズワスの詩は別に豪華絢爛な言葉で書かれているわけではないのだが、ときどき、いくら蛇口の栓をひねってもとまらなくなった水のように言葉が流れつづけることがある。ふつうは水はただ使うものだから、蛇口を開けるか閉めるかぐらいしか考えないが、使うことを忘れてふと見つめると、これほど美しく不思議なものはない。こちらに水を見つめる心の準備さえあれば、びっくりするような境地を味わえる。いったい誰がこの言葉を読んでいるのだろう？　という無重力のような読み心地にさえ至る。

そういう、いつもあるわけではない〝至福の読書〟の体験が忘れられなくて「英詩の研究」というコースを選んだのだが、いつもそんなふうにして本を読めるわけではないし、それに年《ねん》がら年中〝至福〟にひたっていたら身が持たない。詩というのは一日中読むものではないと思う。せいぜい一日三〇分から一時間くらいがちょうどいい。

〝至福の読書〟の対極にあるのは、雑音そのものを読むような読書だ。雑音のように降り注いでくる言葉には独特な心地良さがある。何よりも〝至福の読書〟とちがって、くたびれない。週刊誌の見出しやツイッターは、雑音ならではの次々と交替するような軽快で迅速な刺激を与えてくれる。

しかし、雑音の言葉にもほとんど〝芸術〟の域に達したものがある。阿川弘之の『志賀直哉』（上・下、新潮文庫）などがそうだ。愛読書は？　などと途方もない質問をされても答えに窮《きゅう》するが、どうしてもと言われたらこの本をあげてもいい。何より、最後まで読み終わっていないのがその証拠だ。志賀直哉本人やその作品には頑《かたく》なところがあって「雑音」とはほど遠いようなのだが、阿川の『志賀直哉』は実に柔らかい語り口でゆるゆるとあちこち旋回しながら、とんでもないような重大な話題でもさらっと語ってくれる。それでいて文章に品がある。たとえば志賀直哉の「徴兵忌避問題」を語った箇所。今の週刊誌なら、「文豪志賀直哉の隠された闇！」などと見出しを掲げるかもしれない。父親が大物実業家だったこともあり、どこも悪くない志賀は「極度の難聴」との理由で徴兵を免れたのである。病院長やら軍の連隊副官などがからんでいた。そして無事退官となって志賀がその連隊副官に挨拶をしに行ったときのこと。

「おかげ様で」と井田副官に挨拶したら、「おかげ様ってことは無い。おかげ様ってことは無いよ、君」、狼狽した井田が手で押し戻すような恰好をしたと、直哉の仕方話を私は聞かされている。

この井田副官のセリフの妙な生々しさもいいのだが、その後に続く部分がもっといい。

昭和三十年、新書判全集の最終巻につける年譜を作成する折、私の手で、簡単だがその辺の事情が分るような書き方をした。日本の軍隊は十年前に亡んでしまったんだし、いずれにせよ時効だからもういいでしょうというつもりだったが、見て、直哉はちょっと考えていた。そのうち、つとペンを取って、「耳に疾患ありとの理由で」と、私の文章を訂正した。以来、志賀直哉全集の年譜はずっとそうなっている。

何というさらっとした書き方だろう。しかも微妙な話題の、その微妙さがしっかり刻印されている。〝至福の読書〟から遠く隔《へだ》たった、決して読むことを「しなければならないこと」として強要しないような穏やかな風情がある。読み終わることなく、いつも鞄の中に入れておきたいのはこういう本だ。

発語の境界線

何か意見ありますか？　と声をかけても、なかなか手をあげる人がいない。だから日本人はだめなのだ！　と言われる。しかし、どこの国の人だって、程度の差こそあれ、言葉を発する際には幾ばくかのためらいがある。言葉を口にするか、しないか。その境界線には、ちょっとした心理的な山がある。それが壊れてしまったら、言葉も壊れてしまう。

言葉を発するというのは、本来、たいへんなことなのである。しかし、いつもたいへんだと言ってばかりでは不便なので、言葉を発することの山を乗り越える方法がいくつも編み出されてきた。その一つが「相手」である。たとえば文章を書くとき、明瞭に相手に語りかけないまでも、私たちは誰かに向けて書く。そうすることで言葉を発することの山を越えるのである。言葉を発することの根本的な無意味さや、それゆえの居心地の悪さ、恥ずかしさなど、相手さえいれば忘れることができる。相手がいることで、言葉は正当化される。

ただ、そこに詩と散文の違いも生まれるのかもしれない。詩は、この本来的な恥ずかしさを易々とは捨ててしまわない。いつまでも恥ずかしいままなのが詩の言葉なのではないか。それは詩の言葉が――荒川洋治の言を借りれば――「過激」だからである。荒川は『詩とことば』(岩波現代文庫)の中で詩と歌とをくらべ、その根にある「はずかしさ」について語っている。

人が歌をうたう。気持ちよさそうに、うたっている。こちらも気持ちがいい。うたうときは、ことばを口から出す。その口のかたちがいつもとはちがう。からだのようすもいつもとはちがう。いつものその人とはちがう。日常をはずれている。反俗的なものである。もっといえば過激である。

曲がつくから、うたうことができるのかもしれない。もし曲がなかったら、はずかしいものだ。(中略)曲におおわれると、なんでもないことになる。子供もおとなも、誰もがうたう。平気でうたう。自分のもつ、過激さが見えなくなる。

歌と比べると、詩はとても恥ずかしい。そこには曲がない。つまり曲という着物がないから。散文の場合に、「相手」がいれば言葉にもそれなりの言い訳が立つというのと同じだろう。

詩は、曲がつかない。だから、はじめからはずかしい。活字で発表するから、はずかしさは若干やわらぐものの、同じことだろう。はずかしいのは、詩を書く人だけではない。歌をうたうときも、人はそれと同じことをしているのだ。曲があるから、そう見えないだけの話である。勇気のあることをしていることになる。そしてそういう人が、曲のない詩を前にすると、あやしいものを見たような気分になる。首をひっこめる。おもしろい。

ここには公正性の問題がからんでいる。曲にしても相手にしても、私が公の場に出るための設定だと言える。一種の制度。曲や相手という枠の助けを借りることで、「私」は「私であること」の過激さを多少なりと抑えることができる。だから恥ずかしさも抑制される。

恥ずかしさというのは、些末な点のようにも見えて、なかなか奥の深い問題ではないかと思う。詩を読む人が少なくなった今も、詩を書く人はいる。そんな人も、書きながら、詩を書くことの恥ずかしさを意識する。四元康祐もそんな一人である。以前、氏と話をした際、詩と恥ずかしさについて訊いたことがある。

阿部　詩の言葉というのは一定の恥ずかしさを背負わざるを得ないと思いますが、四元さんは恥ずかしいなと感じながら、自らその恥ずかしさを背負うところに一度は行ったんですよね。

四元　そうですね。僕が『笑うバグ』にたどりついた主なモチベーションはおそらく、恥ずかしさをいかに味わわずに詩を書けるかを模索した結果だと思うんですよ。その意味では一種の照れなんですよ。（中略）『世界中年会議』以降、詩と詩人というものがセットで読まれるような詩を古典的な枠組みのなかで書いているときでも、いちおう原則としては、遠縁の親戚のおじさんが目の前でその詩を朗読したとしても、何とか赤面せずにかろうじて受けとめられるものを書きたいと思っていましたけれど。

（『現代詩手帖』二〇一三年六月号「対談　詩と呼ぶしかない言語空間——述語的統一性へ」）

四元の詩作品はつねにある種の批評性をはらんでいる。そこでは、既存の「詩」の枠組みに対する揺さぶりのようなものが行われ、ときにパロディのように見えたり、転覆的であったりさえする。しかし、おもしろいのは四元が詩というジャンルにとどまってきたことである。これだけ距離をとるなら、詩など捨てたとえば小説など外のジャンルに出て行ってもおかしくはないとも思えるが、そこにはより微妙な、私性をめぐる拮抗のようなものが感じられる。この拮抗は恥ずかしさとも関わるものだ。

四元は、恥ずかしさというものは「私性がどこまで露呈しているか」だとした上で、「私性が生で露呈していると、恥ずかしさ以前の問題として、いい詩でなくなってしまう」と言う。ただ、私性なしでは詩は書けない。

一抹の私性みたいなものを錘として言葉の秩序の奥のほうに秘めながら、それをいかにうまく消化できるのか。その度合いが浅かったら恥ずかしいし、深く深く沈潜して洗練していって濁りがなくなり、自己が深く沈んで上のほうが澄んで透明になればなるほど、恥ずかしさは消えていくのかなと思います。（同対談）

「一抹の私性みたいなものを錘として言葉の秩序の奥のほうに秘めながら」というのは実に見事な言い回しだと思うが、そうやって私性を奥に秘めるというスタンスそのものは、実は詩に限らずあらゆるジャンルで普遍的に見られるものである。

詩はかつてはきわめて公共性の強いジャンルだった。七五調をはじめとする形式や、その他の約束事に伴う縛りがきつければきついほど、ちょうど歌に曲がつくときのように、詩の制度性は増す。それだけ私性は出てきにくくなるとも言えるし、だからこそ逆に私性は受け止めやすくなる。制度が堅固であれば、「言葉の秩序の奥」に私を秘めることも容易になる。

西洋では近代になって、文化のさまざまな局面で制度と個人との関係が変わった。文芸の領域でも、個人を秘めるよりは、秘められた個人を露呈することに軸足が移り、「私」を秘めることよりも「私」を暴くことこそが大事になった。近代詩では、とくにロマン派あたりで、そうした私の露出がどのジャンルよりも過激に行われた。

だからこそ、詩では恥ずかしさがより問題になりやすくなる。かつてのように形式の縛りがなくなってみると、詩は私性を出すことが何よりも要求されるジャンルとなった。過激な私を露出することが詩では要求される。恥ずかしさに耐えることが必要なのである。

しかし、これは恥知らずということとは違う。私性や恥の露出に鈍感な書き手は、文字通り恥ずかしい物を書いてしまう。恥を呑みつつも、私を奥に沈める。そこには非常に難しい、微妙な均衡が必要となるが、書く人であるなら、詩であると散文であるとにかかわらず、多かれ少なかれ誰でもが意識していることでもある。ただ、そんな微妙な均衡のメカニズムそのものを、あざやかに言葉にしてしまう人もいる。谷川俊太郎はそんな希《まれ》なる才能に恵まれた人の一人だと思う。

谷川の「夕焼け」という作品には、次のような一節がある（『自選 谷川俊太郎詩集』岩波文庫）。

知らず知らずのうちに自分の詩に感動してることがある
詩は人にひそむ抒情を煽《あお》る
ほとんど厚顔無恥と言っていいほどに

詩人がここで使う「感動」や「抒情」といった言葉は、奥の方に沈んだはずの「私」とも連絡している部分である。理性的な判断が公の論理に則るのに対して、情動は奥にひそんだものに根を持っている。隠された秘密の「私」が刺激されることで、「抒情」と呼ばれる過激なものが露出するのである。だからこそ詩人は「厚顔無恥」という言葉を使う。この過激さは恥ずかしいものだ。

しかし、詩人は単に抒情や、情動や、ひいては詩の危険を語ろうというのではない。情動の裏に潜む恥ずかしさや見苦しさをとらえたうえで、そういう恥ずかしさに身をゆだねることの意味を、つまりなぜ今、詩でなければならないのかということを、次のような絶妙なフィニッシュの中で語っているのである。

だが自分の詩を読み返しながら思うことがある
こんなふうに書いいちゃいけないと
一日は夕焼けだけで成り立っているんじゃないから
その前で立ちつくすだけでは生きていけないのだから
それがどんなに美しかろうとも

ここにはまさに恥ずかしさへの感受性が見て取れるだろう。必ずしも「私」の秘密云々が問題なのではない。奥にある私の情動をどのように扱うか、どのようにそれを刺激し、引っ張り出すかということである。そこに詩人は逡巡する。しかし、そうしておいて、実にひねりの効いたやり方で、恥ずかしいはずのものに屈服してみせてもいる。「一日は夕焼けだけで成り立っているんじゃないから／その前で立ちつくすだけでは生きていけないのだから／それがどんなに美しかろうとも」という言い方には、それこそ「厚顔無恥」すれすれの抒情への接近が見られる。このように夕焼けの美しさを疑いつつも酔ってしまう身振りには、私たちがなかなかうまく説明できない詩と恥ずかしさとの拮抗関係が、見事にわかりやすい形で表現されているように思う。

二〇世紀の文芸批評は、詩の読解からはじまったと言われる。その先陣を切ったのはT・S・エリオットであり、ウィリアム・エンプソンであった。二人は批評家だっただけでなく、詩人でもあっただけに、言葉のはらむ恥ずかしさにはとても敏感だった。とりわけエリオットは、日常生活の中でほとんど対人恐怖症のようなはにかみを見せていた人である。それだけにエリオットの「伝統と個人の才能」の中で示されたような媒介物としての詩人像には興味深いものがある。詩人は天才的な個人であるのではなくメディアに過ぎないという考えは、古典古代以来の、詩の女神（ミューズ）の歌を聞き届ける役割の復活とも見なせる一方で、同時に近代のロマン派以降に詩が担うようになった「私性」の表出という側面に対する強いアンチテーゼでもあった。

近代個人主義の流れの中で「私性」はおおいに尊重されるようになるが、そこにはプライベートなものを公の場では晒さないという抑圧が伴うことになった。にもかかわらず、そうして隠蔽された「私」を露出したいという衝動もまた強くなる。つまり「私性」は特権化されるとともに隠蔽され、しかし、隠蔽されつつも暴かれる、という実に厄介なものなのである。

エリオットの批評が示した「私性」への懐疑は、おそらくあらゆるフォルマリズム批評が何らかの形で共有してきたものだろう。問題はいかにそれが奥に隠れた私性と拮抗を保つかである。恥ずかしさとともに「私性」と距離をとりつつも、奥にその「私」をひそませつづける。恥は忘れられてはいけない。抱かれつづけられねばならない。

「論理的な文章」って何だろう？

今、大学入試に注目が集まっています。二〇二〇年度（二〇二一年一月）からはじまる新しい共通テストでは記述式や英語民間試験の導入などさまざまな改変が行われるとのこと。政策推進者はもっぱら新方式の利点を掲げて理解を得ようとしてきたようですが、実は新しい制度にはそうした「宣伝」の中では言及されていないさまざまな課題や矛盾が山積しており、制度についての認知が広まれば広まるほど、受験生や保護者の間には不安が広がっています。とりわけ英語については、さまざまな困難があることが知られています。

私はこれまで主に英語関係での発言をつづけてきましたが、同じく言葉を扱う国語でも似たような問題が生じていると考えています。二〇一八年に刊行された紅野謙介さんの『国語教育の危機』（ちくま新書）や、『現代思想』二〇一九年五月号で組まれた特集「教育は変わるのか」の国語関連の論考を読むと、二〇一八年公示の新しい学習指導要領や、その周辺の新しい制度がさまざまな問題を抱えていることがよくわかります。

こうした著作や論考で指摘されているように、今回の政策の鍵となっているのは「実用」や「論理」といった理念の扱いです。とりわけ注目を集めているのは、高等学校で新しく導入されることになった「論理国語」なる科目。新学習指導要領の『解説』によれば、下記のような狙いで新設されたものです。

「論理国語」については、主として「思考力・判断力・表現力等」の創造的・論理的思考の側面の力を育成するため、実社会において必要となる、論理的に書いたり批判的に読んだりする力の育成を重視した科目として、その目標及び内容の整合を図った。

この部分だけを見て大きな違和感を覚える人はそれほどいないでしょう。「創造的・論理的思考」とか「論理的に書いたり批判的に読んだりする力の育成」といった文言は、こうした文書に必ず盛りこまれるいわば〝美辞麗句〟であり、既視感こそあれ、とりたてて問題をはらんでいるようには見えません。

しかし、この先の解説をよく読んでみると、おや？　と思うことが出て来ます。「論理国語」は「文学国語」とは実質的には一対を成しているわけですが、区別のためか「論理国語」の活動例として以下のような記述がなされています（傍線部引用者）。

ア　論理的な文章や実用的な文章を読み、その内容や形式について、批評したり討論したりする活動。

現代の社会生活で必要とされる論理的な文章（論説文や解説文、社会生活に関する意見文や批評文等）や実用的な文章（法令文・記録文・報告文、宣伝文等）を、目的をもって読み、文章の中心的な内容を引用したり要約したりしながら、批評したり討論したりする活動を示している。

エ　同じ事柄について異なる論点をもつ複数の文章を読み比べ、それらを比較して論じたり批評したりする活動。

同じ事柄について異なる論点をもつ複数の文章とは、例えば、ある事柄について賛否が分かれる文章や、同じ書き手の考え方の変遷が分かる文章、対立する視点をもつ文章などを指し、近代以降の論理的な文章や現代の社会生活に必要とされる実用的な文章のほか、翻訳の文章や古典における論理的な文章なども含んでいる。

くどいほど、「論理的な文章」「実用的な文章」といった文言がくりかえされているのがわかります。ここには「論理国語」なる科目を何とかして「論理的」「実用的」といった概念で縛ろうとする構えが明確に見て取れます。しかし、やや奇妙なのは、そうした前のめりの姿勢があるわりに、「論理的とは？」「実用的とは？」といった点が十分に説明されていないことです。

実は数十年前から、高尚で曖昧な「文学」よりも「論理」や「実用」をこそ国語の柱にしようという意見は出されてきました。桝井英人『「国語力」観の変遷』（溪水社）で通覧されているように、国語という科目が「言語」に重点を置くべきか、「文学」をよりどころにすべきかという論議は戦後ずっとつづいてきました。西尾実と時枝誠記《もとき》によって行われた「言語教育と文学教育」という対談（一九五二年）で西尾が展開した議論を、桝井は次のようにまとめてみせます。

西尾は、現場がいまだにかつての「文学教育時代」の体質から抜けきれていないことを知っている。話し・聞く、はともかく、読み・書くことになると、とたんに生活の必要という観点が抜けおちてしまう。今必要なのは言語生活の領域拡張の方向を推し進めることにある。それは、生活の必要、コミュニケーション機能という観点に沿った「次元の低い、基底的な能力を伸ばすことを直接目的にする」ことである。そうしないと国語教育は新しい段階に進めない。

その後、時代がくだっても似たような議論は繰り返されます。一九八九年に当時の文部省関係者、実践者、研究者を集めて行われたある座談会では、野口芳宏、市毛勝雄といった参加者が、同じように「脱文学、論理の重視」といった主張を唱えています。

このように日本の国語教育界では、長く「論理」か「文学」かという対立図式が保持されてきました。そして、この図式をもとに文学領域の排除や縮小を訴える意見が出されてもきました。しかし、これだけ影響力のある人たちがこれだけ声高に主張してきたのに、「論理」や「実用」の優越という理想はいまだ実現されていないようです。今回の「論理国語」の導入や入試の改変で、この長年の〝悲願〟がいよいよ実現されるのでしょうか。

この点、私は非常に懐疑的です。こうした議論がいっこうに前に進まなかったのは、決して「文学の抵抗」のせいではありません。むしろ原因は「論理」や「実用」の方にあった。こうした概念があまりに無批判に使われ、「論理とは何か?」「実用とはどういうことか?」という問いに対する答えが十分に出されていないのです。だから、「文学の排除」にこだわるという、やや的外《まと》れな消去法に頼る形でしか、議論ができない。今回の指導要領に見られる「論理」と「実用」の連呼にも、同じような思考停止の跡《あと》が読み取れます。

そもそもの問題の立て方がおかしいのです。今こそ、議論の土台となっている「文学」対「論理」という構図の妥当性についてあらためて考えてみるべき時ではないでしょうか。「生活」「実用」「論理」と、高尚でありがたい「文学」とを区別するという方針は、日常感覚や気分としてはわかるかもしれません。しかし、それはあくまで「気分」。それだけでは、到底〝論理的〟とはいえないのです。

本来、学習指導要領は「論理」とは何か、「実用」とは何か、という点から記述すべきです。ところが、すでに引用したように、「論理」や「実用」を持ちこむために指導要領の執筆者が行っているのは、表層的な形式にこだわることだけ。「法令文・記録文・報告文、宣伝文等」といったものを読めば「論理」が鍛えられるといわんばかりです。こうしたところからも、

「論理」や「実用」についての十分な考察が行われていないことがうかがいしれます。「あたりまえにわかる」として前提にされているものをこそきちっと批判的にとらえなければ話は前に進まないでしょう。論理か文学かという対立は、もはや惰性で引き継がれただけの形骸化した図式にすぎません。以下ではこの問題をとらえ直すために、「論理」と文章との関係について生活実感に根ざした説明をこころみてみたいと思います。

「論理」という言葉は通常、良い意味で使われます。私自身、「論理的にしゃべる練習の必要がある」と書いたりすることがあります。教科書が読めない、という子供がたくさんいるとするなら、「たいへんだ。言葉の意味をきちんと取れるよう訓練しなきゃ」と危機感を持つのは当然かもしれません。

たしかに国語の時間では「論理」のトレーニングはあまりされず、「作者の心情を読み取れ」とか「深さを味わえ」といった情緒的な指導が多いという意見はあります。ならば、元凶である「情緒過多」を切り離し、論理そのものをドライにやろう、となる。ここまでの表面的な理屈はわからないではない。文学作品の読解がもっぱら「情緒」や「心情」の読み取りにかかわるという見方を抱いてしまう人が一般にはどうしても多いのです。

しかし、論理をやるなら「論理的な文章」で、というところまでくると、かなりおかしなことになっていないでしょうか。そもそも「論理的な文章」とは何でしょう。それを読むと論理のトレーニングになる？　文章と論理の関係は？　という問いが浮かんできます。

日常的には「論理性」と「わかりやすさ」が混同されることはあります。しかし、両者はずれることもある。典型が法や行政の文言です。なるべく「漏れ」をなくし言葉で壁を作ろうとするので、一種の「つじつま合わせ」になる。また権威を盾に批判を封じようとする。だから文章としてはわかりにくくなりがちです。

しかももっと困ったことがある。ときに言葉は「論理的でない」方がわかりやすいことがあるのです。その方が人に訴えるから。言葉の不思議です。何年か前に、「保育園落ちた。日本死ね！」というブログの記事がとりあげられて大きな騒ぎになったのを覚えている人もいるでしょう。この件がきっかけで保育園の待機児童の問題が一気にクローズアップされました。小さな一言の持つ威力を思い知った出来事でした。

でも、よく考えてみると不思議です。「日本死ね」ってどういう意味でしょう。日本は生きたり死んだりできるのでしょうか。この人は日本人を皆殺しにしたいのでしょうか。なぜ、そんな一言をみなさんまともにとりあげたのか。

「日本死ね」では、通常の論理が破綻しているのは明らかです。しかし、そのおかげでかえって言葉がインパクトを持ってしまった。社会的に「意味」を持ってしまった。そして実際に社会を動かしたのです。私たちが実社会で扱う言葉とは、このようなものなのです。ならば、こういう側面を切り離して、言葉の「実用性」など語ることはできないのではないでしょうか。

こうしたことが起きるのは、人間が微妙な飛躍やわからなさにかえって反応するためだと考えられます。人間は「正しいこと」をしたいと思っていても、「刺激的なもの」にも惹かれてしまいます。言葉は人間にとって「好き／嫌い」の対象（消費財）でもあるからです。だから、しばしば正しく読むより「おいしく」読みたくなる。

論理が破綻し、意味など生まれないはずのところに、人が意味を読んでしまうのもそのためです。私たちが日常行うやり取りの多くは、中途半端だったり、意味不明だったり、論理的に破綻していたりする。でも意味を持ち、さまざまな現実を生み出す。いちいち意味の不完全燃焼にこだわるよりは、とりあえず意味を読んでしまった方が私たちには気持ちよく感じられるからです。意味が未完成なときにいちいちそれを問題にするような人たちは、ときに「こだわりが強い」とか「空気が読めない」などと疎《うと》んじられるばかり。「空気が読める人」はわからない部分はなるべくやりすごして、わかるところだけをわかるようにします。

このことを考えるために、二〇一八年一一月に行われた第二回共通テスト国語のプレテストを参照してみましょう（プレテストの問題文は「独立行政法人 大学入試センター」のウェブサイトで見ることができます）。第一問の問題文は評判がよかったようです。私も興味深いトピックだと思いました。二つの並べられた文章はいずれも人間の「指さし」という、一見何の変哲もない行為をとりあげているのですが、短い抜粋部分を読んだだけでも、「魔法のような」とも呼ばれる「指さし」という行為の奥深さが感じ取れました。

ところで、この問題文に感心した人はいったいどこに反応したのか。おそらく、あれらの文章の魅力は、指さしという一見些末な行為の、その意外な奥深さを示したところにあったのではないでしょうか。つまり、到底奥深いとは思えない当たり前でごくふつうの行為に、神秘的とさえ呼びたくなるような不思議なメカニズムが潜んでいる。そこには、私たちの日常の常識を転倒する裏切りがある。

これは生活論理からの小さな飛躍です。当たり前のことをつなげるのが「常識」で、しばしばこの当たり前さは私たちの論理の土台となります。しかし、私たちはそうした論理に、論理的にいいい裏切られるととても嬉しくもなるということです。

このように私たちの言葉は、飛躍やときには逆説、矛盾などの要素をとりこむことで活性化します。では、こうした要素をとりのぞけば「論理的な文章」となるのでしょうか。純粋な論理的思考を追求すれば最終的には数字の世界にたどり着きます。雑音のない論理。1＋1＝2という計算は、どこで誰がやっても同じ結果のはず。普遍的です。

ところがここでも面倒くさいことが起きます。算術でさえ、言葉と人間の世界におりてきた途端に、雑音だらけになるのです。1＋1＝2という計算も「どこで」「誰が」「何のために」行うかによっていろんな意味を持ちえます。

たとえば、です。恋人同士がキスをしているときに「1＋1＝2だね」との発言があったら、それは「結婚しよう」という意味になるかもしれません。会社の決算報告で「1＋1＝2だぞ！」といったら、「ルーティンでやっていたら、会社に成長などない！」という意味になるかもしれません。

これは何を意味するのでしょう。

言葉の「論理」は食べ物の栄養素と同じだと考えてみてはどうでしょう。裸では存在しない。

タンパク質そのものを食べることはできません。必ず料理の中で摂取する。論理も言葉の中にあります。それを見つけ、時には疑いつつ、その作用を受け取るのが言葉の「論理を読む」ということだと考えられます。

つまり、言葉を扱う教科では、論理は言葉の中から取り出され、かつそのプロセスを読まなければ意味がないということです。ちょうど栄養素と同じ。調理して食べることが大事なのです。新しい「共通テスト」のこれまでのモデル問題（のとくに記述式）が失敗したと言われるのも、人工的な問題文の中に論理を演出しようとしたためではないでしょうか。言葉は匂いや雑音にまみれていればこそ、その論理を取り出すことに意味が出てくるのです。

では、どうすればいいのでしょう。やっぱり「ありがたい文学作品」を使えばいいのか？違います。そんなにいらないなら、文学など捨ててもいいでしょう。そのかわり、すべての文章を「まるで文学のように」読んでみる。紅野さんがみずから『国語教育の危機』で実践された「テクスト分析」がまさにその例です。そこを、もう少し説明しましょう。

文章では論理や意味の整合性はとても大事です。でも、どんなに論理的で自己完結的な装いをまとった文章でも、「文脈」や「効果」から自由にはなれません。だから「１＋１＝２」の部分を発掘するなら、それが文脈の中でどんな効果を持つかを見極める必要が出て来ます。

言葉と人間の世界におりてきた「論理」はほんとうに厄介です。表向き立派な発言でも、裏にとんでもない意図を隠し持つことができる。人は往々にして都合の悪い部分はごまかすもの。

そうした部分をも含めて「読む」能力を養うのが国語の役割でしょう。

言葉の複雑さをよく示す例の一つはアイロニーです。「Aだ」と言いながら、同時に「Aじゃない」と言える機能です。「おいしいね」と言いながら、その文脈や言い方次第で「まずいね」を示してしまう。小学生でも操れる「ウソの力」です。

一八世紀の英国は科学への期待が高まった時代でした。そのために、言葉とモノを一対一で対応させようとする人も出て来た。でも、そう簡単にはいかない。いろんな人がこの考えを批判し、なぜだめなのかを説明した。今でも、モノの世界に言葉を従属させようとする人はそれなりにいるようですが、これは、モノの世界に心を従属させようとする試みと同じく、なかなかうまくいかない。

言葉とモノはずれるのです。でもおかげで言葉は、モノ的思考ではカバーできない想像や仮想、現状批判などに威力を持ちます。ところが「現代の国語」（高校一年生用）や「論理国語」（高校二年生以上）で文科省が推奨するのは、がちがちに言葉をかためてモノに似せようとした「実用的な文章」なのです。そこには、痩せて貧しい、ひどく現実味のない言葉しか残らないのではないでしょうか。

こう考えてくると、実用風の文章や資料を扱えば、論理の訓練になり、ひいては実社会でも役立つという「論理国語」の理念にさまざまな亀裂が含まれていることがわかるでしょう。たしかに契約書や行政文書には、野球のスコアブックやケーキのレシピーと同じような合理性があるかもしれません。用途の限定された中でなら、十分に役割を果たす。しかし、この合理性は用途ごとに規定されたものにすぎません。きわめて限定的な状況に向けて作られている。そういう特殊な用途のための文章を習得させるのが国語の役割なのでしょうか。テスト主導でそれをやっても、結局は「試験に出る実用風文書の定番」が幅を利かせるだけです。

純粋な論理トレーニングを！ という気持ちはわからないではありません。でも、雑音性を排除した文章には「読まれることで意味を生み出す」という要素が貧弱です。読むプロセスがなければ、「読解を試す問い」は作れません。これまでの共通テストの試行問題の多くは、極力雑音を排除しようとするあまり、情報の「量」に依存した問いを立てざるを得なかった。結果として、読解力のテストというよりも、注意力のテストになってしまったわけです。

新学習指導要領が掲げる「実用」風の文章では、適切な設問さえ作れないということです。文章を複数にしたところで、これは複雑さを装った単純作業にすぎないと言えるでしょう。そういう単純作業の能力が社会に出たら必要だ！ という見方もあるかもしれませんが、比重はもっと小さくて十分ではないでしょうか。また、こうした作業は他の科目でもたっぷり行われていることです。

最近の諸事件でも明るみになったように、合理的に作られたように見える行政文書や契約書も、人間の「思惑」の中では簡単にその意味合いを変えられてしまいます。また、法といえども策定や運用の背後には意図や政治性を隠し持つ。読解力が重要なのは、そうした意図を読むときです。ところが「実用文書を読む訓練」と称して、実際には「既成の規範への盲従」を強いているのではないか？ とそんな批判も出ています。もし国語のテストに出すなら、規範が人間と言葉の中で汚れたものになっていく、そのプロセスを上手に問うてほしいものです。

というわけで、本章では新学習指導要領で連呼される「論理」や「実用」という概念があまりに無批判に使われていることや、そこにさまざまな揺らぎや矛盾が含まれていることを、日常的な例などを用いながら説明してみました。こうした〝美辞麗句〟の連呼では、論理性も実用性も決して身につきません。また「論理国語」という科目名はさも新しいものであるかのように取りざたされていますが、実際には冒頭でも述べたように「論理」か「文学」かという対立構図そのものが古くからあるもので、とっくに形骸化している。だからこそ、国語をめぐる議論は前に進まなかったのです。

ほんとうに生徒の論理性を鍛え、実社会で使える実用的な言葉を身につけさせたいなら、汚れや雑音にまみれた言葉をこそ使う必要があります。使い手の匂いが付着し、情緒だけでなく思惑やイデオロギー、ときには勘違いや失敗なども含むような言葉。そうしたものと格闘させることでこそ、「生きる力」を育む国語教育ができるのではないか。こう考えると結局は文学テクストにたよらざるを得ないのではないかという気もしますが、今は黙っておくことにします。

入試政策と「言葉の貧しさ」

近年の入試混乱の大きな争点となったのは英語民間試験の活用と記述式の導入でした。そのこともあって、今、あらためて「日本人の英語力」や「論理的な表現力」が注目を集めています。とりわけ財界のリーダーの方々は切実な思いを抱いておられるようで、「もっと英語力を」「日本人は会話ができない」といった声がよく聞こえてきます。二〇二〇年二月一八日付の『日本経済新聞』朝刊では入試政策の失敗について企業幹部に意見を求めていますが、多くのコメントは準備不足を認めつつも方向性は支持しているようです。

- 「外国語を話す力を高める視点が足りなかった」（日本商工会議所・三村明夫会頭）
- 「思考力や実用的な英語力を底上げするという方向性は間違っていない」（三井化学・淡輪敏社長）
- 「主体的、論理的に考えられる人材の育成という点では、大学入学後の教育の在り方こそ

見直さなくてはならない」（パーソル総合研究所・桜井功副社長）

これを見て、うん、その通りだ、と思う人もいるでしょう。もちろん私も「産業界の要請は、教育の本質とは関係ない」などと言うつもりはありません。ビジネスリーダーが教育制度に期待を抱くのは自然なことですし、教員にしても卒業生には社会で大いに活躍してもらいたいと思っているはずです。

ただ、ちょっと気になるのは、こうして教育政策に対して要望を出すビジネスリーダーのコメントに、どこかで聞いたようなフレーズばかりが並んでいるということです。今回の政策がなぜ失敗したのかをあらためて考えると、その土台となった「指針」や「答申」が、「どこかで聞いたような」キャッチフレーズばかりで構成され、柱となる言葉が熟慮を欠いていたことが思い出されます。入試政策の迷走の大きな原因は、こうした「言葉の貧困」にもあったのではないでしょうか。

何しろ、焦点になっているのは「言葉の教育」です。まずじっくり考えたいのは、「話す力」とはどのようなものか、「実用性」とは何を意味するのか、といったことです。どうも振りかざされる「思考力」「実用性」といった言葉が〝リアル〟に迫ってこないように感じられるのはなぜでしょう。議論の出発点にあるはずの理念について十分に考え抜かれていないことが原因ではないでしょうか。そうしたステップをとばして形式面だけで入試制度をいじっても、とても望ましい効果が得られるとは思えません。

新しい入試制度の導入が失敗した結果、今後の方針を話し合うための「検討会議」が設けられています。今こそ、そこで考えていただきたいのは以下のようなことです。入試を変えることで、何がどのように改善されるのか。「思考力」や「実用性」はどのような道筋でアップするのか。たとえば英語民間試験を活用したらどうなるか。パターン化された問題に向けて一生懸命時間を使って対策した受験生が、ほんとうに「実用的な英語」を身につけられるのか、その場合の「実用」とはいったい何を指すのか。あるいは、解答の方法を制約した記述式問題で、どのように「思考力」を鍛えるのか。

財界のリーダーはどれだけ試験の現実を知っておられるのでしょう。むろん企業の幹部や経営者は専門家ではないので多くを求めるのは酷《こく》です。しかし、彼らも、日々接する部下や取引相手に不満を抱き、「もっと優秀な人と仕事をしたい」と思っているからこそ、こうした提案をなされるのでしょう。この不満は偽物ではないと信じます。

しかし、問題はまさにここにあると言えます。「人材をめぐる不満」が紛れもない現実としてあり、財界のリーダーたちはその不満を解消したい。しかし、その改善策を言葉にするところでうまくいっていないのです。現状をよりよくするために立派な言葉を使いたくなる気持ちはよくわかる。しかし、「実用性」「思考力」「論理性」といった本来は複雑で奥行きのある言葉を、単なる美辞麗句として「何となく」使ってしまえば、結局、改革は掛け声倒れに終わらざるを得ません。

企業の幹部の方々は、数字や物に対してはシビアに目を光らせているはずです。ところが、言葉との付き合い方となると、ときに情緒的になるように思えます。ふわふわしたイメージや雰囲気が先行してしまう。『日本経済新聞』の記事を見てもわかるように、そうした言葉はしばしば紋切型で、まさに「自分の頭で考えた形跡」があまりない。これは政治家や一部の大学幹部にも見られる現象です。

では、どうすればいいのでしょう。私たちに今、必要なのは言語への理解です。ところが今回の入試の混乱では、数字と物に敏感なはずの方々が、言葉に対しては必ずしも鋭敏ではない、いや鈍感ですらあることが露呈してしまいました。そのあまりに粗雑な理念の掲げ方を見ると「こんな言葉を使っていても、望んだような数字も物もついてこないだろうな」ということがよくわかる。とりわけ気になったのは、もはや何も意味しないまま、空手形《からてがた》として流通しつづけている一群の言葉です。深刻な例を以下に列挙してみましょう。

一点刻み　論理性　主体性　考える力

簡単に確認してみましょう。「一点刻み」はセンター試験を批判するのに、よく使われたキーワードです。「知識偏重の一点刻みから脱却する」といったフレーズが繰り返されました。しかし、実際には知識偏重と一点刻みには特に関係はありませんし、一点刻みが試験の選抜方法としてなぜいけないのかもよくわからない。たしかに一人ひとり多様な個性をもった人間を点数化して一つの尺度で測ることにえも言われぬ「非人間性」や「機械性」を感じる刹那はあるでしょう。しかし、それは情緒的な反応にすぎません。大学に定員がある以上、一点刻みにするのはむしろ公平で人間的な方策です。「一点刻み」を撤廃するなら、定員をなくすか、抽選にするしかない。審議の途上では、「一点刻みを五点刻みにしたらいい」というような驚くべき珍案も出されましたが、それでは五点ごとの刻み目の「一点」がより重くなるだけです。五点ごとに人間を輪切りにするほうがよほど非人間的ではないでしょうか。こう考えてくると、「一点刻み」批判は、まったく無根拠なセンチメンタリズムに依っているとしか思えないわけです。

「論理性」とか「論理的な文章」という言葉もしきりに使われました。そのあげくに設置されたのが「論理国語」なる科目です。この科目について、中央教育審議会（中教審）の答申には次のような一節があります。

選択科目「論理国語」は、多様な文章等を多面的・多角的に理解し、創造的に思考して自分の考えを形成し、論理的に表現する能力を育成する科目として、主として「思考力・判断力・表現力等」の創造的・論理的思考の側面の力を育成する。（「幼稚園、小学校、中学校、高等学校及び特別支援学校の学習指導要領等の改善及び必要な方策等について（答申）」）

率直に言って、読みにくい。というかこれだけだと、何を言っているのかよくわかりません。まあ、こういう文書なので、読みやすさや明晰さよりも、必要な語句を入れて一種のアリバイをつくろうとしたのだなと想像はつきます。しかし、それにしても読んでいて気持ちが悪い。なぜでしょう。

その原因はまさに「論理」という言葉にあるのではないでしょうか。三行の中に「論理」という言葉は三回ほど出てくる。ここは「論理国語」とは何ぞや？　を定義しているところなのでしょうが、そこに「論理的に表現する能力を育成する科目」とか『思考力・判断力・表現力等』の創造的・論理的思考の側面の力を育成する」とあると、じわじわボディブローのようにトートロジーの効果がきいてきて、頭がくらくらします（「ラーメン丼は、ラーメンを食べるための丼なのだから、とりわけラーメンを食べる丼という機能が大事になる……」といった感じでしょうか）。

「論理国語」が「論理」にかかわる科目として設置されたことぐらい、見ればわかる。その先を説明するべきではないでしょうか（「刺身包丁」の説明は「刺身を切るための包丁」ではなく、「魚の身を一引きで薄く切れるように刃が長くなっている包丁」と定義されたほうがいいでしょう）。なのに、なぜこの答申では、こんな無意味な堂々巡りが行われるのか。この問題の根は深いです。こうした記述が示すのは、「論理」とは何なのかを、誰もきちんと考えていないかもしれないということだからです。

このことにからんで、二〇一九年八月一日に日本学術会議であった「国語教育の将来」というシンポジウムでは非常に興味深いやり取りがありました。登壇者には今回の国語政策のスポークスパーソン役を担っておられる文部科学省の大滝一登視学官もおられました。彼に対し、他の登壇者からこんな疑念が呈されました。『論理国語』『文学国語』などという区分けはほんとうにできるのか？ 言葉を論理と文学にかっちり分けられると考えるのはおかしくないか？」これに対し大滝視学官は「科目名は……資質・能力を象徴的に表したもの」と答えました。「象徴的」という答えにはすごく驚きました。この文脈で「象徴」という言葉の使い方はあきらかにずれている。そのおかげでかえって記憶に残っているのだから、やや皮肉をこめて言えば、ある種の効果はもったのでしょう。しかし、それにしても「象徴」などという言葉で逃げざるをえないのは、端的に言って「いやあ、あまりきちんと考えてません」「あんまり細かいことは言わないでくださいよ」ということではないのでしょうか。どういうつもりで「論理」という言葉を使ったのか？ と問われて象徴的と言わざるをえないようでは、この政策の先行きに大きな不安を抱かざるをえません。

「論理」という言葉は便利なので、つい、いい加減に使ってしまいます。たとえば私たちは「論理的に書かれていてよくわかった」といった言い方をしがちですが、こういうとき「論理的」という言葉をどういうつもりで使っているでしょう。「論理性」と「明晰さ」とをやや混同していないでしょうか。複雑な議論をきっちりと厳密に説明しようとする論文は、論理的ではあっても、冗長、晦渋《かいじゅう》という印象を与えることがある。説明のための手続きをきちんと踏めば踏むほど、文章としてはすっと頭にはいらないこともある。論理的だからといって、明晰とは限らないし、理解しやすいわけではありません。

また、法律の条文がその典型ですが、わかりやすさよりも無謬《むびゅう》性に重きがおかれることがある。ときには「つじつま合わせ」や「アリバイづくり」が優先されることもある。先の答申の一節も、「国語」「論理」と「思考力」「判断力」「表現力」とをつなげてぐるっと一回りさせることを優先したために、文としてはひどくわかりにくくなっていました。とりあえず、骨格としてA＝Aという堂々巡りに落としこんでおけば、文句はつけられないだろうという思惑が透けて見えるように感じました。

こうしたあまり役に立たない文言が幅をきかせていることもあり、今回の政策では「論理」を振りかざすことで何がしたいのか、事が進むほどわからなくなってきました。教科書に収める文章を選んだり、テストの対策をしたりする中で多くの人が「論理とは？」「論理を問うとは？」という問いに直面しつつあります。しかし、そうした悩みに答えるに足るだけの熟慮を、中教審の答申のつじつま合わせ的な文言を作った方々が行ったのかどうかは甚《はなは》だあやしいと言わざるをえません。

私たちにほんとうに必要なのはお飾りの言葉としての「論理」ではありません。たとえ小学生レベルであっても、言葉を使うことで論理について考えることはできます。わざと論理をずらして使ってみることで、理解が深まるということもある。他人の言葉の「論理」がわからなくて頭をひねるというのも貴重な経験でしょう。ほんとうに「論理」にフォーカスするのが目的なら、はじめから「論理的な文章を読みましょう！」などと枠をはめるのではなく、「そもそも論理とは？」という問いに向き合ってもらうほうがいい。そうすることで論理の周辺や、論理と非論理の境界線に積極的に足を踏み入れていけば、我がこととして、切実に論理とかかわることができるようになるでしょう。そうしたステップをへて初めて、懐の深い言葉の運用力が身につくのです。

そもそも「論理的な文章」などというくくりはひどくいい加減なものです。いったいどういう文章を想定しているのでしょう。皮肉などのレトリックや、形容詞が少ないという意味で使っているのなら、とんでもない誤解です。論理は私たちが文章の中から読み取るもの。こちらの読み方次第で、その文章が見せる顔はまったく異なってきます。装飾が多い文章でもいくらでも論理性はもちうるし、逆に、事務的な文書でも論理性にかけることはある。わかりやすいか、わかりにくいか、単純か複雑かといった指標では測れません。

しかもおもしろいのは、言葉というのはちょっと非論理的だったり、ちょっとあいまいだったりいい加減だったりする方が、頭に入ることもあるということです。より極端なことを言えば、そういう文章の方が魅力的で、人の関心を惹くことさえある。ちょうど真面目一辺倒の人物が、「いい人」と褒められはしても、人気者やリーダーにはなりにくいのと同じです。それがいいのだというわけではありません。ただ、企業経営者にはそういうところに目が向く方が多いのではないかと思います。人材のことを話題にする以上、杓子定規に特定の価値の称揚に走るのではなく、バランスのとれた人間観・言語観をもつ必要があるのではないでしょうか。

こうしたことを考えていくと、結局、人間とシステムとの付き合い方を根本から考え直さざるを得なくなります。人間も言葉も、きっちりしたシステムや物の世界からはこぼれる部分がある。そこに味があり、意味も生まれる。財界のリーダーの方々もわかっているのではないかと思います。実はほんとうに自分たちが欲しい人間は「論理」とか「主体性」といったキーワードだけでは見つけられない、と。「人材への不満」を解消するのは、そう簡単なことではない、と。

こう考えてくると、同じように疑念をもたざるをえないのが「主体性」「考える力」といった言葉です。これらはしばしばセットで使われてきました。かつてはフレッシュな響きがあり、それなりの威力をもっていたのでしょう。しかし、「主体性を点数化して評価する」「e-portfolioで管理する」といった段になってくると、おや？ と思えてきます。「主体性」はそうやって見せびらかすものなのでしょうか。入学試験や入社試験で有利になりそうだから、というねらいで行うヴォランティアにvoluntary（自発的な）という形容はふさわしいのでしょうか。

「考える力」を測るということで、一時期、大学入試では小論文が出題されるようになりましたが、採点に携わった教員なら知っているように、答案の多くは似たようなパターンをなぞったものでした。「自分の力で考える」という理想からは遠かった。その時点できちんと考えるべきだったのです。「自分の力で考える」とはどういうことなのか、と。そもそもそんなことが可能なのか、入試で問えるのか、と。あるいは問うことに意味があるのか、と。しかし、残念ながら、入試政策の推進者たちはそのあたりのことはあまり考えなかったようです。

そういうわけで、「主体性」も「考える力」も入試システムの中に組み込まれることで、陳腐化の度合いが高まりました。入試とはそういうものなのでしょう。試験はほんとうの意味での深い現実などとらえることはできません。人間や言葉をその深層において、つまりわけのわからない、しかしほんとうに魅力的な部分においてとらえることなどまずできない。私たちはこうした試験の限界を知ってはじめて、試験を有効に活用できるのです。

こうしてみると、「一点刻み」「論理性」「主体性」「考える力」といった理念の空々しさが、あらためて印象づけられます。政策推進者たちは、こうした言葉の本来の持ち味にあまりに鈍感で、それがもっていたかもしれない美点まで殺してしまった。もし私たちが「言葉の教育」に手をつけたいなら、何よりも言葉の世界の奥の深さを理解する必要があります。今回の政策の失敗は、言葉への無理解に起因しているといっても過言ではありません。言葉を単純化し、物のように扱えると早とちりするところが問題なのです。人間の心を物のように扱えないのと同じで、言葉と物とは完全には重なりません。

もちろん、両者を重ね合わせようとしたところから「文明」は生まれました。しかし、他方で両者の齟齬《そご》や、人間同士の誤解／誤解解消といったプロセスから「文化」は生まれました。言葉と物が簡単に重なるという誤解に安住していたら、言葉も死ぬし、物の世界も機能しません。入試制度の破綻はそうしたことを、これ以上ないほど劇的に示してくれたと言えるでしょう。

第2部

英語入試大混乱の後先

二〇一八年から二〇一九年にかけ、私はこれまで経験したことがない「騒乱」の時を過ごした。発端は『史上最悪の英語政策』（ひつじ書房）を出版し、英語政策に異議を唱えたことだった。実施時期が近づくにつれて入試制度の不備が明らかになり、メディアで意見表明を求められることも増えた。インタビューやコメントの機会だけでも五〇を超えている。そのたびになるべく丁寧に状況を説明したつもりだ。

しかし、こうしたコメントはたいていニュースや紙面に合うよう規格化・断片化される。言いたいことのすべてを伝えるのは不可能だった。ここに収めたのは短いコメントや記事では伝えきれないような、微妙ではっきりと答えの出ないことも含めて文章として書いたものである。

この騒乱のおかげで、私自身、さまざまな発見があった。今まで十分に意識することのなかったことをあらためて分析的に考えたり、世の人に向けてわかりやすい言葉にしたりといった努力は非常に有益だった。文学研究ではこの数十年、「政治性」という用語がやや安易に使われてきたが、そのようなファッションめいた用語ではとても表せない言葉の現実対応力の、可能性と限界とを学ぶ機会となった。

英語ができない楽しみ

英語で用を足そうとしてうまくいかなかったという経験を持つ人は多いでしょう。「せっかく学校で英語を勉強したのにさ〜」と思う。気持はわかります。そこから「実用英語じゃなきゃだめ」とか「使える英語を教えろ」といった苦情が出てくる。

でも、冷静に考えてみましょう。私たちが「できない」のはなぜか。多くの場合、理由は簡単です。表現が思いつかないだけ。あるいは聞き取れないだけ。

なら、どうすればいいか。これも答えは簡単でしょう。使いそうな単語や表現をあらかじめ勉強すればいい。電車に乗るとき、商談のアポをとるとき、不良品の交換をお願いするとき。状況ごとに必要な基本単語はたかが知れている。文法の土台さえしっかりしていればその先は自分でできる。学校の勉強はそうした基礎作りのためにあります。

ただ準備をしてもうまくカバーできない領域があります。難しいのは空間表現です。翻訳の専門家がよくこんな指摘をするのをご存じでしょうか。訳で難しいのはたいていメインのストーリーがまだ始まらないところだと。小説などの冒頭では舞台の中で人物がどのような位置を占めるかを示す必要がある。人と空間との関係が大事になるのです。ところが日本語と英語では、その空間感覚が微妙に異なります。「男はビルのちょうど裏側に立っていた」とか「あごにバターがくっついている」といったいわば〝一歩手前〟の表現が意外にも手強いというのです。

しかし、ここはまさに「文化の綾《あや》」。空間表現には「私」をどのように言語的に延長し、まわりの世界と付き合うのかという心理があらわれ出ます。この心理空間の組み立て方は言語によっても、土地や個人によっても異なる。関西に行くと、タクシーで「なあ、運転手さん、エアコンの温度下げてくれへんか？」などと話しかけている。こうした呼びかけには、対人的な距離の近さがあらわれていて、私などは少々びっくりします。

身の回りの空間や他者とどう言葉で付き合うかは、机上の勉強ではカバーしきれません。試験でもチェックしにくい。実際にやってみないと身につかないからです。たとえば誰かと車のパンクを修理したり、山に登ったりすると、「あ、そういうふうに言うんだ」という感動的な瞬間が訪れるはずです。

鍵になるのはyouを使った表現だと私は思っています。英語の心理空間の軸にあるのは、I-you関係。ここが日本語と根本的に異なる。Here you are!／It's up to you.／You must!／Perhaps, you want to... どうということのない表現でも、微妙なニュアンスをうまく伝えてくれる。どう言葉にしていいかわからないときは、「you系の表現」を試してみるのも手です。

それにしても空間と心理と言葉の関係には興味がつきません。中心にあるのは、難しい言い方をすれば「実存」なのです。個々人の存在の匂いが言葉には滲《にじ》み出す。だから、画一的な処理がしにくい。むしろ、うまくいかない不思議さを楽しみ失敗を糧《かて》にし、ときには黙って考えてみるのもいいでしょう。そのうちに、単なる「スキル」以上の何かが身につくはずです。

英語はしゃべれなくていい？

――英語教育の〝常識〟を考え直す

英語教育のこととなると、いろいろ言いたいことがありすぎて困ってしまう……と、そんな悩みを抱えているのはどうやら私だけではないらしい。こと英語となると議論百出、話題沸騰、さながら阿鼻叫喚の様相まで呈し、いっこうに話がまとまらない。

そのせいか、さまざまな〝都市伝説〟も生まれてきた。たとえば次のような説がまことしやかに語られるのを耳にしたことのある人は多いだろう。「学校の授業が訳読中心だから、日本人は英会話ができない」、「帰国子女は意外と英語ができない」、「リスニングの勉強は聴き流すのが一番」……などなど。

これらの〝都市伝説〟は興味深いものでいずれもたっぷり時間をかけて検討する価値があると思うのだが、スペースに余裕があるわけでもないので的をしぼって議論したい。今回問題にしたいのは、しばしば当然のように口にされる「日本人は文法は詳しいが、会話となるとだめ」との言である。もちろん、「いいえ、日本人は英会話ができますよ」などという水掛け論をしたいわけではない。注目したいのは、どうしてこのような問題が頻繁に持ち出されるのかということである。現在行われようとしている英語教育改革の柱になっているのは、非常に単純化して言うと、「もっと英語がしゃべれるようになりたい!」という、おそらく五〇年以上前から振りかざされてきたトピックを少し現代風にアレンジしたものだ。その根底には「今の英会話力ではだめだ」という焦燥感がある。なぜ、それほど「会話力」なるものに私たちは躍起になるのか。

そこであらためて問いたいのは、英会話というものはそんなにできる必要があるのか、そもそも「英会話ができる」とはどういうことなのか、ということである。もちろん、すぐ返ってくる答えはある程度予想できる。〝グローバル社会〟の到来でビジネスチャンスは今や世界各地に広がっている。それどころか、日本国内の活性化も、世界中からマネーを呼びこむことではじめて実現できるのだし、人口が縮小しつつある日本が生き残るためには、海外から人材を呼びこむことも必要。そのためにはやっぱり英会話。英語をぺらぺらしゃべってどんどん仕事をする。言葉が通じなければ、誰も日本になど見向きもしないではないか、といった意見である。

たしかに説得力のある見解だ。ただ、今、問いたいのはあくまで「なぜ英会話なのか」ということである。英語がいらないなどと言っているわけではない。ただ、会話、会話と騒ぐわりに、「会話とは何か?」ということをまともに考えたことがある人は少ないのではないか、というのが私の意見である。これだけお金と時間をかけ、議論を積み重ねてきたにもかかわらず、英語教育の実情があまり改善されていないと不満に思う人が多いのはそのためではないか。

従って、以下の議論では会話とはいったい何をするためのものなのかという原点に立ちもどることで、なぜ日本の「英語教育がうまくいっていない」という意見を持つ人が後をたたないのかをあらためて問い直したい。その結果、私がたどり着く結論は、あるいは意外なものとも思えるかもしれない。なぜなら、それは「英会話ができるようになることで、下手をすると害悪さえ生まれる」というものだからである。しかし、その前に手順を踏んで考えよう。まず検証しなければならないのは、なぜ「日本人は文法はできるが、会話ができない」という〝都市伝説〟が流布してきたのかということである。

もちろん、一般的な英語不要論は決して新しいものではない。少し前にも成毛眞『日本人の9割に英語はいらない』（祥伝社）が話題になり、ごく最近も行方昭夫『英会話不要論』（文春新書）のような本が世間にくすぶる反英会話的な気分に訴えようとしている。よりアカデミックなアプローチとしては、一九七〇年代にベストセラーとなった中津燎子『なんで英語やるの?』（文春文庫）を踏まえた、寺沢拓敬『「なんで英語やるの?」の戦後史』（研究社）や、同じく七〇年代に「平泉試案」を発端に巻き起こった「英語教育大論争」を扱った鳥飼玖美子『英語教育論争から考える』（みすず書房）といった著作が、英語教育をめぐる過去の議論の検証を進めてきた。論争の歴史を見てもわかるように、英語熱や英会話熱は過熱する一方ではなく、ときにそのバブルがはじけたり、疑念が呈されたりもしてきたのである。つまり、折に触れて反作用は生じてきた。にもかかわらず、「もっと英語をしゃべれるようにならなければ！」という欲望は必ず復活する。そこで必ずと言っていいほどセットになるのが、「日本人は文法はできるけど、会話ができない」との説だった。その背景にはいったいどのような心理のメカニズムがあるのだろう。

「日本人は英会話ができない」という〝都市伝説〟の根にある考えを突き止めるのは、さほど難しいことではない。というのも多くの「日本人英会話苦手説」は、もっぱら私たちが英語の「スピード」についていけないことを諸悪の根源とみなしているからである。たしかにそうだ。実は私自身、幼少期を英語圏で過ごしていたにもかかわらず、イギリスに留学してすぐは英語話者が何を言っているのかわからないと思うこともあったし、今でも、とくにアクション映画などを鑑賞している際などは、英語の発言が聞き取れない、ついていけないと思う刹那がないではない。そう、まさに「スピードについていけない」という心理には身に覚えがある。

しかし、そこはさすがまじめな日本人。対策もぬかりはない。スピードについていけないならば、その理由を徹底的に分析し、緻密に対策を立てようとするのである。たとえばある大学生向けのリスニング教科書では次のような会話の例をあげ、詳しい説明を添える。

Laura: Did you eat yet?
John: No, did you?

Laura: No, but I am hungry. What do you want?
John: Um, I don't know. Could you just make some of your delicious chicken salad?
Laura: Do you know how long that takes? I don't feel like it. You wouldn't want just to go out, would you?
John: I already told you we're short on money this week. You don't listen to me, do you?
Laura: Yeah, I heard. You wouldn't want to go to the store, then, would you?
John: Sure. What do you want?

男女のカップルが何を食べるかを話題にしている会話で、さほど難しいことが言われているわけではないし、日本人学習者に馴染みのなさそうな単語も特にない。さて、この会話にはいったいどんな説明が添えられているだろう。焦点があてられるのは、［dʒu］［ジュ］という音である。

［dʒu］［ジュ］の音が何度となく聞こえてきますが、正確にはそれぞれ微妙な違いがあります。最初のやり取り“Did you eat yet?”での“Did you”［didʒu］は、実際は［di］を速く発音しているため、［ジュ］だけのように聞こえるかも知れません。また、四箇所ある“do you”も、最初の“What do you want?”では、［du:ju:］、最後の“What do you want?”では、［dəja］という音です。残りの二つは［du ju］です。“could you”［kudʒu］、

"would you"［wudʒu］、"told you"［touldʒu］は共通して［dʒu］の音です。
（矢作三蔵『Listening to Natural English──映画を聞きとりたい人のために』開文社出版）

何と精緻な分析だろう。とても映画の英語がうまく聞き取れなくて四苦八苦している初級学習者のためのアドバイスとは思えない。さすがにこのコメントは次のように締めくくられている。「しかしながら、こうした音の響きの微妙な違いは、あまり気に留める必要はありません。むしろ、同じ語群でも音に幅があること、そして基本的には"d"＋"you"は［ジュ］であり、それが英語の自然な音であると実感することが大切です」。しかし、どうだろう。「あまり気に留める必要はありません」といいながらも、そもそもこうした音の特徴に気づくのが当然であるかのような、注意の水準のようなものが最後までぶれなく提示されているのは間違いない。

こうした註釈から窺《うかが》い知れるのは、一見どうということのない日常会話も実は複雑な音のヴァリエーションから構成されているのだ、という言語観である。複雑で微細な音をちゃんと聞き取れないからこそ、私たちの英会話はいつまでたっても「ぺらぺらレベル」に到達しないのだ、という。だから、この教科書ではこの「ジュ」以外にも「t＋you ガッチュ」「s＋you ミッシュ」といった細かい点に的を絞ることで、いかに英語のスピードについていくか、そのコツを伝授しようとしている。

このような例を見て、なるほど、と思う人もいるかもしれない。私も、なるほどと思わないわけではない。目の付け所としては面白いし、決して間違ったことを言っているわけではない。

しかし、何かが違う、どこか変だ、という気もする。決して間違っているわけではない。それどころかきわめて正しいのだが、はっきり言ってこれは過剰に正しくはないか？　英語の初学者がこれほどの微分的な視点で用例と向き合わなければならないものだろうか。まるで音声学の専門家のような姿勢が要求されていはしまいか。

　この例は極端なものとも思えるかもしれないが、「何としてでも英語の音を聞き取れるようになりたい」と切羽詰まった気持ちになれば、いずれはこうしたアプローチに走りたくもなるのかもしれない。［ジュ］や［ミッシュ］は聞き慣れない人も多いだろうが、［l］と［r］や、［b］と［v］の違いとなれば、高校の英語レベルでも頻繁に言及される。現在、書店で販売されているリスニング関係の書籍を見渡してみても、『絶対『英語の耳』になる！　リスニング50のルール』（音の連結や脱落に重点を置いたもの）、『奇跡の音《ミラクルリスニング》　8000ヘルツ英語聴覚セラピー』（英語は8000ヘルツの音を聞き取るのが大事との考えのもと、8000ヘルツ帯の音を練習させる）、『究極の英語リスニング』、『4週間集中ジム』など、いかにも技術的な洗練（？）を感じさせる教本が目白押しである。

　高速で流れていくわずかな音の破片を必死に拾い集めることで、やっと英語そのものに到達できるのだ、というほとんど神秘的なほどのスピード主義はずっとまかり通ってきた。多くの人は英会話についての次のようなコメントも、耳に馴染みがあるだろう。いつもどこかで私たちが耳にしている、「がんばれ、英会話！」のかけ声である。

「相手が英語を話しているのを聴くと、ある程度は理解できる。だが、自分から流暢に話すことができない」。これが、大多数の日本人ビジネスパーソンが感じる、自身の英語力ではないだろうか。

中学、高校の受験英語では、英文読解のために日本語に訳し、英語を書いたり話したりする際もまず日本語で文章を考えてから英語に訳す。これでは実際の会話のスピードについていけない。

頭に浮かんだイメージを、日本語を介さずに始めから英語で表現する。相手の言っている、あるいは書いている英語も、日本語に訳さずに英語のまま理解する。

そのためには、音声教材の聴き流しだけでは不十分で、自分から口を動かす「音読」で訓練したほうが、遠回りのようで総合的に英語の運用力を鍛えることができる。

（「今年こそ英語を上達させる2つのコツ」『東洋経済オンライン』二〇一五年一月五日）

かなりおおざっぱで気合い中心の根性論のようにも聞こえる。「日本人ビジネスパーソン」という呼びかけからして、「二十四時間戦えますか?」というかつての栄養ドリンク「リゲイン」のコマーシャルを想起させるようなヴァイタリティ中心主義。何しろ『週刊東洋経済』の記事だ。しかし、おもしろいのは芯にある前提が、リスニングの教科書の考え方と驚くほど似ているということだ。ほとんど強迫観念の域にも達している何かがある。「これでは実際の会話のスピードについていけない」という決め台詞にはっきりと表れているのは、「私たちは英語のスピードについていかねばならないのだ！」という「スピード中心主義」の思考なのである。

スピード。英語とはかくも、せわしない言語だったのか。それに対し、私たち日本語話者はかくものろまだったのか。耳と――そしてひょっとすると頭までもが――こと速度ということに関してはとにかく性能が悪く、遅い。これは要するに、日本語話者が「愚鈍だ」ということを示すのだろうか……次々にこうした問いが浮かんでくる。

しかし、ちょっと考えてみてほしい。私たちが日本語でしゃべっているときには、十分ハイスピードの会話がかわされているではないか。職場でも、電車の中でも、あるいはテレビのヴァラエティ番組でも、会話の速度は相当なものである。とても私たちの耳や、そして頭の性能が、速度という面で遜色《そんしょく》があるとは思えない。

では、どうしてこのような「英語高速説」が繰り返し語られることになるのだろう。私には、スピード主義の人たちが何かを勘違いしているような気がしてならない。たしかに私たちの日常会話は、どうやら目にもとまらぬ高速で繰り広げられているらしい。これはすごいことだ。しかし、私たちはそうやってやり取りされる高速の情報を、果たして全部聞き取っているのだろうか？　いくら現代人が忙しくなったからといって、私たちはほんとうにそれほどの高速生活を強いられているのか。はっきり言って、適当に端折《はしょ》って聞いているのではないか。

これは必ずしも斬新な見方ではない。会話の中で私たちがしかと捕まえてそれと認知しているのは、鍵になるポイントだけである。ちょうど人間の顔を認識するときに私たちがあらゆる細部をすべて確認しているわけではなく、ごく一部の情報からの類推で相手が誰かを認めているというのと同じである。やや極端に言えば、氷山の一角だけを元に情報の全体像をつかむ能力を私たちは持っている。

　ということは、英語を聞き取るためには、一字一句聞き取るよりも、氷山から全体を類推する、その延長拡大的な技術を身につければいいということになるのか。はい、その通りだ、と私は思う。そしてそういった点に力をいれる教科書もある。しかし、そこで終わってしまっては大きな間違いを犯すことになる。先に紹介した教科書のような、いたずらに精緻なアプローチにおぼれる危険もある。

　それよりも、もっと根本的なポイントがあるのだ。そもそも実際の会話では、情報のやり取りなどそれほど行われていないのではないか、ということである。氷山の一角どころか、そもそも情報が希薄なのではないか。

　これは大事なポイントなので詳しく見ていきたい。ふたたび先の会話を素材にしてみよう。

Laura: Did you eat yet?
John: No, did you?
Laura: No, but I am hungry. What do you want?
John: Um, I don't know. Could you just make some of your delicious chicken salad?
Laura: Do you know how long that takes? I don't feel like it. You wouldn't want just to go out,

would you?

John: I already told you we're short on money this week. You don't listen to me, do you?

Laura: Yeah, I heard. You wouldn't want to go to the store, then, would you?

John: Sure. What do you want?

たしかにこの会話例では、食事をいつするのか、何を食べるのか、といったことについて具体的な協議が行われている。「チキンサラダが食べたい」「作るのに時間がかかるし面倒くさい」「外食するのはお金がもったいない」といった意見が交換されている。

しかし、そのような具体的な行動指針の確認を行いつつも、より重要なことがある。下線を引いた部分にちょっと注目してほしい。"Do you know how long that takes?"（「チキンサラダを作るのがどれくらい手間かわかってんの?」）、"I already told you……"（「言っただろ」）、"……would you?"（「出たくはないんでしょ?」）といった言葉がさりげなく差し挟まれていることからもわかるように、これは単なる情報のやり取りや確認ではなく、交渉なのであり、態度と態度のぶつかり合いなのであり、最終的には共通見解の醸成に向けての足場固めなのである。そこでもっとも大事なのは「したい」「しよう」という気分の交流だと言える。微妙な言葉のニュアンスを通して、「あなたは何がしたいの?」「私はそれについてこう思う」といったことを差し出し合い、言葉の表面に表れていないレベルも含めて、相手と自分の意見とを摺り合わせようとしている。

つまり、ここで会話の本当の土台になっているのは「私が何をしたいか」よりも、「何を」の部分の外にある、「私は……したい」の方ではないかと思えるのである。チキンサラダにするのかどうか、外食するかどうか、といったことは慎重の上に慎重を期して協議されるほどのことではない。はっきり言ってどちらでもいいのだ。いや、ほんとに重要なことなら、会話で決めるよりも書面の交換などが必要となるであろう。あるいは協議するまでもなく、おのずと結論が出てくる。所詮、こうした会話で決められることなど、たいしたことではない。

にもかかわらず、チキシサラダにするのかどうか、外食するのか家で食べるのか、といったことについて日々私たちは会話を交わす。それは会話をすることが、情報よりも共感のやり取りにつながるからである。情動のやり取りと言ってもいい。そこには具体的な「何を」のファクターも絡むが、実際には「何を」について話し合っているようでいて、その「何を」をめぐる各人の態度の関わり合いそのものに意味がある。

言葉はコミュニケーションの道具だと言われるが、こと言語学習となると、多くの人はそれを単なる情報内容の伝達と取り違える。情報には上に引用したように、言葉として、データとして残されうる「内容」の部分ももちろんあるが、それが誰かに対して発せられている以上、「意向」、「感情」を含めた広い意味での「態度」の要素がきわめて重要で、その部分を無視し、会話の習得が高速暗号解読の作業であるかのように考えることには根本的な誤りがある。それゆえにさまざまな誤解も生じてきた。

もちろん「態度」なるものは、文字情報としてあらわすのがきわめて難しいものである。語気やイントネーションだけでなく、視線やジェスチャー、タイミング、場所、ムードなどからも複合的な影響を受けるからである。だからこそ、文学や映画の作品では、作り手は一般の読者や観客が意識しないような微細な表現の揺れにまで気を遣い、与えられた言語や映像というメディアを最大限に活用して「態度」の全体を表現しようとするのである。そしておもしろいのは、現実の会話でもそうしたメディアの表現にまさるとも劣らないきわめて複雑なやり取りがごくふつうに行われているということである。チキンサラダにするか、外食するかといった情報のやり取りの中で、「態度」が表明され、それに対する拒絶や受け入れがあり、またそれに対する反応があり、といったプロセスが進行しているのである。

こう考えてくると、会話をうまくこなすためには「英語のスピードについていこう！」などという高速暗号解読主義的なアプローチでは不十分だということがわかってくるだろう。「ジュ」や「チュ」の聞き分けにはそれなりに耳の慣れも必要だし、そこにエネルギーを注ぐことが無駄だとは思わないが、映画の聞き取りの達人になるよりも、現実の会話に参加することに興味があるのなら、何よりも言語や文化によって情動や態度のやり取りの方法が違うということを意識しなければならない。

そもそもそうした異文化の情動や態度が「習得」されるものなのかどうか、あるいは「習得」すべきものなのかどうか、私はあやしいとは思っているが、たとえば海外に住んだときに現地コミュニティに馴染みたいという気持ちが生ずるのはごく自然なことだろう。そういうときには情動のリズムのようなものを身体で覚える必要が出てくる。

私の友人があるとき、こんなことを言っていた。「いやあ。電車の中で四〇代の女性が三人で話していたんだけどね。みんな、相手が何を言っているか全然聞いてないんだよね。それぞれが好き勝手にしゃべっているだけ。あれでよく会話になるなあと思って」。これは決して女性差別的な意味で引用した文句ではない。男性同士でも、たとえば深夜の居酒屋などでは十分に生じうる状況である。友人は「よく会話になるなあ」と言っているが、会話とはまさにそういうものなのではないだろうか。内容よりも情動。ムードの交流が行われていれば成立するのが口頭のやり取りなのである。先のチキンサラダの例では、例文ということもありそれぞれの発言にいちいち「意味」があって情報がやや不自然なほど濃密で込み入っていたが、実際の会話ではおそらくオウム返しや相槌が多く、互いの態度の確認や摺り合わせに費やされる時間が相対的に長いはずだ。

ただ、そのあたりには文化によってやり方の違いがあって、日本語の会話ではよく「なあなあ」と言われたりするように、互いの態度の誘導や一本化に多くのエネルギーを費やす。これに対し英語では――少なくとも日本語話者の目から見ると――そうした作業にはそれほど手間はかけない。日本語を母語とする人が英語でしゃべると、やや過剰すぎるほど頻繁に相槌を打ってしまうのもそのためだ。しかし、だからといって英語では態度の表明が薄いのか、相手の態度に対する受け入れや拒絶が希薄なのかというとそんなことはない。単にリズムやタイミングなど表現の方法が違うだけである。ただ、慣れない人は、まるで社交ダンスをはじめたばかりの人のようにうまくそのリズムに乗れず、ステップを間違えて相手に「？」という表情をされ、何となく「会話がうまくいかなかった」という感想を持つ。何だかしっくりこない。流れに乗れない。だから、相手の言葉や態度の方向も予想できず、会話がどこに向かおうとしているのかがわからない。こうなると、個別の語をしっかり聞き取ることで難局を乗り越えようとすることになるわけだが、いざ、一語一語聞き取ろうとすると、「ジュ」とか「シュ」とか言っていて実に難しい！　英語とは何と高速で難解な言語なのだろう！　学校で習った構文のことなんか考えている暇がない！　やっぱり英文法なんか役に立たないではないか！　そこで出てくるのが、例の「学校で文法をやり過ぎたせいだ！」という繰り言なのである。

そもそも日本語だって、一語一語聴き取ろうとすればけっこう難しい。何より、そんなふうに一語一語を聴き取ることにエネルギーを使っていたら、会話がいったいどこに向かおうとしているのか、その人が何をしようとしているのか、その方向が感じ取れなくなってしまう。これでは本末転倒。相手との情動のやり取りなど到底実現しないだろう。むしろまずは大きな方向を感じ取ること。たいていの言葉は、その方向から予測できるし、逆に予測できないような意外性に富んだ表現を差し挟むときには、話者は「今、私は意外なことを言っていますよ」というシグナルを出すものだ。だが、慣れない言語だと、そうしたシグナルをうまく出せない。そのため、相手を間違った予測へ導いてしまい、自分の発言がいちいち相手に唐突に聞こえてしまう一方、自分も相手の方向が予測できないから、その言葉が謎めいて難解に聞こえる。

では、そういう情動のリズムや共感のやり取りのルールのようなものを、うまく勉強する方法はあるのか。言うまでもなく一番いいのは、実際にそうした会話を多く行うことである。そして巻き込まれることである。自分がその場に居合わせなくとも、文章を読んだり、音声や映像でそうしたやり取りを聞くだけでも多少は違う。でも、多くの人は言うだろう。そんな時間はないのだ！　と。効率良くやりたいのだ！　と。実は私も、そのあたりの練習を効率良くやる方法はないものか、教材作りを検討しているところなのだが（後に『理想のリスニング』東京大学出版会として刊行）、まず頭に入れておくべきは、会話の中心が情報よりも、情動や態度のやり取り、もっというと人間の感情の動き方にあるということなのである。とりわけ大人が言語を習得する際には、意識的にそうした要素に注意を払うことが大いに役立つ。だから、教材も細かい情報の一つ一つに注意を払わせることに重きを置くものではなく（しつこいようだが、そういうものが不要だと言っているわけではない！）、全体の流れに注意を向けさせるようなものが望ましい。情動のリズムを感じ取らせるもの、態度の方向を読み取り、また自らそれを提示するための助けになるようなものである。

さて。こう見てくると、「日本人は英会話ができない」という〝都市伝説〟がいかに誤った前提によって形成されたものかが見えてくるだろう。そこで、いよいよ最後のステップである。冒頭で私は「英会話は害悪である」というような結論を予告した。しかし、ここまで読んでくださった読者は、「英会話害悪説」どころか、私が今一つの「英会話上達法」を提唱しているにすぎないと思ったかもしれない。

たしかにそういう側面もある。今も触れたように、私自身がそうした教材の開発を研究しているくらいなのだ。ただ、ここで前提になっていることにあらためて注意を引きたい。すなわち、会話の中心は情報よりも、情動や態度のやり取りにある、ということである。

会話の習得そのものに重きを置くのであれば、情動、共感、態度といった要素にこそ注意を払わなければならない。しかし、たとえば現代の「ビジネスパーソン」が世界を相手に仕事をするときに、果たして情動のやり取りだけでことが済むのだろうか。いささか心配になってくる。たとえばアメリカに行って一般家庭にホームステイしてこようという高校生なら、情動のやり取りのルールだけでも学んでくればしめたものである。しかし、「ビジネスパーソン」ともなれば、何より大事なのは数字をはじめとしたハードなデータである。しかし、考えてみればそのようなハードなデータはそもそも会話の中だけで扱われるようなものではないだろう。先にもちらっと触れたが、ことが重大であればあるほど、情報は紙なり磁気データなり、何らかの形の記録媒体を介することになるのが自然である。

人間は道具を使う動物だと言われる。火、車輪、刃物……と人間の文明では各段階に応じて決定的に重要な道具が生まれてきた。そういうものの中でも、とりわけ重要性をもってきたのは記録媒体である。まず何よりも、言葉がある。はじめは話し言葉。それから書き言葉。そうして紙が発明され、そうすると文法が意識され、句読点や段落などの書記法が整備された。その後には録音装置や映像機器の発明がつづき、今はデジタルデータが主流となりつつある。

こうした経過を見てもわかるように、人間は道具を使うことで自らの負担を減らしてきた。なるべく自分ではやらない。いわば〝外注〟するのである。かつてはこの外注は、主に身体的なものだった。自分の手足を動かさずにものを動かしたり、つくったり、変化させたりする。記録媒体の発達が示すのは、人間が身体だけではなく、いわば精神の働きを外注するようになったということである。記憶、推察、判断といったことを、なるべく自分でやらない。

そう言うと、何となく人間が人間でなくなっていくかのように思えるかもしれないが、実際には事故を防いだり、何かを正確に作成したりするときには、むしろ人間がかかわらない方がいいことは多い。法律や行政といったシステムでも、そのシステムがきちんと整備されたものなら、いちいちの段階で人間がかかわらないほうがむしろうまくいくことがある。扱う人が替わってもうまく機能するのが、すぐれたシステムというものだからだ。

これまで見てきた会話をめぐる議論を振り返ってもらえばわかるように、人間のやることというのは、ムードに影響されがちだ。情報のやり取りよりも、情動や態度の交流こそが行われるのが会話。いや、それが人間というものなのだ。このところ、グローバルな場でビジネスや政治を行おうとしたい人が増える一方、文学や芸術に関心を持つ人はどんどん減っている。もっともなことだろう。グローバルな場では、情報の正確なやり取りが大事。まちがった数字や、ふさわしくない決定は極力避けねばならない。情動などという、得体のしれないものに左右されることがあってはならない。たとえば文学や芸術の作品中には情動の表現が横溢している。そうした表現を、ハードなデータに還元して説明するのは難しい。実に面倒で厄介で迷惑なものだからだ。従って、ビジネスの世界の人がそうしたものを話題にするのは、売り上げ部数や観客動員といったハードな要素を通してのみなのである。

しかし、英会話の習熟を果たそうとするなら、態度の読み取りや表明、情動や共感のやり取りと無縁でいることはできない。むしろそれが会話の肝なのである。その部分に目をつぶって、高速暗号解読の技術だけを磨こうとしても時間と金の無駄になるだけである。そう考えてくると、少なくとも小学校、中学校、高等学校という段階で子供がどのように言葉と接するべきか、どのような言語体験をさせる必要があるかは自ずと見えてくるだろう。たとえ手間がかかっても、たとえ完全にはうまくいかなくても、言葉の情動的な面に彼らの意識が向くようにすることが必要なのだ。

その一方で、グローバルな場でビジネスを展開しようとする人はどうしたらいいか。そういう方々が、それでも英会話の習熟を目指したいというなら、やはり情動と共感のやり取りの現場にもう少し足を踏み入れることをお薦めする。ふつうの日常会話でもいいし、テレビのトークショー、あるいは映画や小説でもいい。言葉が言葉であるために必要なのが何かということをあらためて考えさせてくれるものなら、間違いなくビジネスパーソンの英会話を洗練させてくれるはずである。

しかし、最後にあらためて言うと、情動や共感だけにたよってはビジネスは成り立たないし、たとえば行政や政治といった話になってくると、情動によりかかったシステムの運用はむしろ危険なものだと思える。人間の最大の知恵は、いかに自分が無力かを悟るところに発揮された。なるべく自分の能力を過信しない。なるべく全部を自分でやらない。書き言葉のルールが整備された一六世紀以降は、まさに近代文明の発展と重なった時期だ。書き言葉とはまさに近代そのものなのである。石であれ、紙であれ、磁気データであれ、ものごとを単に口頭で伝え合い情動のうねりの中で決めたり運用したりするのではなく、書き記して広く世に広め、子孫に伝え、ときには議論の素材としたりする。そんな発想こそが私たちの知っている文化をつくってきたのである。

現代社会において言葉はより媒介的に、より間接的に、つまり、さまざまなメディア装置を通して流通するようになってきた。私たちの言葉との接触は、人間の抱え持った弱さをカバーするべく、より書き言葉的なシステムへの依存を強めているのである。そう考えると、言葉のシステム化の根本にある最低限の法則、すなわち、このところ学校教育で目の敵にされてきた「文法」、さらには「文体」「レトリック」といった概念をも頭に入れずしては先へ進めないことは明白である。たとえば「文法」は必ずしも学校で習う「文法」と同一とは限らないが、少なくとも言葉の運用には一定のルールがあるということ、そしてそのルールを知ることでこそ、そこから外れる自由も得られるし、そうやって上手に逸脱することで言葉をうまく使いこなす術も身につけられるのだということは頭に入れておくべきである。広い意味での読解力なくして、ビジネスも政治も行政も成り立たないからだ。

私たちがメディアを介して情報と接する機会が増えれば増えるほど、人間の注意力や認知がどのように働くかを把握しておくことが必要となる。そうした注意の働き方を知るには、まずは言葉の構造を知ることが大事だ。そのためにも、書かれたものとしての言葉とのより濃密な接触に時間をかけるべきなのである。グローバル社会で英語を通して活躍したいなら、まず英語を読まねばならない。書くことも、読むことからしか始まらない。英語だけではない。母語である日本語についてもそれをやる必要がある。言葉は――あるいは「言葉的なもの」は――情報伝達という行為の根底にあるものだ。それを読み解く力がない人は、おそらく次々に更新されていくメディア装置の変化にもついていくことができない。

もちろん、そのうえではたと振り返るのもいい。過剰に書き言葉的なシステムに依存した自分が、果たしてほんとうに「人間」なのか？　と。そうなったら、もちろん会話の出番である。英会話でも、日本語会話でも思いきりやって、自分の中の「人間」を満足させればいいだけのことだ。

「英語教育」という幻想

今、英語教育が熱い。といっても「よし、英語を勉強しよう！」と盛り上がっているのではない。熱いのは「英語教育」をめぐる議論の方である。ご存じのように、明治以来、この「英語教育が熱い現象」は繰り返し発生してきた。しかも議論はたいてい同じようなところを堂々巡りする。多くの人は思うだろう。これだけ英語教育をめぐって私たちは熱くなってきたのに、なぜ英語そのものについてはなかなか熱くなれないのか、と。

まったく同感だ。つべこべ言う前に、まずやろうよ！　と言いたくなる。ただ、実は「つべこべ言う前に、まずやろうよ！」という態度そのものが、この熱い論争の一翼を担ってもきたのだからややこしい。「英語は英語でやろう。理屈抜きにとりあえず英語の中に放り込め！」と主張する人が常にいる。「文法なんか忘れてしまえ」「英文和訳なんかしてる暇はない」と言う。

仮にこうした英語勉強法を「オウム返し型」と呼ぶことにしよう。英語的環境に放り込んでしまえば、人は楽に英語を身につけるはず、という考えである。英語は英語話者に習え。必死に相手の言っていることを聞き、オウム返ししていれば、自然と単語や言い回しなど覚えるはず、だという。

「そりゃそうだ」と言いたい気持ちはわかる。私自身、そういう環境で英語を学んだ経験はある。効力もわかる。ただ、この方法がこれまで日本でどうしても根づかなかったというのも厳然たる事実である。少し考えてみれば、その理由は思いつく。まず〈英語的環境〉に浸るためのコスト。人、場所、時間、とすべての局面でかなりの出費と犠牲を伴う。他の活動や生活を差し置いてそうしたセッティングを作る余裕が一般にあるのか。そりゃあ無理だから、都合のつく範囲で、となるのではないか。そうなると、形を整えただけの儀式的な英語ごっこに終わるのではないか。また「オウム返し」というやり方には心理的な抵抗があるだろう。むしろそういう人が多数派ではないだろうか。幼児期にはこうしたやり方は有効だが、自意識たっぷりの思春期の青少年や、ましてや大人にそう簡単に強制できる方法ではない。そしてより根本的には、これで「知的な英語」やいわゆる「仕事で使える英語」が身につくのかという疑念がある。言葉の知的側面を無視して道具、実用、スキルと連呼する人は、大事なことを見逃している。あとでも詳しく述べるが、こと言葉の学習に関しては「注意」「興味」「意味」という要素がきわめて重要なのである。

にもかかわらず、この二〇～三〇年の中等教育は明らかに「オウム返し型」に舵《かじ》を切ろうとしてきた。その一方、英語は相変わらず熱くない。産業界は「これでは困るー」と大きな声をあげているらしいが、そんな中で、依然として「文法重視や訳読主義のせいで日本人は英語が使えない」との旧来の批判が繰り返されるのは、いささか奇妙なことではないだろうか。

このあたりの事情について更に考えるため、東京大学出版会から上梓した『善意と悪意の英文学史』の内容の一部を紹介したい。タイトルからはあまり想像できないかもしれないが、この本は英語教育にかかわる問題も扱っている。第1章の見出しは「英会話の起源」である。

果たして、英会話に起源などあるのか？　もちろん人は太古の昔から会話をしてきた。しかし、この本で焦点をあてたかったのは、近代のヨーロッパで会話が「術」として注目を浴びるようになり、イギリスでも一七世紀から一八世紀にかけ言語に対するきわめて繊細な感覚が育まれたということである。表現のえらび方以外にも、食卓で話題にすべきこと、相手の真意を読み取る方法、重要な場面での会話の例など、言葉について意識すべきことが細かく記述された。印刷術が普及し始めたこの時代、作法書（conduct manuals）はすでに大きな人気を博していたが、とくに注目が集まったのが言葉の使い方をめぐる「作法」だったのである。

では、言葉の作法がとりわけ気になる「重要な場面」とはいつのことだろう。答えははっきりしている。プロポーズのときである。一八世紀の作法ブームと密接に絡んでいたのは結婚市場だった。男が女に愛を告白し、結婚を提案する。そんな状況ではどんな言葉がかわされるべきか。男子にとっても女子にとってもこれは大きな関心事となった。たとえば日本でも人気のあるジェイン・オースティンの『高慢と偏見』は男女がどうやって接近するかを描いた作品で、ストーリーの山場では必ずプロポーズがからむ。この時代の作品は、そういう意味では男女の付き合い方の「マニュアル」として機能していたのである。

　こうした「マニュアル」が普及しえたのは、そもそも人間に「性格」なるものがあるとされたからである。性格は振る舞いや言葉の使い方を通して露出する。そこを見極めたい。人間はこうして観察の対象となった。観察という行為は、まずは対象に注意を向け、じっと見ることから始まる。近代社会の中で小説というジャンルが特別な位置を占めたのも、人間に対するこのような「興味の磁場」が生まれたことが大きい。小説には人物描写というものがある。そもそも好《す》き好《この》んで描写などという面倒なことを作家が行い、読者がそれに付き合うのも、その奥に何かを読み取りたいという「注意のベクトル」が存在し、それを作家と読者が共有するからなのである。

　ただ、面白いのは、対象への興味なるものが〈語り手→読者〉、もしくは〈読者→語り手〉といった方向でも発生しうることである。だから、語り手や読者も振るまいのコードを意識する。性格すら持つ。たとえば、語り手は読者に対する「善意」や「親しみ」を織りこんで語ったりする。そういう語り手からの「親しさ」の表明は、読者の方にも何らかの〈読み心地〉を生む。愛と善意と親しさに満ちた語り手という像は、近代の出版物ではほとんど約束事とさえなってきた。ただ、二〇世紀にかけてテクストの善意の表明の仕方が変わる。語り手が示す善意を読者が素直に受け取らなくなってくるのである。どうも裏があると思えてしまう。「善意の表出」というより、「善意の演出」と見えてしまう。

　そういう流れの中で、次第に語り手も素直に「善意」を表現しなくなる。一九世紀から二〇世紀にかけての文学作品では、愛情や敬意よりも、無愛想やイライラ、冷淡、ときには嫌悪感が示される。私たちは「善意」よりも「悪意」にこそ敏感に反応するようになったのである。ときには、「善意」を伝えるのに、「悪意」の仮面をかぶる必要さえある。というわけで拙著では、シェイクスピアやジェーン・オースティン、ルイス・キャロルからD・H・ロレンス、ウィリアム・フォークナーまで、英語圏の作家を題材にしてどのようにそのテクストから「善意」や「悪意」が読み取れるかを具体的に検討したのである。

善意や丁寧さの表現は、敬語や礼儀作法の発達した日本語特有のものだと思う人もいるかもしれない。日本語の敬語はなかなかうまく外国語に翻訳できないとも言われる。しかし、敬意や善意や親しみといったものをあらわすコードは、人間文化にある程度普遍的にみられることがわかっている。近年、言語学や行動学で話題になる「配慮(ポライトネス)」という概念もそのことを理解する助けとなる。人が相手に対して「配慮」を示すのにどのような方法があるのか、それはどのように運用されるのかといったことを、文化や地域をこえて考察する基盤は整いつつある。拙著では、そうした態度表明の痕跡を、時代を代表する作品の中に確認することで、一種の文学史を描いてみようと思った。

そこで英語教育の話に戻りたい。善意にしても親しみにしても、不満にしても悪意にしても、言葉にまぎれて「何となく相手から感じる気分」というのは、コミュニケーションの中ではきわめて大事なものだ。なかなか成文化はできないけれど、何らかの形で学習者に知ってもらう必要がある。とくにシグナルとして出したつもりがないのに、相手にシグナルとして受け取られる可能性がある以上、こうしたルールを知っているかどうかは切実な問題となる。

しかし、今、私が言いたいのは、英語教育のトピックにこうした「配慮」についての項目を追加せよ、ということではない。むしろ注意を引きたいのは、「配慮」の働き方を教わるにせよ、自ら学び取るにせよ、学習者にはある準備が必要だということである。言葉は相手へと向かう「興味」なくしては動き出さない。シャドウピッチングや素振りだけではだめなのだ。もちろん、相手に愛と善意を示しましょう、というのでもない。ときには悪意や嫌悪感を持ってしまうこともあるだろう。でも、善意も親しさも冷淡もイライラも、「興味の磁場」があればこそ生ずる心の働きなのだ。そうやって「興味の圏域」をあちこちに設定するのが、まさに人間の文化というものだった。

言葉を学ぶときに、そうした要素をなおざりにしたらいったい何を学んだことになるのだろう。すでに言葉のかわりに、電子データによる文字や記号やイメージを通して行われるやり取りは多い。そのことを嘆く人もいるが、言語が通じない人同士がやり取りするうえでこうした装置が有効なことは認めなければならない。「言葉的なもの」を代理するメディアは、これからもどんどん形を変えていくことだろう。しかし、変わらないものがある。どんなやり取りも、注意が向かなければ始まらない。コミュニケーションで最低限必要なのは、言葉やジェスチャーですらないのだ。注意を向け興味を持つという過程こそが第一歩である。すごく当たり前に聞こえるだろうが、そんなことをあらためて考えなければならないのが今のコミュニケーションの状況なのである。

「英語漬け」をとなえる人の多くは、おそらく「何でもいいから、とりあえず仕事で英語が使えるようになってほしい！」と思っている。英語なんか道具にすぎない。透明であればあるほどいい。だから「つべこべ言わずにやれ」と言う。もちろん「つべこべ言わずにやれ」でうまくいくこともある。でも、うまくいくのはおそらく、興味という要素ががっちり食いこんだときだ。一人で日本語の通じない社会に放り出された人なら誰でもわかるだろうが、その根源的な不安は相当なものである。だから、必死になる。必死でまわりの世界に聞き耳を立てる。しかし、この時点ですでにその人は道具としての英語などはるかに越えた領域に足を踏み入れている。死活問題として、英語の周辺領域に関心を持たざるをえないのだから。

今、熱く英語教育について語る方々にあらためて意識してほしいのは、この興味のメカニズムである。教育現場で言葉を扱う以上、興味や関心と「言葉そのもの」とを切り離して考えることは不毛である。言葉の向こうには必ず人間がいる。その人間にどのように注意を向け、何を読み取り、どう反応するか。そうした要素から切り離したら、言葉はその養分を失い屍《しかばね》のようになるだけだろう。こんなに熱く英語教育を語ってきたのに、なぜか人々が英語について熱くなれないのだとしたら、それは英語教育を英語だけのこととして考えてきたためではないだろうか。ほんとうは「英語教育」などという領域は存在しないのかもしれない。言葉をなめてはいけない。言葉の根は、人間の奥深く、神経や内臓や心や魂といった思いがけない深さにまで伸びている。地上に出ている部分だけ手軽に所有すればどんなに楽かと思う。でも、そうはいかない。

その先に踏み出すための可能性はあちこちに見えている。言葉を使えるようになるには、まずは言葉に興味を持つべきだ。さらには「興味を持つ」とはどういうことかに興味を持ちたい。文法や訳読といった旧来の教育法も、そうした点ではそれなりの効果があった。それを一生懸命忘れようとするのは愚かなことだ。「英語教育」とは「英語そのもの」なるものを教えることだという幻想を早く捨てたい。英語にせよ国語にせよ、せっかく学校制度の中に、「注意」や「興味」や「意味」がどう機能するのかを考え、対応力を鍛える場があるのだから、それらがうまく活用されることを願ってやまない。

「ぺらぺら信仰」の未来

「これからは英語の四技能（読む・書く・聞く・話す）を測ります！」という看板を掲げて始まった英語入試改革だったが、これまで運営上のトラブルや準備不足が各方面から指摘されていた。英検やＴＯＥＦＬなど七つの民間試験が導入される予定だったものの、試験の会場や日程が決まらず、受験生も学校も予定が立てられない。会場は地域間で大きく偏り不公平極まりない。試験会場への交通費等、所得格差も影響することなどが取り沙汰されてきた。こうした不備を裏付けるように、文科大臣が「（受験生は）自分の身の丈に合わせて勝負してもらえれば」と、格差を是認するかの如き発言をし、制度の綻《ほころ》びは隠しようがないものになっていた。延期は当然の帰結といえよう。

だが、今回の措置は二〇二四年度への導入「延期」であって「中止」ではない（その後「中止」された）。また、主に問題視されているのは制度の「技術的」な問題であって、「本質的」な問題ではない。導入が先送りされ、その間に技術的な問題が改善されようとも、民間試験導入の孕《はら》む危険性は変わらないだろう。なぜなら、これまでも散々民間試験導入の不具合を指摘されながら、推進側は「障害はあるが、理念は正しいし」との理屈を決して捨てようとはしなかったからだ。事実、延期決定後も、与党内では「四技能評価」自体の方向性は堅持するとの声が上がっている。すなわち、「理念」は間違っていないと。しかし、本当にそうだろうか。実は、この理念にこそより根の深い病巣がある、と私は考える。そこで、以下、民間試験活用の「理念」がどのような歪みを持っているか、それが将来の日本にどのような問題を引き起こす可能性があるかを説明してみたい。

「CEFR」という略語を聞いたことがあるだろうか。民間試験を導入するにあたって、陰《かげ》の主役となったのはこのCEFRなる指標だった。民間試験推進のために掲げられたのは「日本人は英語がしゃべれない！」「だから、大学入試で二技能（読む・書く）より四技能を測ろう！」との理屈だが、これだけではばらばらに結果の出る複数のテストを比べられないので、それらをCEFRという一つの指標で換算することになったのだ。一見、もっともな理屈だろう。しかし、専門家の間ではこのCEFRの使い方こそが、この政策の致命的な欠陥だと言われている。

CEFRは「外国語の学習・教授・評価のためのヨーロッパ言語共通参照枠（Common European Framework of Reference for Languages: Learning, teaching, assessment）」の略で、欧州評議会で使われている、英語を含む各言語の運用能力を測るための参照枠を指す。「国際基準だから大丈夫」と言われるのもそのためだ。

しかし、CEFRは一冊の本になるほどの、非常に細かい入り組んだ枠組みであり、単純明快な指標ではない。その思想を理解するのもなかなかたいへんだ。かつ、CEFR自体が「改築」や「妥協」という紆余曲折をへた、開発途上にある枠組みなのだ。異なる意見を取り入れようとした結果、増築をかさねた建物のように入り組んだ構造になっている。

つまり、CEFRは入試のような競争的で厳密性が求められる試験に使える安定的な指標ではないのだ。それを本来の用途からはずれた形で「流用」しようとしている。さまざまな懸念が生ずるのも当然だろう。

CEFRの特徴は、たとえば「ゆっくり話してくれれば基本的な単語を聞き取ることができる」といった具合に、言語能力を「～ができる」という、能力記述文(Can Do statements)で表していることだ。言語能力を具体的な現実対応の力で示したわけである。またcan doという言い方をすることで、減点法ではなく積み上げ型の形を示した。さらに、その能力を一番下のA1から一番上のC2の六段階で評価する枠組みになっている。

この評価の枠組みを説明した英文資料は二七三頁に及び非常に細かい。その上、記述があまりに具体的すぎて、読んで理解するだけでもひと苦労なのだ。もちろん、その背後にある思想には立派なところもある。立教大学の鳥飼玖美子名誉教授は次のように説明する。「EU圏内では、人々は自由に移動し、仕事をします。その時に、英語はTOEFLでは○○点で、TOEICで○○点、ドイツ語はOSDで○○点……と別々の評価基準で言われてもわかりづらいですよね。そこで、どのように言語を教え、どう評価するかを四○年近くにわたり言語教育の専門家が研究しＣＥＦＲを作り上げました。ＣＥＦＲでは、Can Do statementsと呼ばれる能力記述文を使い、どんな言語であっても共通の尺度で言語能力を表せるのが画期的です」（「英語教育に振り回され続ける日本人」『WEDGE Infinity』二〇一七年九月二八日）。

文科省もＣＥＦＲの考え方に基づいた「CAN-DOリスト」なるものを中等教育で活用させようとしている。ただ、この方針には大きな問題があるとも鳥飼名誉教授は指摘する。なぜなら、文科省は本来は「評価の枠組み」であったものを入試に流用することで「到達目標」に変えてしまったからだ。こうなると、「～ができる」というゆるやかな評価の枠組みであったものが「～できなければならない」「～できさえすればいい」という歪んだ形で生徒に受容されかねない。

「～ができる」というチェック項目を一つ一つ判別するＣＥＦＲの指標は、まるで家電のスペック表のようでもある。たとえばコピー機なら、一分間に白黒で三〇枚印刷できる、カラーだと一〇枚印刷できる……といった「能力記述文」がつきものだ。そういう視点から見ると、ＣＥＦＲはまさに人間のスペック管理の道具とも見える。

ヨーロッパでＣＥＦＲが必要となったのは、移民や海外からの労働力とどう向き合うかが切実な問題だったからだ。具体的な指標があれば、労働者のスペック管理は容易になる。チェックリストを活用すれば、この人は工場での単純労働に従事できるか、携帯電話のセールスができるか、特派員のアテンドができるか、といったことも判断できる。労働力の購入者にとってはとても便利。労働力を売る側にも益はある。

しかし、そうしたスペック管理の道具を、日本の中等教育の指標にすることは適切なのだろうか。たとえば日本の高校生が「将来、英語圏に行って、皿洗い要員として働きたいなあ」とか「携帯電話のセールスをしたいなあ」といった明確な目標を持つなら、CEFRを参照することにも意味があるだろうし、学校もそれなりのカリキュラムが組めるかもしれない。しかし、中学高校の段階でそこまで具体的な目標を持っている人がどれだけいるだろう。何しろ今回の政策の出発点は「英語、しゃべれるようになるといいよねえ〜」という程度の、どこまでもあいまいな気分だったのだ。「何を」「どの程度まで」できるようになりたいかなど念頭にない。また、中高生を「できる」指標で管理し産業の歯車のように扱うことも問題視されていいだろう。言葉を道具としか見ない発想の向こうには、「従業員は企業の道具だ」という考えが透けて見える。

そもそも日本人の九割は日常的にはほとんど英語を使っていないと言われる。そんな現状で、中高生を英語圏への移民労働力予備軍のように扱う意味があるのだろうか。このCAN-DOリストの利用は、関係者の意図にかかわらず、またその一見前向きの方針の陰に、そうした思想が流れこむ危険を宿してしまうのだ。

もう一つ、CEFRはもともとコミュニカティブ・アプローチという方法論を基にしている。そこにあるのはオーラル中心主義である。これが日本に古くからある「英語がぺらぺらになりたい」という安直な英会話信仰と結びつくとおかしな方向に進む。

たとえばCEFRの能力記述文を見てみると、スピーキングの上級レベルでは「やすやすと」（effortlessly）とか「流暢に」（fluently）といった用語が持ち出される。なぜ、CEFRではこうした価値が称揚されるのか。日本語のケースを考えればすぐわかるが、「よどみなさ」や「さりげなさ」は決して普遍的な価値ではない。日本語ならむしろ「一生懸命」であったり、「たどたどしいけど、慎重」くらいが好印象を与えるだろう。

西洋語でこうした要素が価値を持つのは、言葉の力と政治力が直結する伝統があったからだ。ギリシャ・ローマの時代以来、政治行政をはじめとする西洋の諸制度は、口頭で行われることを前提とした。その結果、公の場でいかに言語運用能力を示せるかが大事になる。相手よりも優位に立ち社会的な地位をも高めるためには、オーラルのパフォーマンス力を示す必要がある。「流麗さ」に重きを置く価値観はそのあたりから出てきた。

しかし、そうした流麗さを崇めるイデオロギーは、多言語社会や帝国主義後の世界では特有の価値観と結びつく。いわゆる「ネイティブ・スピーカー信仰」だ。誰もが知っているとおり、外国語は勉強したからといって流暢にしゃべれるとは限らない。もちろんそれは知性の証でもない。英語教育関係者ならこうした事情は嫌というほどわかっているだろう。英語の勉強が好きで頭がよく英語の知識がある人でも、うまくしゃべれない人はいくらでもいる。

残念ながら、流暢さやさりげなさを身につけるのに大きな意味を持つのは「育ち」なのだ。具体的にいえば幼少期の生育環境。努力をしておらず、潜在的な知的能力が高くなくても、一定の環境で育てば、英語なら英語圏内で幼少期を過ごせば流麗さだけは身につくことがある。これが現実だ。

つまり、流暢さとは所詮、その程度のものなのだ。なぜ、そんなものを奉るのか。能力主義の社会においては、これはまったく非合理的なイデオロギーだといえよう。しかし、そのおかげで保たれるものもある。母語話者の優位だ。読み書きは第二言語話者が母語話者を凌駕する可能性がある。努力や知的能力の高さが大きな要因となるからだ。これに対し、話し言葉の流麗さは生まれがものをいう。だからこそ「話し言葉の流暢さ」は母語話者の優位を保つ最後の砦となるのだ。神戸女学院大学の内田樹名誉教授はブログで、「伝統的な帝国主義の言語戦略」として、次のように指摘している。「植民地人を便利に使役するためには宗主国の言語が理解できなくては困る。けれども、宗主国民を知的に凌駕する人間が出てきてはもっと困る。『文法を教えない。古典を読ませない』というのが、その要請が導く実践的結論である。教えるのは、『会話』だけ、トピックは『現代の世俗のできごと』だけ」(「リンガ・フランカのすすめ」二〇一〇年五月一二日)。

要は、会話の流暢さに重きを置くことで、英語のネイティブ・スピーカーが非ネイティブ・スピーカーよりも自動的に上位にランク付けされるということなのだ。

大量の移民を労働力として受け入れなければやっていけない社会が、そのアイデンティティを保つのに死守しなければならないのが流麗さの神話に守られたネイティブ・スピーカー第一主義なのかもしれない。この「流麗さの壁」があればこそ、移民はスペックによって分類される受動的な労働力の地位に甘んじ、受け入れ側の優位を脅かすこともない。テスト業者や言語学習産業は陰に陽に「母語話者並の流麗さこそが最高のランクだ」という考えを流布しつづけることで、この壁を維持することになる。ＣＥＦＲはそうした業者の大きな影響下で作成された。そして今、そのことが批判されてもいる。語学の習得のためには話すことの練習は当然必要だが、ひとたびそこに流暢さを絶対視する規格化がもちこまれたときにどんな結果に結びつくかは慎重に見極めねばならない。オーラル中心主義の信奉は、英語のネイティブ・スピーカーではない日本の若者たちを、端《はな》から英語帝国の最底辺に位置付けることになりはしないだろうか。

日本語の特性上、日本語話者には英語の発音や聞き取りが難しい。それが反転して、過剰なほどに「流暢な英語」を崇める風潮がはびこってもきた。最近でも、メジャーリーグに移籍した菊池雄星投手が記者会見を英語で行ったというだけで「菊池、英語ぺらぺらですごい！」という見出しが新聞各紙を賑わした。文科省がこの三〇年ほど掲げてきた「コミュニケーション」という看板は、これまでにも増して純日本的な英会話信仰を勢いづかせ、英語学習の不必要な商業化をまねいた。その背後に「陰謀」があるとは言わないにしても、こうした英会話重視の浅薄なぺらぺら信仰が日本語話者の言語的、文化的な主体性の放棄につながりかねないことは指摘しておきたいと思う。

ビジネスでもアカデミズムでも、本当に重要な判断や合意は文書を通して行われる。この原理は今後も揺るがないはずだ。オーラル中心のコミュニカティブ・アプローチにも一定の有用性はあるが、あくまで限定的だ。偏ったアプローチは早晩時代遅れとなる。とりわけネイティブ・スピーカーを理想として崇めるような言語観は、バイリンガルどころか、英語でも日本語でも日常会話がせいぜいで深い思考などできないセミリンガルを量産する可能性さえある。危機に直面しているのは、英語よりも日本語なのだ。入試改革の裏にあるのがこうした誤った言語観だとするなら、目先の混乱とは比べものにならない、混沌とした暗い未来がこれからの若者を待ち受けることになるだろう。

「すばらしい英語学習」の落とし穴

二〇一九年末、英語民間試験の活用と記述式の導入が相次いで見送られ、大学入試の混乱はピークに達した。その後、混乱収拾に向けた動きが始まったものの、息をつく暇はない。二〇二四年度を目処に何らかの改変が行われることは既定の路線とされ、二〇二〇年度中に指針を示すための「検討会議」も設置された。しかし、課題は山積している。とても一年で結論が出るとは思えない。今度こそ、熟慮をへた上での適切な判断が求められる(二〇二一年に中止が決定した)。

今回の政策は「入試を変えることで、授業を変える」という大義名分のもとに進められた。まず、この考え方そのものから疑う必要がある。試験方式の変更はただでさえ巨額の教育利権がからむ上、すでに世界的にも巨大テスト業者による「試験漬け」が問題になりつつもある。報道では、政治家と民間業者の間のさまざまな癒着が指摘されてもきた。もっともらしい大義名分の裏で、どのように政策がゆがめられたのかをきちんと検証することが必要だ。とりわけ英語については、見送りが決定する前から、多くの疑念や問題点が指摘されているので、今一度これらを参照しておくべきだろう。

- 試験機会の不平等（受験料が高額で、会場が都市部に偏っている）。
- 異なるテストのスコアを比べるシステムがうまくいっていない。わかりにくい。
- 試験業者が自ら問題集作成や対策講座を行う「利益相反」（金をかけて「対策」すれば点数はあがるが、英語力は身につかない。業者は自社の利益を優先して問題を易しくする。問題漏洩の可能性もある）。
- 診断を目的としたテストを選抜に使うことの弊害（業者問題は頻繁に使い回しされるが、過去問の流通を食い止めるのは難しい。対策請負ビジネスも広がる）。
- スピーキングテストの困難（採点者の不足。採点基準の曖昧さ。トラブル多発の可能性。障碍者への配慮不足）。

このように指摘は数多いので、若干の整理が必要だろう。問題は三層構造になっている。まず第一層としてあるのは運用上の問題だ。試験会場が足りない、日程が決まらない、監督者がいないなど、そもそも試験の実施が危ぶまれる基本的な混乱が起き、「見送り」の直接の引き金となった。しかし、これらは問題の本質ではない。より重要なのは、第二層にある構造上の欠陥である。公共性の高い入試を民間業者に「丸投げ」するという仕組みが、さまざまな歪みを引き起こした。ざっと見ても、受験料負担による公平性の欠落、利益相反（テストを運営する業者が、テスト対策を行うことで利益を得ようとする）、障碍者への配慮不足など、「丸投げ」に起因する問題は多岐にわたる。むろん第一層の運用上の失敗も、元をただせばここに起因する。この構造をあらためなければ政策は一歩も前進しないだろう。検討会議でも中心的に議論されるべき問題だ。

しかし、問題はこれにとどまらない。第三層としてあげたいのは、理念にかかわる問題だ。今回、「四技能」（読む・書く・話す・聞く）とか「コミュニケーション」といったキーワードが、政策推進のためのマジック・ワードとして政治家や業者に利用された。しかし、「四技能」という売り文句は、きちんと理解されないまま曖昧な使われ方をしており、今に至るまで共通理解は得られていない。とりわけ殺し文句となった「四技能をバランスよく」「四技能均等」といった掛け声はよく考えてみると内容がはっきりせず、新しい入試システムを導入するために都合よく使われただけに思える。

そこで本章では、この三層目の問題にフォーカスし、「四技能」理念の濫用が英語力の増進どころか低下に結びつき、下手をすると言語教育全般の混乱にもつながることを説明してみたい。そのうえで、そうした状況を回避するため、今後の英語教育でどのような方策がとられるべきかを提案する。今回の入試の混乱は当事者にとってはとにかく迷惑な話だったが、大きな犠牲を払いつつも「言葉の教育」への関心は高まった。この機会を生かして有益な議論が行われることを願っている。

英語学習で「四技能」という概念は古くからあった。英語を習う際には、誰もが多かれ少なかれ、読む、書く、話す、聞くという区分を意識するだろう。しかし、これはあくまで便宜上の区分だ。現実の英語の運用では、四つの技能は密接にからみあっている。たとえば誰かに道を聞くとか、商店で買い物をするといった単純な事例を考えてみても、聞くことと話すことの両方が同時に必要になる。そうした際、看板や商品の説明を読む、といった行為がからむこともあるだろう。このように言語の運用は便宜的に四つに分けられる「技能」を複合的に使って行われることがほとんどなのだ。またそれ以上に大事なのは、どのような言語活動にも共通の土台があるということだ。まずは語彙力。そして、そうした言葉をどう並べると意味をなすかという文法の知識である。

ところが、今回の政策では「センター試験は二技能で偏っているから、民間試験を活用することで四技能をバランスよく学習させるのだ」という理屈ばかりが先行した。四つの区分けが過度に強調され、まるで四つの技能をばらばらに学習できるかのような誤った「四技能主義」が独り歩きを始めたのである。たしかに五〇年くらい前までは教室の英語学習はどうしてもテキスト読解に偏る傾向があった。そういう状況なら、読むだけではなく、話すことや聞くこともバランスよく授業に取り入れようとの提言は意味があっただろう。そこでの「バランスよく」は、アンバランスを是正するという意味合いを持った。

しかし、この二〇年ほどの文科省の英語政策は完全にオーラル英語重視の方向に傾いている。これが生徒の読解力不足につながっているのは明白だ。「バランスよく」というなら、むしろ過度のオーラル英語重視やコミュニケーション看板への依存を是正すべきなのである。ところが、「四技能をバランスよく」といった掛け声とともに、いつの間にかオーラル英語への傾斜をさらに進めるような政策がとられ、話すテストの導入が至上目的とされるようになった。話すテストは技術的に難しいところがある上、高校卒業時に全員にこうした試験を課すことの必要性は疑わしい。しかし、「四技能」→「だから話すテストの導入」→「ならば民間試験」という強引な論法で民間試験の活用が正当化されてしまったのである。ここには大きな歪みがあると言わざるをえない。

「四技能」は単なる区分けである。良いも悪いもない。ところがこれが究極の目的であるかのように掲げられるうちに、私たちはある奇妙な思い込みにとりつかれることになった。それが「四技能は均等にやらねばならぬ！」という均等幻想だ。共通テストの配点は均等に、授業時間も均等に、と文科省は無意味な均等化を推し進めることになる。こうした均等幻想の跋扈《ばっこ》は、いかに政策推進者が言葉の運用の実態を理解していないかを示している。

日本語のことを考えてみればいい。私たちは果たして四技能を均等に身につけているだろうか。個人としても、たとえば自分がふだん読むようなものを、すべて自分でも書けるという人はまずいない。雑誌や新聞を読めても、自分で記事が書けるという人がどれくらいいるだろう。天気予報やニュースも、聴く分には簡単だが、いざ自分でしゃべれと言われたらたいへんだ。個人差も大きい。しゃべるのが好きで得意な人もいるだろうが、ふだんは寡黙なのにネット上の書き込みだけはとても雄弁という人もいる。たとえ母語であっても四つの技能はでこぼこなのである。個人の中でも技能の偏りはあるし、個人差はなおさら大きい。「四技能均等」などという理念は、実現不可能なファンタジーにすぎないのである。そんな中で、外国語教育で「均等」を目標に掲げることにどんな意味があるのだろう。

ところが「均等とはどういうことか?」という議論はほとんどされないまま、奇妙な均等幻想だけが独り歩きした。中身が希薄なだけに、配点とか時間配分といった形式にたよらざるをえない。お役所ならではの形式主義が進むことになる。その究極のあらわれが、四技能均等との要件を満たすための「話すテスト」の導入だったわけである。大学入試で話すテストを導入することに伴うリスクや弊害、とりわけ試験の実施体制や採点の信頼性などは十分に検討されないまま、二〇二〇年という実施年度だけが決められ、新制度は前のめりで進められた。

生徒の英語の総合力を高めるという目標はおおいに結構だろう。しかし、日本語の環境で育った生徒が、高校卒業時にどれくらいのレベルに達することができるのかを冷静に考えれば、「四技能均等」などという目標がおよそ非現実的だということは一目瞭然だったはずだ。

このような批判をすると、「たしかに均等は無理だ。そうではなく、ネイティブ・スピーカーのような四技能バランスを目指そう」という答えがかえってくるかもしれない。母語話者をモデルにするなら問題はなかろうということだ。こんどの入試政策でもそうした考えが織り込まれていた節がある。CEFR(欧州共通参照枠)を参照基準枠として使うことで、それぞれスコアの出し方が異なる民間試験のスコアを比べるというのが、今回の入試政策の特徴だったが、このCEFRの背後にも母語話者のモデルが見え隠れするのだ。表立って母語話者という言葉は使われていなくとも、もっとも高いレベルが「母語話者のように運用できるかどうか」（現在はこの文言そのものは削除）という点に設定されていることは、そうしたカテゴリーの説明（能力記述文）をみればわかる。

言語の運用力を測るのに母語話者の言語能力を到達点として示すのは、一見、もっともな方策とも見える。たしかに日本語の勉強をするなら、日本語で育った「日本語ネイティブ」をお手本にするべきとも思える。しかし、冷静に考えてみると、こうした素朴なネイティブ・スピーカー信仰には弊害があることがわかってくる。なぜなら、話す・聞くといった領域ではとくに、ネイティブ・スピーカーのレベルに達するのはかなり難しいうえ、言語間の「相性」もからむ。日本語話者の場合、高度な英語を読んだり書いたりできる人でさえ、口頭でのやり取りとなると「ネイティブ・レベル」とは程遠いということもある。明治以来、一〇〇年以上にわたり、こうした指摘はされつづけてきた。ここまできたら「どうしたらできるようになるか」を考える前に、「なぜできるようにならないか」をより丁寧に調査するべきではないだろうか。そのうえではじめて「ならば、どう対応するのが合理的か」が見えてくるはずだ。

そうした調査でまず浮き彫りになるのは、必要性の問題だろう。言語の習得には時間とエネルギーが必要だ。モチベーションがないとうまくいかない。日本語話者の英語習得を阻害する数ある要因のうち、もっとも重要なのは、多くの人が「必要性を感じていない」ということではないだろうか。「必要がない」ということではない。必要かどうかは個人の問題だ。そうではなくて、「必要だ！」という切迫感がない。だから、本気になれない。

動機付けの不在は、どちらかというと次元の低い要因として切り捨てられる傾向にあるが、日本における英語習得の現実を見据えるためには見落とせない。むしろ、そこから出発して、政策を構築すべきなのである。日本では、日常生活ではほとんど英語に触れない。一年に一度でも英語を使う人は、全人口のごく一部。こうした状況ではモチベーションも高まらないだろうし、考えてみればそうなるのが当たり前だ。とするなら、高校卒業時の学力を「母語話者の四技能均等レベル」をベースにした参照枠で測ることは現実的なのだろうか。目指すべきは別のことなのではないか。

あらためて日本の「英語の現実」を確認してみよう。多くの日本語話者にとって英語学習に割ける時間は限られている。使用目的もさまざまだ。上達可能性にも限界がある。しかもモチベーションには個人差が大きい。もしこれが現実だとするなら、私たちに必要なのは「母語話者のようになる」という目標ではなく、「おのおのが必要とする力を伸ばす」ことではないか。語学こそ、多様性の時代である。杓子定規な「均等理念」の押しつけは時代錯誤的なうえに、個性も殺してしまう。そもそも今回の教育政策のおおもとには「主体性」を育むという理念があったはずだ。「四技能」という空虚な形式主義やスピーキング中心の「ぺらぺら幻想」を押しつけるのではなく、言語の習得を通して本人が何をやりたいかを意識させることの方がはるかに重要である。

英語を通して何を知り、何を行いたいのか。それがイメージできなければ、モチベーションは高まらない。「技能」「コミュニケーション」という表現の濫用で、まるで英語学習が技能の習得だけで完結するかのような錯覚が生まれてしまった。純粋コミュニケーションなどというものはない。あくまで「何を」「どのように」コミュニケートするかが大切なはずだ。言語の向こうにある遠いものへの憧れがなければ、未来図など描けない。そのための出会いの場をもっと提供してはどうだろう。中等教育で必要なのは「準備」という考え方である。英語の授業でも、将来の上達に必要な体幹の部分を鍛えるのだ、と考えたい。

では、どのようなアプローチをとるべきなのか。「すばらしい授業」を提案し、「うまくいった事例」を紹介することも必要だろう。しかし、日本の英語教育が直面してきた困難をふりかえってあらためて気づくのは、あまりに「すばらしさ」が掲げられすぎたということだ。とりわけ英語産業が肥大した二〇世紀後半から現在にかけては、英語学習が商業主義と結びついてしまった。英語は消費の対象となり、お金が動くようになる。そうなると、学習の「日の当たる部分」ばかりが喧伝され、「こんなすばらしい成果があった」「こんなに楽に上達した」といった売り文句がインフレ的に増殖する。今回の英語政策の柱となった「二技能から四技能へ」というキャッチフレーズはそのなれの果てだ。なぜ「二技能」だったものが、民間のテストを導入しただけで「四技能」になるのか、実はよくわからない。しかし、そうした現実的な部分は置き去りにされたまま、売り文句の派手さばかりに注目が集まった。

もし日本語話者の英語習得の状況を改善し底上げを図りたいのなら、こうした虚妄に満ちた「すばらしい英語学習法」の看板から自由になる必要がある。英語を習得することでどんな世界が開けるか、何ができるようになるかといったことは是非、語るべきだろうが、同時に学習には手間と時間がかかること、それなりの苦しみも伴うということは言わねばならない。そのうえで、日本語話者にとって英語の習得は困難が伴うという現実も強調しておく必要がある。たとえば音声。たとえば構文。たとえば語彙。たとえばやり取りの仕組みの違い。ざっと見渡してみてもわかるように、日本語話者にとって英語という言語はハードルが高いのである。そのことを認識した上で、どう乗り越えるかを考えたい。

より具体的に考えてみよう。今回の騒動でもよく話題になったように、日本では中学高校で英語を習っても「しゃべれない」と言われる。なぜ「しゃべれない」のだろう。あるいは「しゃべれない」とはどういうことなのか。今回、よくあげられたのは「日本人はシャイだから」「高校の授業が文法訳読中心だから」といった要因だが、ほんとうにそれだけなのだろうか。ほかにも要因はあるのではないか。とくに大事なのは、英語と日本語の「運動性」の違いだと私は考える。

ふたつの面から考えてみたい。まず第一に、「英語がしゃべれない」とされる状況はいったいどのような要因で引き起こされているのか、ということである。もちろん、単語を知らない、いい表現を思いつかないといったこともありうる。しかし、そうした問題は語彙を増やし、表現を覚えれば解決する。その場に合わせた準備をすれば何とかなる領域だ。それより深刻なのは、「聴き取れない」という事態ではないだろうか。相手の言っていることがわからなければ、そもそもこちらが言うべきこともわからないし、もっと重要なのは自分がおかれている状況が理解できないと、根源的な不安のようなものに襲われる可能性があるということだ。周囲の言っていることがわからなければ、とりあえず黙っているしかないが、おそらくそれだけではすまない。自分の存在意義そのものに強烈な疑問符が突きつけられてしまう。こうなると心理的にかなり追い詰められてしまうのだ。

四技能均等などという前に、言語のもっとも基本的で、かつ重要な土台として注目すべきなのは「聞く」ということなのである。しかし、日本語話者の多くはここで苦労する。なぜだろう。なぜ私たちは英語が聴き取れないのか。「英語のネイティブ・スピーカーは話すスピードが速い」「スピードについていかねばならぬ」といった言い方がされることもあるが、これは誤解だ。もちろん、英語を話す人の中にも早口な人はいるだろうが、みんなが早口なわけではないし、ポイントはそこにはない。それよりも「なぜ日本人には英語が早口に聞こえるか」というところに注目したい。

そこで関係するのが「運動性」なのである。英語と日本語では音を表現するための方法が違う。比喩的な言い方をすると、「音の文法」が違うのである。日本語では「橋」と「箸」や、「死」と「詩」といった語を言い分けるのに、高低アクセントを使う。音があがるのか、さがるのかで言葉を言い分けるのである。これに対し、英語では高低アクセントのかわりに、強弱（ストレス）アクセントが使われる。語には必ずストレスが置かれるところがあるし、これが文レベルになるとまた微妙にずれてくるのだが、いずれにしても強弱のアクセントがあればこそ、英語は英語として聞こえてくるのである。

単純なことのように聞こえるだろう。強弱アクセントのことなど中学生でも知っている。しかし、私たちはどれくらい、日本語にはないこの強弱アクセントの仕組みを身体で覚えているだろう。英語の強弱アクセントと日本語の高低アクセントは、比喩的に言うと自転車に乗るか、ブランコに乗るかほどの違いがある。力の入れ具合や身体の動き方がまるで異なるのである。英語が「早い」と感じるのも、この運動性の違いのためだ。ブランコに乗っていると思ったら自転車だった、となれば、どうしていいかわからなくなるだろう。

私たちが留意すべきは、英語はどういう順番で、どこに力点をおいて学習すべきかという当たり前のことなのだ。今の日本語の英語教育で明らかに不十分なのは、強弱アクセントとそこから派生する英語の呼吸になじませるというステップだ。むろん、アクセントそのものはいささか抽象的な概念なので、単語や語句を覚えたり、英語を書いたり英文の解釈をしたり、自分で英語を発話したりと具体的な状況の中で上手に鍛えることが必要となる。たとえば英文を読んでいてもリズムが伝わってきたり、「声」が聞こえてくるくらいになれば、解釈は正確になるし、スピードもあがる。学習者はしばしば、英語の「切れ目」が把握できずに苦労するが（だからテストでもそのあたりがよく試されるわけだが）、「声」が聞こえるくらいになると、自然とこの「切れ目」が感じ取れるようになる。この呼吸を体得すると、英文を書くときにも「これはどこか変だな」という直観が働くので、意味の伝わらない英語を書かずにすむ。

こうした強弱のリズム感を身につけるために、靜哲人は「エクササイズ音読」のようなものも提唱している。スキップとかシャドウボクシング等をさせながら英語を言わせるといった方法で、文字通り身体で英語のリズムを覚えさせるのだという。こうした知恵はどんどん教員の間で共有したいものだ。

強弱アクセントの仕組みは、レトリックの方法や議論のつくり方ともかかわってくる。英語の文章ではA, B, C, and DとかA, or B, or Cというように同格的な列挙が頻繁に使われるが、これはタ・タン、タタ・タン、タタ・タンというふうに一定の割合で強勢が来ることが多い英語の音の特徴とも連動している。あるいは物事を示したり形容したりするときに、A & Bという二個ワンセットで言葉をならべるパターンや、When..., (then) ..., Just as..., (so) ... といったタイプの対句的な構文も、根はこうした英語の呼吸にありそうだ。日本語の文章は必ずしもこうしたリズムに則っているわけではないので、私たちは意識的にこうした運動に慣れる必要があるだろう。

もう一つ、少し異なる角度から「運動性」について考えてみよう。私たちが日本語で行う会話と、英語話者の会話を動画などで比べてもらうとすぐわかることがある。英語では通常、文は最後まで言う。よほど熱い議論でなければ途中で割り込むことは少ない。これに対し、日本語では文を最後まで言わずに、脱線したり、相手に引き取ってもらったりすることがよくある。「え〜」とか「その〜」といった間投詞で間をとることも多い。これは話者の言語運用能力が低いためではなく、こうした話し方が一種の作法として運用されているということだ。

なぜ、このような違いが生まれるのだろう。一つの説明としてありうるのは、日本語ではそもそもコミュニケーションで優先順位が高いのが言語的なメッセージの伝達よりも相手との関係性の確認にある、というものだ。この場合、発せられる言葉は、目くばせや相槌、同調的な呼吸など言語外のコミュニケーションに従属するので、メッセージそのものはそれほど文法的に完結することが求められない。むしろ文法を壊したりずらしたりすることで、言語外コミュニケーションの機能が発揮され、結果として相手との関係性の確認に意識（もしくは無意識）が向かいやすいということになる。

ここからさらに話を進めれば、よく言われてきた「高コンテクスト／低コンテクスト」という対比ともつなげられる可能性もある。日本のような高コンテクストとされる社会では、言葉の字義的な意味よりも、背後の文脈や語り手の「思惑」が焦点になる、だから言葉の文法性に多少融通をきかせて、言葉の「発し方」に注意を向けさせる、だから言葉そのものも曖昧に聞こえる、という解釈である。こうした説を耳にしたことがある人も多いだろう。

このあたり、一気に文化論まで飛躍してしまうと話がやや雑駁《ざっぱく》になる危険もあるので、言葉の運用の現実に話題を限ってみたい。少なくとも浮かび上がってくるのは、私たちが日本語で口頭のやり取りをするとき、読み書きをするときとはかなり違うシステムが稼働しているらしいということだ。つまり、「言」（話し言葉）と「文」（書き言葉）との間に乖離があるのだ。明治時代の言文一致運動をへて、私たちの書き言葉はかなり話し言葉に近づいたが、依然として両者の間には溝がある。そして、言文一致運動のときに注目されたのが書き言葉の不自由さだったとすると、今、私たちが直面しているのは話し言葉の不自由さかもしれないのだ。たとえば私たちが話したことをそのまま文章にしても、多くの場合は読めたものにならない。逆に、書いたものをそのまま口にすると、どうしても違和感がある。話し言葉の背後にある文法が、書き言葉のそれとあまりに異なるために、口頭でのやりとりがなかなか文書化や記録といった制度とうまく接続しないのだ。

英語でももちろん話し言葉と書き言葉には異なる文法があるが、日本語にくらべると両者の乖離は小さい。そもそもすでに言及したような英語特有の書き言葉のレトリックは、話し言葉のリズムに根差したものだ。英語の文章の背後には、音声モデルがあるとも言える。

そこで英語習得の問題だ。もし日本語の話し言葉では、相手との関係性を確認するために脱線したり、相手に話を引き取ってもらったりする習慣があるのだとすると、英語で話すときにも私たちはその構えを引きずる可能性が高い。日本語の呼吸で英語を話そうとしてしまうのだ。聞くときにも、日本語の間合いになる。これでは、相手と波長が合わないと感じるのも仕方がない。人間同士のやり取りは、言葉だけで完結するものではない。呼吸、リズム、間合い、雰囲気といった部分が影響する。英語ではそうした要素に言語を従属させる度合いが日本語より低いのかもしれない。逆に言うと、そのように言語を優先させるやり取りの構造そのものが、英語の呼吸だということになる。

この違いに注目しながら英語のやり取りの練習を行えば、より効率的に英語的な呼吸を身につけることが可能になるだろう。もちろん英語の習得そのものだけでなく、こうした「文法」の違いを発見したり、考察したりすることに興味を持つこともおおいに助けになる。

というわけで、本章では「四技能均等」なる理念が、英語学習の障害になることを確認したうえで、学習のためにどのようなスタンスがより有効かについて考察してみた。後半ではとくに英語の「運動性」に注目し、なぜ日本語話者にとって「英語をしゃべる」ことが難しく感じられるかも考えた。ここから出発すれば、対策についてもいろいろな道筋がありうるだろう。そこは教員同士、いろいろ知恵を集めればいい。お互いの打開策を持ち寄るのも楽しいはずだ。

最後にあらためて強調したいのは、中等教育のレベルでやれることは限られているということだ。あくまでこれは助走。将来、どういう方向をめざすかによってメリハリをつけた学習法が奨励されるべきだろう。英語圏でコメディアンになりたいという人は、滑舌が大事だろう。営業をやりたい人、メジャーリーグで野球をやりたい人、大学にはいってしっかり勉強したいという人、みんな鍛えるべき英語は違う。是非、それぞれが必要となる部分をのばせるような選択肢を与えつつ、準備させたい。しかし、たとえ読解や作文力を伸ばすにしても、まずは英語の呼吸を体で覚えることは重要だ。妙なオーラル英語幻想ではなく、リズム、テンポなど含めてしっかり英語の運動感覚の基本をおぼえること。そのためには、当たり前のことだが、徹底的に英語にさらされるのが一番である。

第3部

「病」と「死」を生かす言葉

このセクションに集めたのは本書の中核をなす、ややヘビーな文章である。ねちねちとしつこく「この作品はどうしてこうなっているのだろう」「この作家は何をしようとしているのか」といったことを探っている。熟成したとっておきの話で、図々しい言い方だが、自分で読み返しても「うむ。よかろう」と納得するような執念を感じる。

　とはいえ、どの話題も、本質的には未解決。But I know の「がっかり感」は、人類が鬱とどう付き合ってきたかいう文脈の中でさらに考えたい。太宰の馴れ馴れしさはポライトネス理論と接続させれば、大きな広がりをみせるだろう。そして「事務能力」や「胃弱」。言葉がつねに抱える病や弱さを突き詰めると、こうした問題に行き着くと私は思っている。

森鷗外と事務能力
──『渋江抽斎』の物と言葉

瓦葺きの重たい屋根に、鮮やかな朱塗り。いかにもシンボリックな東京大学の赤門だが、本郷通りの喧噪の中では小さな「点」とも見えるかもしれない。しかし、焦点をゆるくとって目を奥へ流すと、門が実は「線」の一端を成しているのがわかる。「線」のもう一つの端にあるのは、左右に穏やかなバランスをとった医学部本館の優美な建物である。周囲の樹木と調和する佇《たたず》まいもあり安田講堂のように人目を引くことはないが、本郷キャンパスの最も美しい建造物の一つであることは間違いない。

この医学部本館の前で左に折れると、左手に巨大な総合図書館の建物を、右手に三四郎池を囲む森を見ながら道がつづく。地図の上ではこの通りは文学部や法学部の建物に遮《さえぎ》られているが、実際に歩いてみると道は整然とならんだ三つのアーケードを貫き、はるか工学部へと達する深い奥行きに呑みこまれていく。遠近法でいうところの消失点のような、束の間の無限がそこには生まれる。

現在、この無限の道は、飯場《はんば》のようなプレハブ式の建物を乗せた鉄骨の足場に覆われている。通常は季節になると合格発表が行われ胴上げする人々でごった返すスポットだが、ここ数年、この暗いトンネルのために樹木が高々とそびえる様子も目に入らない。ただ、三つのアーケードにつらなる筒状の形状のおかげで、はるか工学部へと至る無限の視界だけは確保されている。トンネルは一九二八年竣工の総合図書館の大改修に伴って構築されたものである。その改修もようやく終盤に近づいた。総合図書館の前庭の地下には巨大な自動書庫を備えた「別館」も完成している。地下四階にまで及ぶこの空間は、地上で作られた建造物を自重で沈めるという最新式の工法が用いられたものだが、そのすぐわきの地下にはかつて、薄暗くかび臭い古い書庫が迷路のように伸び広がっていた。どこかロマンチックな香りの漂う、ほとんど人の手も及ばないかに思える「死の空間」だ。この古い書庫も改修でかなり手が入ったが、以前のおもかげは残る。その一角を占めるのは、膨大な数にのぼる作家の蔵書を収めた「鷗外文庫」である。

人は何を求めて図書館にやってくるのだろう。もちろんそこには書物をはじめとした資料があり、情報の蓄積がある。知や情の軌跡がとどめられ、未来を照射する知恵の萌芽《ほうが》もちりばめられている。しかし、「過去に人がいた」ことを確認するために図書館に足を踏み入れる人もいる。彼らがそこで出会うのはもっぱら羅列される人名だ。ぎりぎりまで「物」の世界に近づいた人間たちの、かつて生きていたという痕跡が残される場所として──つまり壮大な墓地としても──図書館は人を魅了する。

森鷗外もまた、図書館に魅了された一人だった。晩年の鷗外は後に記す武鑑《ぶかん》と呼ばれる江戸時代の紳士録の蒐集に凝っていた。上野の帝国図書館や、震災で焼ける前の東京帝国大学図書館でもそうした資料を手に取っている。その延長線上で出会ったのが、鷗外と同じようにかつて武鑑の蒐集に没頭していたらしいある人物の足跡だった。鷗外の集めた武鑑にはしばしば「弘前医官渋江氏蔵書記」との朱印が残されている。医業に携わっていた渋江氏という人物である。あるとき鷗外は、帝国図書館で「江戸鑑図目録」という写本を閲覧しながら、この目録の著者が鷗外と同じように考証を行い書誌情報に簡単な註釈を施しているのに気づいた。「抽斎」なる号の人物だ。そこで鷗外は推理を働かせた。「わたくしはこれを見て、ふと渋江氏と抽斎とが同人ではないかと思った。そしてどうにかしてそれを確かめようと思い立った。」

これが『渋江抽斎』という不思議な作品の、有名な〝発端〟である。「どうにかしてそれを確かめよう」との衝動には理屈を超えた何かがある。冒頭近く、抽斎の墓を訪ねる場面で、鷗外はひたすら抽斎の係累の名前を追うが、その目にあるのも同じ衝動だろう（引用は『鷗外全集　第十六巻』岩波書店より）。

墓誌に三子ありとして、恒善、優善、成善の名が挙げてあり、また「一女平野氏出《ひらのうじしゅつ》」としてある。恒善はつねよし、優善はやすよし、成善はしげよしで、成善が保さんの事だそうである。また平野氏《うじ》の生んだ女《むすめ》というのは、比良野文蔵《ひらのぶんぞう》の女威能《むすめいの》が、抽斎の二人目の妻になって生んだ純《いと》である。勝久さんや終吉さんの亡父脩はこの文に載せてないのである。
抽斎の碑の西に渋江氏の墓が四基ある。その一には「性如院宗是日体信士、庚申《こうしん》元文五年閏七月十七日」と、向って右の傍に彫《え》ってある。抽斎の高祖父輔之《ほし》である。中央に「得寿院量遠日妙信士、天保八酉年十月廿六日」と彫ってある。抽斎の父允成《ただしげ》である。その間と左とに高祖父と父との配偶、夭折した允成の女二人の法諡《ほうし》が彫ってある。

ひたすら墓石の名前を追っていくだけで、とくに細工もない。書かれているものを静かに確認しているにすぎない。なのに釣り込まれる。なぜ私たちは死者の名前に惹かれるのだろう。そこにこそ『渋江抽斎』の奇妙な吸引力を解き明かす鍵があるのではないだろうか。

森鷗外の『渋江抽斎』は、一部読者の間に不思議な熱狂を引き起こしてきた。しかし、作品そのものはおよそ熱狂から遠く、文章も愛想がない上、荒涼とした気配さえたたえている。私たちが出会うのは、生命の息吹に満ちた豊饒な〝文学の世界〟ではなく、古い文書の処理作業につきまとう紙臭さであり、その向こうに広がる殺伐とした死の風景なのである。

作品はもともと大正五年（一九一六年）に「東京日日」「大阪毎日」の二紙に連載された。当時はそれほど評判になることもなく、全集（国民図書版）に採録されたのは大正一二年（一九二三年）になってからである。おそらく単行本として刊行するに値するほどの需要が見込めなかったのだろう。タイトルからも明らかなように、扱われているのは文化二年（一八〇五年）に生まれて安政五年（一八五八年）に没した渋江抽斎という実在の医師である。弘前藩主の医官を務めたとはいえ、この人物は取り立てて大きな事件にかかわったわけでもなく、歴史上、ほぼ無名だった。鷗外自身に個人的な縁があったわけでもない。当時、鷗外は作品の題材を求めて古い資料を蒐集していた。その中に武鑑もあった。武鑑とは「諸大名・旗本の氏名・禄高・系図・居城・家紋や主な臣下の氏名などを記した本」(『大辞泉』)で、毎年改訂版が出されていた。鷗外は武鑑だけではなく、図書館にあった武鑑の目録にも目を通していたが、そのうちに、今、述べたような具合で、目録の著者の「抽斎」と、自身が蒐集した武鑑をかつて所蔵していた「渋江氏」とが同一人物ではないかとの直観を抱くようになったのである。

果たしてこの推理は正しかった。このあと、いささかミステリー風に鷗外が渋江抽斎という人物の情報をたぐりよせていく手際は、淡々とした中にも静かな興奮をもってつづられている。本文でも示されているように、鷗外は抽斎の境遇に自らと重なるものを見ていた。医業に携わりつつも書を好み、かつ考証的、書誌的興味に駆られる人物。加えて、山﨑國紀が述べるように、公の職につきつつも権力との関係の中で複雑な心境に追い込まれた点、鷗外は抽斎に共感を覚えたのかもしれない。抽斎の身の処し方に、一種の範を見た、とも言える(『評伝　森鷗外』大修館書店)。

しかし、『渋江抽斎』に熱狂した読者たちは、必ずしもこうしたミステリータッチの記述に反応したわけではなかった。本書の冒頭部に描かれる探偵的な部分も、後半部を占める、末裔の運命を活写した「歿後」の叙述も、比較的サービス精神にあふれたものにはちがいないが、それをもって『渋江抽斎』のエッセンスとするには無理がある。それらはあくまで「番外篇」

（山﨑）でもある。

では、熱狂的読者はどのように反応したのだろう。その典型は篠田一士である。以下に引用する一節は、読んでいて少々照れくさくなるような過剰な書きぶりに見えるが、こうした口吻《こうふん》は今、かえって新鮮でもある。「言ってみれば鷗外の文学はシテールの島のようにどの地図にものってはいないが、その島のたたずまいは実につぶさに究めつくされた孤島である。そこには島の主に対する欽仰と敬慕の念に身も魂もむなしうしたひとびとがたえず徘徊し、外部の者にはよくききとれぬ呪文のような凱旋聖歌を口ずさんでいる。この島へゆく正規の便船はない」（『伝統と文学』筑摩書房）。この「この島へゆく正規の便船はない」との言い方は、勢いだけで書いたその場しのぎの空言とも思えない。篠田は「小説とは何か」という問いを立ててジャンル論に踏みこみ、鷗外の史伝を一種の異端として見やる。熱狂の燃料はそこにあった。

篠田は、先人たちによる「空虚なる空間を刻々に充実して行く精神の努力が言葉に於て現前しているのだから、われわれはそれを小説だと思うほかない」（石川淳）、「日本散文史上初めて現れた正統的な小説」（高橋義孝）といった、相反しつつ重なりもする評言を引き継ぎ、鷗外史伝の文章のたたずまいに注目する。「ここには妖しいまでに透明な美しさがある。それはイメージの魅力でもなければ、あるいは記述された事柄がぼくたちに喚起する情感のせいでもない。イメージというべきものはほとんどなく、記述されたものはすべて月並で、平凡な日常事にすぎない。あるものは言葉と事実だけである。（中略）一見錯然と入れみだれる断言と推測はついに言葉そのものがもつ音色もニュアンスも失い、あたかも意味さえも見失ったかのように、ひとつの『物』と化し、同時にそれはここに記述されたありとあらゆる事柄を収載してしまうのである」。これは『渋江抽斎』ではなく『伊沢蘭軒』の一節への評だが、篠田がとらえようとしているものは同じだろう。小説がいかに小説らしくなく、言葉がいかに言葉らしくなく振る舞えるか、そこにまさに小説としての、そして言葉としての栄光がある。「比類ない言語によってひとつの『物』として昇華させられた事実」こそが圧倒的なのである。

実に古めかしい文章とも思える。篠田一士の『伝統と文学』は昭和三九年（一九六四年）刊。〈言葉を超えることによってこそ最高の言葉となるのだ！〉といった論法に、現代の読者はどれだけ説得されるだろう。ただ、言葉と物との相克はいまだに熾烈である。教育から政治に及ぶ広い範囲にわたって、両者の間をどうつなぐかは大きな課題でありつづけている。国語の学習指導要領に新しく持ち込まれた「論理国語」という単元は実用文の学習を理念に掲げ、作品であると批評であるとを問わず文学の匂いを徹底的に排除しようとする。教科書に入れる手紙文にしても「作家が書いたものは禁止」とのこと。そんな奇妙な規則まで立てて文科省はいったい何をしたいのか。ある意味ではそれは、物に付こうとする姿勢だと言える。フィクションやレトリックを取り除けば、言葉と物とがきれいに一致するという考えがある。

皮肉なのは、過剰なほどの文彩にたっぷり文学臭を漂わせた篠田一士の文章が、一見、言葉に対する物の優位を言い立てており、まるで「論理国語」を先取りするかのように見えることでもある。むろん、それは錯覚だ。しかし、篠田のこうしたジェスチャーにも、言葉と物をめぐる古い対立がそう簡単に解決のつかないものであることが表れている。では、鷗外自身の考証はどれくらい物を信じていたのだろう。

読者のタイプとして篠田と正反対の位置にいるのが松木明である。明治三六年（一九〇三年）生まれの医師だ。『渋江抽斎』の新聞掲載時（大正五年／一九一六年）は中学に入学したばかりで連載のことは知らず、大正一二年（一九二三年）に作品が全集の一冊に入ってはじめて読む機会を得た。当時旧制の弘前高校に在学していた松木はすでに鷗外の作品に親しんでおり、『即興詩人』『雁』『青年』などにつづいてこの作品に触れると、その「史実にもとづく精緻な実証的論述」に打たれた。何より、本書に描き出されたのが彼の身近にいる人物たちだったことに興味を惹かれたという。「弘前での人物たとえば矢川一族や中村一族など私たちが熟知の人物が多く、またその場所も富田新町、北新寺町、白銀町などと、すべて私たちの周囲の日常来往する土地であった」（『渋江抽斎人名誌』津軽書房）

その後、弘前高校から東京大学医学部に進学した松木は血清学を学び、昭和九年（一九三四年）に郷里弘前に帰って開業する。本業が忙しくて『渋江抽斎』からはしばし遠ざかっていたが、昭和一五年（一九四〇年）、作品が岩波文庫から刊行されたのを機縁に約二〇年ぶりに再読、文学作品としての魅力に感じいっただけでなく、津軽地方の医史の調査にも重要な基礎を提供するに違いないとの確信を持った。しかし、松木は当時、血清人類学の研究に取り組んでおり、すぐに着想を実現させることはできなかった。

松木の血清人類学の研究は『津軽地方の血液型』（津軽書房）といった著書でも公にされているように、津軽地方の血液型の分布を調べたものである。対象となったのは実に一〇万人。

広瀬寿秀はこの調査について次のようにコメントしている。「この一〇万人というのはすごい数値で、当時の津軽人口の1/5といわれ、全数調査に近い。今であれば、サンプリング手法も層化抽出法やランダムサンプリングなどの統計的な手法を使い、もう少し効率的に調査するかもしれないし、分析方法もクラスター分析、有意差検定などの方法も取るかもしれない」（「広瀬院長の弘前ブログ」二〇〇八年一一月一二日）。この調査の結果は興味深いものだった。日本全体の血液型分布はA型が三六・三五％、O型が三〇・四六％、B型が二一・七七％。ところが、津軽地方の血液型分布はA型三三・二八％、O型三三・二二％、B型二五・一四％。これは日本全体の分布とかなり異なるもので、B型とO型が多い一方、日本人に多いA型が少ない。松木は西日本の血液型分布を参考にしながら、西から東へと移動するにつれて偏異が規則的に変化していくと結論づけている。

　この研究が一段落ついたところで、松木は本格的に鷗外研究に乗り出す。しかし、何しろ津軽地方の一〇万人の血液型を調べ上げた研究者である。文学作品の読者としても目の付け所がちがった。彼は『渋江抽斎』の登場人物の数がきわめて多いことに注目し、こんなふうに考える。「私は『渋江抽斎』によって、汎く江戸中期以後の儒家文人諸学者の動静や生活の概況を知り、多大の感興を覚えるとともに、文中氏名のみを伝えてその閲歴の記載のないものが、少なくないことを極めて遺憾に思った。（中略）少なくとも『渋江抽斎』に登場する諸人物を、系統的に考察理解しようとすれば、『渋江抽斎』を中心とするそれらの諸人物の簡略な閲歴と索引とがどうしても必要となる。」（『渋江抽斎人名誌』）

こうして松木は、『渋江抽斎』の登場人物たちについて、鷗外のその他の史伝の人物たちとあわせて「系統的」に調査を始める。その成果として結実したのが「人名誌」だった。あいうえお順に「藍原右衛門　弘前藩の用人。比良野助太郎貞固の妻かなの父。(三五)一八五。」といったふうに経歴を記し、カッコ内に『渋江抽斎』での登場回数、その後にページ数を示した。弘前藩の人物は記録が残っていることもあって経歴の記述が詳細にわたり、『伊沢蘭軒』など他の史伝にも登場する人物はその旨も記してある。列挙された人物は八〇〇人超。たいへんな労作だ。

松木はこうした成果物を「考察」ととらえていた。ちょうど鷗外が渋江抽斎と自身とを「考証」という作業を仲立ちにしてつなげたのと同じように、医師であった松木はこの作業を通して自身と鷗外とを重ねていたのだろう。ここには人物の記録へのこだわりという形で〝影響の連鎖〟が見てとれる。

昭和五六年(一九八一年)にこの「人名誌」が書物として刊行された際には、松木によるいくつかのエッセイとともに「渋江抽斎の校勘記」との文章もおさめられていた。この中で松木は『渋江抽斎』に混入していた一八に及ぶ「誤謬」を指摘している。そのほとんどは人物の没年が「七七歳」ではなく「七四歳」であるといった、多くの読者が気づかないであろう細かな数字の誤りだった。こうした調査には多大な労力がかかる一方、成果は地味に見える。

しかし、これらを些末な指摘として軽んずることはできない。なぜなら『渋江抽斎』そのものが、まさにこうしたこだわりに発した作品だからである。鷗外が抽斎の存在に最初に引きつけられたのは、『江戸鑑図目録』の写本中、「正保二年」という記述のわきに「四」と書き込まれた註釈だった。この但し書きをつけたのはいったい何者か。鷗外の直観はそこに垣間見えた註釈者の〝手〟に反応した。その背後には、細かい数字の異同に歴史の割れ目をとらえる〝眼〟がある。この註釈者は鷗外と同じように「四と刻してあるこの書の内容が二年の事実だということ」に気づき、かつ、そこに意味を見いだしているのだ。

〝影響の連鎖〟はさらに続く。松木明の息子・松木明知は、若い頃から父の『渋江抽斎』研究を手伝っていた。青森県から寝台電車に乗って東京大学総合図書館まで出かけ、マイクロフィルムに撮影を依頼したこともある。先にも触れたように、森家から寄贈された蔵書は、東大の図書館に鷗外文庫として所蔵されていた。明知は後に医師となるが、父の『渋江抽斎』研究も受け継いで調査をつづけ、一九八八年には『森鷗外「渋江抽斎」基礎資料』（第八十六回日本医史学会）を刊行した。これは抽斎の嗣子の保が鷗外に提供した三つの資料「抽斎年譜」「抽斎親戚並門人」「抽斎殿後」を復刻したものである。これを見ると、鷗外が『渋江抽斎』にまとめた逸話や情報の少なからぬ部分が、保の情報に負っていることがよくわかる。

この復刻版が出るまでは鷗外文庫にこうした資料が含まれていることはあまり知られていなかった。最初に資料の存在を世に知らしめたのは一戸務の「鷗外作『渋江抽斎』の資料」（『文学』一巻五号、一九三三年）だったが、その後も必ずしも注目が集まったわけではなかった。このことについては、鷗外に関する調査を通して松木明知と交流のあった作家の松本清張が次のように苦言を呈している。「東京大学図書館が鷗外の蔵書を受け、これを整理して鷗外文庫とした。鷗外文庫の渋江保作の三資料の閲覧は、過去二〇年間にわずか三件しかないという。アマチュアならともかく、もし鷗外研究家と目される諸家が、この根本資料をみないで『渋江抽斎』を論じてきたとすれば、ふしぎな感じなのである。」（『森鷗外「渋江抽斎」基礎資料』）

明知によると、この「三件しかない」というのは、「帯出期限表」に三つしか名前がないために清張が誤解しただけで、実際の閲覧者はもう少し多かった。とはいえ、『渋江抽斎』の偉大さを声高に叫ぶ評者が多いわりに、作品の〝ネタ〟となった資料への言及が少ないのはどういうことかと、明知も清張の意見に同調している。鷗外の史伝に惹かれる者も、必ずしも「正保二年」のわきに「四」と書きこむような執念は共有していない、そんなことで『渋江抽斎』の本当の魅力を語ることができるのか、ということだろう。

『渋江抽斎』の読者は二派に分けることができるかもしれない。一方には作家の試みに独創を見て、その孤立と超越を浪漫的に称揚する石川淳や高橋義孝や篠田一士のような読者。彼らは鷗外史伝の言葉に、通常の小説にはない荘厳な迫力を見たが、その力点はあくまで物に肉薄する鷗外の言葉の迫力にあった。決して、言葉を物に従属させたわけではなかった。

もう一方には、鷗外が取り組んだ仕事を等身大の視点でとらえ、細かい数字や人名をたどっていくことに静かな悦楽を覚える読者もいた。後者の方法はあくまで実証的で、言葉と物の関係に興奮することもない。物の世界にしっかりと足をつけている。医師であった松木明がそうであったように、しばしば彼らの本業は文筆でも文学研究でもなかった。言うまでもなく鷗外自身もまた医師であり官吏であり、事務的な作業も粛々とこなす「実業の人」という表の顔を持っていた。鷗外により近いのは、後者ではないかと思いたくなるところだ。

しかし、ことが少々ややこしくなるのは、ここからである。すでに触れたように、『渋江抽斎』の叙述の大きな部分は、嗣子であり最大の情報提供者であった保からの情報に負っている。山﨑國紀はこの保がかなり筆の立つ人であったことや、しばしば鷗外が新聞社を通して保に「謝礼」を払っていたことに注目している。むろん小堀桂一郎の『森鷗外』(ミネルヴァ書房)でも示されているように、保による原資料と鷗外の作品とを比較してみれば、「原石」からの絶妙な改変が見て取れる箇所は随所にある。しかし、そうした改変の手際に注目すればするほど逆に炙り出されるのは、「原石」に依存した書き方をしがちな鷗外の傾向でもある。

目野由希は『明治三十一年から始まる『鷗外史伝』』(溪水社)の中で未刊行に終わった鷗外の美術史を材料にしながら、その文章がときに「引用の集積」となりがちだと指摘する。「鷗外的な歴史記述の特徴は、同時に、ただ傍観者的に歴史資料を収集し続けるばかりの、非文学者的な鷗外の性質のひとつの現れでもある」。「テキストに最終的な統一をもたらす史観・物語性(ないしイデオロギー性)を用いないなら、引用の集積は、引用の集積として終わらざるを得ず、歴史構築の試みとしては途中で挫折せざるを得ない」。目野は、『ヰタ・セクスアリス』中の金井《かねい》にも見られるこうした姿勢に「官僚的」「事務的」なものを見いだす。

そこで考えてみたい。通常、否定的な意味で用いられる「官僚的」「事務的」という語は鷗外のコンテクストの中でどのような意味を持つのだろう。一九世紀ロマン派的なオリジナリティへの信仰に依るなら、「引用の集積」は価値のないガラクタと見なされるかもしれない。二〇世紀にはそうした引用の織物を、むしろ前衛的な視点からとらえ直す試みも盛んに行われたが、ふと気づけばラディカルなはずのパッチワークも、事務処理の途上で量産される無意味で気の遠くなるような情報の羅列と区別はつけがたい。

こうした情報集積の一つの究極は人名の羅列にある。人類が滅びない限り係累は伸び広がり、墓碑銘の名は増え続ける。しかし、名前は無意味な情報の集積ともなりうるが、他方で物語の宝庫にも転じうる。ちょうど法が、誰の名が代入されても機能する抽象的なシステムの枠組みを顕示するのに対し、公文書や事務文書に書き込まれる個人名には、意図やニュアンスが入り込むのと同じだ。そこには権力の思惑が露呈し、ときには権力を維持するための機能が担わされる。旧約聖書冒頭に延々と書き連ねられる人名の系統は、その後に続く記述の正当性を保証しようとする。世界を支配しようとする欲望は、それが具体的であればあるほど、巨大な名簿として立ち現れる。

冒頭で引用した墓地の場面は、まさにこの名前をめぐる二つの極をとらえたものである。無機的で荒涼とした、限りなく「物」の世界と重なる不動の死の風景が一方には示される。しかし、この不動の死の世界は、「二」の傍らに「四」と添え書きするというささやかな〝割り込み〟を通してにわかに胎動を始める。巨大ながらくただったはずのものに意図と欲望と権力の影が差す。『渋江抽斎』の醍醐味はここにある。死とも生ともつかないあいまいな境域を、鷗外の語りがまたぎ越すのだ。この地点からは、生から見た死が、そして死から見た生が、ともに奇妙な他者性とともに浮かびあがるはずだ。

篠田一士をはじめとした読者の〝熱狂〟は、「言葉」から「物」へというベクトルに発していた。言葉でありながら、限りなく物に肉薄することのロマン主義に彼らは打たれた。対して松木明は、そうしたジャンルの越境にはさほど興味を示さない。松木にとって言葉ははじめから言葉であり記録であった。数字や名前の「物らしさ」に寄り添っていればこそ、言葉が物そのものを表象することにさほど色めき立つ必要はない。では、鷗外はどうだったのか。墓場に書き連ねた名前を見やる鷗外は、眼前の死をとらえつつ、その向こうにかつてあった生を想起した。死と物から、生を召喚する。と同時に、生を覆う死に打たれる。

蒐集にこだわるように見える鷗外だが、彼にこのささやかな境界横断を許したのは、〝写す〟という行為だったのかもしれない。写本という古いメディアにも封じ込められていた写すという行為。とりわけ註釈入りの『江戸鑑図目録』は、写すということの行為性を生々しくとどめたものだった。現実に筆を走らせ筆写を行わずとも、読むという行為は〝写す〟ことのはじめの一歩である。いや、見ることや読むことが、すでに写す／映すという行為を伴うことを『渋江抽斎』の墓場の場面は教えてくれる。読者もまた、それらを淡々と目で追うべく強いられることで、知らず知らずそれらの名前を写すことになり、感染するのである。

ここには「事務的」であるということの深みが垣間見える。事務作業のたたえる神秘はしばしば文学作品にも描き出されてきた。ハーマン・メルヴィル「バートルビー」に描かれるのは、ウォール街の法律事務所で筆写係として雇われている代書人バートルビー。いたって有能な青年だったが、日々つづく筆写の作業の中で深い憂鬱へと追い込まれ、最後は刑務所で死を迎える。その胸中でほんとうに何が起きていたかは最後まで明示されない。チャールズ・ディケンズの『荒涼館』に描かれるのは、延々と続く裁判の〝事務地獄〟。物語が動きだすのは、そんな裁判関連文書のひとつに准男爵夫人が目をとめ、その筆跡の持ち主に思いが及んだときだった。この文書を筆写した人物が、実はヴェールに覆われた彼女の過去と深い繋がりのある人物だったのだ。悲劇はここから始まる。

このように文学の端緒は、文学からはるか遠いと思える筆写という事務作業や、その産物としての無機的な事務文書にこそ潜んでいる。権力は事務文書の冷たい仮面を鎧《よろい》としてまとおうとするが、文学はいとも簡単にその鎧を剝ぎ取り、企みを暴き出すことができる。実用という囲いをつくって物につく言葉の聖域をつくろうとしても、魔物の侵入を防ぐことはできないだろう。

漱石の食事法

――胃病の倫理を生きるということ

砂糖がけ南京豆は夏目漱石の大好物だった。しかも鏡子夫人の述懐によると、晩年胃の病で苦しんだ漱石にとどめを刺したのもその南京豆だったらしい――いわゆる南京豆エピソードである。漱石は死の二週間ほど前、精養軒で行われた結婚披露宴に夫婦で出席している。かねてから漱石が胃の不調を訴えていたこともあり、夫人としては夫が悪いものを食べないよう監視したかったのだが、席は男女別々。しかも机の真ん中には好物の砂糖がけ南京豆が出されていた。いけない、と夫人は思ったようである。何しろ、家でだって南京豆は隠しておかないと食べ過ぎるのだから。

それで気になっていたので、帰りに一緒になった時、貴方、豆をたべましたかと尋ねますと、食べたと申します。胃が痛いなんかといってて、いやな人ねと言いますと、なあに、もうすっかりなほったよと、来た時とは違って大分気分もよろしいらしく平気で言っておりました。其晩は何事もなく安眠いたしました。（『漱石の思い出』、三九一頁）

ところが翌日、漱石の様態は急変する。瞬く間に病状は悪化、二週間苦しんだ後、最期を迎えることになった。死因は胃潰瘍である。

『我が輩は猫である』以来、食いしん坊でありながら胃弱という作中キャラクターに自己イメージを重ねることの多かった漱石が、ついつい好物の南京豆を食べ過ぎたせいで弱っていた胃の状態を悪化させ死を迎えた、というと、あまりによくできた筋書きとも見えるが、実際漱石は自らの作品世界を貫く「胃の論理」をそのまま生きたようにも思える。単に、胃に殉死した、というだけのことではない。漱石の作品はより深いレベルで、その構造において、胃的なのである。胃的であるとは、つまり胃病の時間意識と胃病の論理とに忠実であるということ。漱石が生きたのはまさにそうした時間であり、倫理であったのではないか。『道草』末尾の一節には、時間を過去の専制支配の下に置こうとする次のような運命感が記されている。

世の中に片付くなんてものは殆どありやしない。一遍起こった事は何時迄も続くのさ。ただ色々な形に変るから他《ひと》にも自分にも解らなくなる丈の事さ。（『道草』、三一七頁）

ここにあるのは、まさに胃病者の感覚である。胃の症状はいつも遅れてやってくる。イノセントな行為が、時の経過とともに腐臭を放ち、重い罪となって主体を苦しめる。いや、そもそも胃病者は生まれつき病を背負うことを運命づけられてもいるのだ。胃を病む、という一点においてのみ漱石と親近感を持ちえたという正宗白鳥は次のような感慨を漏らしている。

私は胃病を父より神経の過敏性を母より伝えられました。両親とも我々の行動には干渉しません。二人とも堅実な人だと思います。しかし両親もその両親もこれという非凡な点は全然ないらしいです。従って私の大勢の弟妹もみんな凡庸なものばかりらしい。瓜の蔓に茄子はならないのでしょう。ただ両親のどちらに似てもなまけもの怠惰者にはならない筈です。だから私でも一〇年も机の前に坐ってコツコツやって来ました。

（「父より胃病を母より神経過敏性を」）

胃病者は親を反映する。胃病は遺伝であり、宿命であり、人格の影の部分に住みつく決して完治することのない永遠の烙印なのである。漱石の胃病は、運命と原罪の仮面をかぶっていた。遅れてくる呪いであり、因業の報いであった。何よりそれは、過去の病なのである。平岡敏夫の言うように、漱石が「いわば『消えぬ過去』を生涯背負いつづけた人」だとするなら、そして漱石作品の多くに、過去によって追い立てられるという構造を読めるとするなら、「消えぬ過去」に仮託する形で築かれる漱石的な罪と罰の倫理観の、その土台にあたる部分にあったのが、胃という表象だったと言えるのではないか（『漱石序説』、七─一四頁）。

ただ、漱石は胃病だけに苦しんだのではない。胃病と微妙に関わりつつ、しかし根本のところで好対照をなすもうひとつの病。多くの作品の中でそれは「神経」として語られている。


「何うも字と云うものは不思議だよ」と始めて細君の顔を見た。

「何故」

「何故って、幾何容易い字でも、こりゃ変だと思って疑ぐり出すと分らなくなる。この間も今日の今の字で大変迷った。紙の上へちゃんと書いて見て、じっと眺めていると、何だか違ったような気がする。仕舞には見れば見るほど今らしくなくなって来る。――御前そんな事を経験した事はないかい」

「まさか」

「己丈かな」と宗助は頭へ手を当てた。

「貴方何うかして入らっしゃるのよ」

「矢っ張り神経衰弱の所為かも知れない」

「左様よ」と細君は夫の顔を見た。夫は漸く立ち上った。(『門』、三四九―三五〇頁)

『門』には神経を痛めた夫婦が、お互いの病をいたわり合う場面が多く描かれている。むろん病の原因はふたりが過去に犯した間違いにあるのだが、彼らの病状は既知の過去よりも、現在の不安、自分が立っている「今、ここ」が崩落していく感覚と関わっているように見える。

既知であり安定しているはずの過去や現在が、見知らぬ何か、未来に潜む恐ろしい未決定にとってかわられる。既定の過去ですらが、未来からの訪れとしてやってくるのである。

胃病と神経病。過去の病と未来の病。こうしてみると胃病者の罪悪感は、神経病者の不安を押しとどめる効果を果たしていたのではないかとも思えてくる。「私は胃病を父より神経の過敏性を母より伝えられました」という白鳥が当たり前のように並べていたふたつの病は、漱石において決定的な対照性を持つ。「一遍起こった事は何時迄も続くのさ」と呟きつつ、すべてを過去という完了の形に帰する運命論者は、実は巧妙に未来という未知や未決定を隠蔽し、不安感に封印をしようとしている。追跡妄想その他多くの神経症状に悩まされた漱石は、しばしば自らの不安や恐怖を家族に向けた暴力として発散した。夫人に手をあげもしたし、言葉の暴力もあった。その夫人が夫婦喧嘩をめぐってふと漏らした追想に、意外な真理が隠されているようにも思える。

こうなってくると、いつもの式で、またも別れ話です。しかし今おまえに出て行けといっても行く家もないだろうから、別居をしろ、おまえが別居するのがいやなら、おれのほうから出て行くとこうです。で、別居なんかいやです、どこへでもあなたのいらしたところへついて行きますからと、てんで取り上げませんのでそれなりになるのですが、いつもきまって小うるさくこれをいうのでした。そうしてしまいに胃を悪くして床につくと、自然そんなこんなの黒雲も家から消えてしまうのでした。いわば胃の病気がこのあたまの病気の救いのようなものでございました。

（『漱石の思い出』、三三四―三三五頁、傍点は原文ママ）

神経から胃を悪くする人物は漱石作品の中によく見られるが、ふたつの病は単に病理的な因果関係で結ばれているだけではなく、同時に、「胃の病気がこのあたまの病気の救い」となる、つまり世界観の構造において、胃病的論理が神経病者の闇と拮抗しつつそれを抑止さえしているのではないかと思えてくる。胃病の論理とは、論理を「それ以前」の段階において引き受けるということである。胃病の時間意識は過去に偏し、胃病の倫理はその過去を言葉的に処理するのではなく、目で見据えることもならぬままに、まさに背中に追う。闇雲に過去の刻印を生きるというこうした胃病者の姿勢が、混沌とした未来に直面し続ける神経病者の不安を解毒するのである。

漱石の不安定な精神状態については鏡子夫人をはじめ多くの証言が残されている。同時代の医学者のものとしては、漱石の死体解剖を行った長与又郎教授による文書や、漱石を実際に診断した呉秀三教授による「追跡症という精神病だろう」という口頭のコメントも残っている（『神経症夏目漱石』、四一九―四二〇頁）。躁鬱病説からパラノイア説まで病名については様々で本章ではその特定を急ぐことはしないが、少なくとも漱石本人が自らの心の不調について自覚的であったことは間違いない。この方面の研究書として一定の評価を得ている千谷七郎『漱石の病跡』によると、漱石は概ね生涯に三回精神病を発病している。一回目は一八九四～九五年

（明治二七〜二八年）、二回目は一九〇一〜〇四年（明治三四〜三七年）、そして三回目が一九一二〜一四年（大正元年〜三年）。本章では、三回目の発病期頃に書かれ、後に前期三部作と呼ばれることとなる『三四郎』（一九〇八年連載）、『それから』（一九〇九年連載）、『門』（一九一〇年連載）の三つの作品に焦点をあて、胃の病が精神の病とバランスを取っていく様がどのようにこうした作品中に表現されるのかを具体的に確認してみたい。物語の装置として「食」と「腹」がテーマ化される『三四郎』、肉体の病が過大に意識され病むものとしての「胃」が目につきはじめる『それから』、そして「食」や「胃」が、語られえぬ言語以前の領域に浸透する『門』。神経はそこではむしろ明瞭な主題として、サスペンスなどの装置とからみつつ積極的に物語的展開に関わるようになっていく。こうした点に焦点をあてることで、文人の自己意識形成と胃弱とがどのように関わり合っているかを明らかにできればと思っている。

『三四郎』は食の場面にあふれている。汽車で上京する主人公を描いた冒頭部では、食を介在とした二人の人物との出会いが意味ありげに提示される。食は、ここでは象徴的なのである。後に宿をともにすることになる女とは、次のような一見やや滑稽な関わり合いが発端となる。三四郎は弁当を食べ終わったところであった。女は座席に戻らず、窓から顔を出し外の空気を吸っている。食べ終わった弁当箱を三四郎は窓の外に放り投げた。

女の窓と三四郎の窓は一軒置の隣であった。風に逆らって抛げた折の蓋が白く舞い戻った様に見えた時、三四郎は飛んだ事をしたのかと気が付いて、不途女の顔を見た。顔は生憎列車の外に出ていた。けれども、女は静かに首を引っ込めて更紗のハンケチで額の所を丁寧に拭き始めた。三四郎は兎も角も謝る方が安全だと考えた。

「ごめんなさい」と云った。

女は「いいえ」と答えた。まだ顔を拭いている。三四郎は仕方なしに黙って仕舞った。女も黙って仕舞った。(『三四郎』、二七六―二七七頁)

宿屋の部屋で三四郎が女に誘惑されながら、どぎまぎするばかりで行為に至る勇気の出なかったことを考えあわせると、呼吸の合わないふたりのちぐはぐなやり取りが、食をめぐる三四郎の不始末にはじまることは意味深いだろう。三四郎がこの女と食を共有できないことは、この出会いの段からすでに明らかなのである。

もうひとりの「髭のある人」は三四郎に水蜜桃を御馳走してくれる。


三四郎は安心して席を向う側へ移した。これで髭のある人と隣り合わせになった。髭のある人は入れ換って、窓から首を出して、水蜜桃を買っている。

やがて二人の間に果物を置いて、

「食べませんか」と云った。

三四郎は礼を云って、一つ食べた。髭のある人は好きとみえて、無暗に食べた。三四郎にもっと食べろと云う。三四郎は又一つ食べた。二人が水蜜桃を食べているうちに大分親密になって色々な話を始めた。（二八七頁）

この人物、つまり広田先生に、三四郎は東京で再会することになるわけだが、車中では旺盛な食欲を発揮する三四郎に対し、広田先生が桃をめぐるいくつかのたとえ話を語って聞かせる。三四郎はそんなエピソードに耳を傾けながら、啓発されたり、思わず痛いところを突かれて口をつぐんだりする。水蜜桃に端を発する広田先生との会話は、三四郎の「知」を大いに刺激した。水蜜桃には明らかにエロスの香りも漂うが、性は若い三四郎にとって知識欲や食欲とも重なるような、不定形のエネルギーの一部でもある。

その後、新学期となり大学に通い出した三四郎は過剰なエネルギーを抱え、「物足りない」気持ちに満たされる。それで、ひたすら講義に出席する。必修科目以外にも顔を出す。内容はよくわからないのに授業に出ずにはいられない。週四〇時間。「一種の圧迫を感じていた」というのである。そんな焦燥感を友人に明かすと、次のような反応が返ってきた。

或日佐々木与次郎に逢ってその話をすると、与次郎は四〇時間と聞いて、目を丸くして、「馬鹿々々」と云ったが、「下宿屋のまずい飯を一日に十返食ったら物足りる様になるか考えて見ろ」といきなり警句でもって三四郎を打《どや》しつけた。三四郎はすぐさま恐れ入って、「どうしたら善かろう」と相談をかけた。（三一五―三一六頁）

三四郎の「圧迫」とは、食欲とも知識欲とも性欲ともなりうるような衝動なのである。それが食の言葉で語られたとしても、我々はそこに胃の論理を読むわけではない。あるのは、いわば腹の理屈である。私は以前、横光利一と正宗白鳥と夏目漱石について、三人がそれぞれどのような形で自身の胃弱と向き合ったかに注目し、その違いが三人の文学の相違とパラレルになっているとの議論をしたことがあるが、その際、胃弱をめぐって、それをあくまで生理的で酷薄な「胃」の問題としてとらえようとする白鳥と、「胃」を「腹」という物語装置に読み替え、通俗的な言説の中で処理しようとした横光との対比にとりわけ重点を置いた（『モダンの近似値』）。自然主義を標榜し、「どん底の心の声」にこそ耳を傾けねばならぬとした白鳥と、同時代の風俗を積極的に取り入れ、派手な設定の中で威勢の良い物語を展開させようとした横光。白鳥による「胃の言説」がなまなましい現実の肌触りにこだわるのとは対照的に、横光の「腹の言説」は恐れることなく紋切り型表現を繰り出し、あえてパターン化された思考を取り込んでいく。

これまでの引用部からもわかるように、『三四郎』のあちこちで言及される食は、比喩や象徴の一環として物語的な機能を担わされていた。食はそれ自体として描かれているのではなく、紋切り型の媒介物として、通俗的な表象として、『三四郎』的世界の奥の方にあるものをより明るくわかりやすい光の下に導き出すにすぎない。だからこそ食にまつわる表現――「三度の飯さえ食わない」（三六〇頁）、「腹の足しにならない」（四三四頁）、「食客（いそうろう）」（三九〇頁、四三五頁）、「何を食べたら、それ位（一日四銭）で生きていられるでしょう」（五二八頁）――が多用されるのだ。だから『三四郎』という小説は、食や腹についてはおおいに語りつつも、胃については不思議と寡黙なのである。

それにしてもなぜ食なのだろう。村瀬士郎も指摘するように、明治三〇年代は台所や食材といった食に関わる文化行動がマニュアル化されるようになった時代だった。一般の人々に食が意識されやすくなっていたのである（「〈食〉を〈道楽〉にする方法」）。藤森清編著『漱石のレシピ』は、漱石の生きた時代の食生活を再現しつつ、漱石作品に出てくる食材や食べ方が当時の文化状況においてどのような意味をもっていたかをわかりやすく描出しているが、職業作家としての第一歩を踏み出して間もない漱石が、新しい風俗の意匠として輝きを放っていた食に目をとめたことはごく自然であっただろう。これは白鳥による漱石批判の論点でもあるのだが、漱石にとってそうして食を語ることは、通俗的でわかりやすい腹の理屈を通して、広い読者層に歩み寄るためのジェスチャーだったのかもしれない。

『それから』でも腹の理屈は目立っている。金銭のいざこざや生活の苦労といった問題が『三四郎』においてよりも大きな比重を占めるだけに、「食べること」や「寝ること」が「生活し生きていく」という処世的なコンテクストの中で観念的な隠喩として機能することがさらに多くなる。「食うために働く」（四〇頁、一〇五頁、一二八頁）といった言い回しに代表されるように、人物たちは処世の身振りを腹の言葉で表現する。ただ、『それから』で明らかに目につくのは病の感覚でもある。主人公の代助は三四郎と似て身体頑健なる人物として描かれるが、物理的な面で健康なはずの肉体は、身体意識においては病の感覚にとりつかれてもいる。そこには、健康なはずの肉体が奥に巣食う精神的な問題のゆえに病んでしまっている、もしくは病みつつある、という構図が見えてくる。冒頭で代助の人物像が大まかに描かれるとき、その鍵となるのは、過剰に身体を意識し死を恐れるような、いわゆるヒポコンデリーの症状である。

彼は胸に手を当てた儘、この鼓動の下に、温かい紅の血潮の緩く流れる様を想像して見た。是が命であると考えた。自分は今流れる命を掌で抑えているんだと考えた。それから、この掌に応える、時計の針に似た響は、自分を死に誘う警鐘の様なものであると考えた。この警鐘を聞くことなしに生きていられたなら、――血を盛る袋が、時を盛る袋の用を兼ねなかったなら、如何に自分は気楽だろう。如何に自分は絶対に生を味わい得るだろう。けれども――代助は覚えずぞっとした。彼は血潮によって打たるる掛念のない、静かな心臓を想像するに堪えぬ程に、生きたがる男である。彼は時々寝ながら、左の乳の下に手を置いて、もし、此所を鉄槌で一つ撲《どや》されたならと思う事がある。彼は健全に生きていながら、この生きているという大丈夫な事実を、殆ど奇蹟の如き僥倖とのみ自覚し出す事さえある。(『それから』、三―四頁)

こうした意識は『三四郎』では見られなかったものである。身体的な健康さを持ち、クライマックスでも灼熱の中、精神の困憊にもかかわらず肉体を持てあますかのようにして歩き続ける代助にとって、病は肉体のものではなく精神にこそ属する。そんな世界において、神経と肉体とが交わる接点として、少しずつ胃的なものの存在感も増してくる。

午過になって、代助は自分が落ち付いていないと云う事を、漸く自覚し出した。腹のなかに小さな皺が無数に出来て、その皺が絶えず、相互の位地と、形状を変えて、一面に揺いている様な気持がする。代助は時々こう云う情調の支配をうける事がある。そうして、此種の経験を、今日迄、単なる生理上の現象としてのみ取り扱って居った。代助は昨日兄と一所に鰻を食ったのを少し後悔した。

（中略）

「叔父さんは、昨日御父さんから奢って貰ったんですってね」

「ああ、御馳走になったよ。御陰で今日は腹具合が悪くって不可ない」

「又神経だ」

「神経じゃない本当だよ。全たく兄さんの所為だ」（八八―八九頁）

胃は水面下で精神と交わるような境界上の存在である。代助はそれを「腹具合」と呼ぶことで既存の言説の中に片づけようとするが、「腹のなかに小さな皺が無数に出来て、その皺が絶えず、相互の位地と、形状を変えて、一面に揺いている様な気持がする」という感覚は、そんな腹の理屈にはおさまりきらない、もっと個別的で具体的で名指しがたい何かなのだ。もはやそれは誰もが共有する「腹具合」などとしては語られえず、より個人的な症状としての胃の病の相貌を呈している。

『門』は『それから』の後日談的な色彩を持つ。ドラマチックな衝突が描かれた『それから』とは違い『門』では、宗助が黙ってお菓子を食べてしまう話（三五四頁）や、妻が夜中、隣の家に押し入った泥棒の足音にびっくりするというエピソードなど（四三二―四四七頁）、金銭的な困窮を背景に至極スケールの小さい世界をしっとり慎ましやかに描き出すという手法がとられている。夫婦が住む崖下の日当たりの悪い家屋がふたりの人生を象徴する場所でもあるため、自然、家の中の場面が多くなり、とくに食事風景は頻繁に描かれることになる。家で食事をしながら外の大きな世界について語るという仕草（三六九頁、三七五頁、五四九―五五三頁）は、主人公宗助の造形において決定的な要素となっている。

そんな『門』の世界における食の特徴は、それが非常に具体的だということである。食はもはや『三四郎』でのように若さや性欲の隠喩としてそれ以外のものを指し示すわけではない。あるいは『それから』でのように病の感覚に従属するわけでもない。とにかく宗助はいつも食べている。そして出来事は、「あなた御菓子食べなくって」（三七一頁）という会話が急に意味深い行動を引き起こしたり、「ちょうど晩飯」というときに重要な訪問者がやってきたり（五四三頁）、あるいは食べるための歯がおかしくなることから主人公の置かれた状況が照らし出される（四一三頁）といった具合に、「食」を巧妙な小道具として組み立てられることが多い。

こうした場面をとおし食をめぐるさまざまな行為は、いちいち一回限りの意味ありげな記号的事件として立ち現れるわけではない。『三四郎』や『それから』でのように「こういうことなのだ！」と指さすようにして小説の世界をつくっていくわけではないのである。そうではなく、「藤蔓の着いた大きな急須から、胃にも頭にも応えない番茶を、湯呑ほどな大きな茶碗に注いで、両人の前へ置いた」とか、「三四日前彼は御米と差向いで、夕飯の膳に着いて、話しながら箸を取っている際に、どうした拍子か、前歯を逆にぎりりと嚙んでから、それが急に痛み出した。指で揺かすと、根がぐらぐらする。食事の時には湯茶が染みる。口を開けて息をすると風も染みた」といった描写でなされるのは、あくまで迂回的に主人公の食との関わり方を仄めかすということなのである。

主人公と食との関わり方が迂回的に語られるとは、要するに主人公と生活との、そして人生とのつき合い方が非常に迂回的に、さりげなく、意味の信号がほのかに光る程度のデリケートさで語られているということだろう。食は小説世界において欠くことのできない装置でありながら、複雑な物語的手続きのなかに埋没するかのようでもある。これは単に『門』が『三四郎』と比べて、そして『それから』と比べても、プロットの目立たない、困窮と不動と憂鬱を基調にした、いかにも自然主義的作風で描かれているためだけとは言い切れない。食がこのようにして間接的にしかし頻繁に描かれるということは、ほとんど食と主人公が同化している、つまり主人公が食とのつき合い方にアイデンティティの支えを持ち、その食べっぷりにおいてこそ主人公たりえている、ということを意味するのではないか。

これはさらに言えば、食が概念化可能な問題としては語られ得ない領域に入り込んでいるということでもある。もちろん、作家がそうして問題化を巧妙に避け隠蔽したような主題をこそ取り出すのが批評の役目でもあるのだが、しかし、とりわけ『門』において食の問題化が避けられようとしているらしいということには注目しておいてよいだろう。これは次のような一節を参照するとわかりやすい。

宗助は線香を持って、本堂の前を通って自分の室ときまった六畳に這入って、ぼんやりして坐った。彼から云うと所謂公案なるものの性質が、如何にも自分の現在と縁の遠い様な気がしてならなかった。自分は今腹痛で悩んでいる。其腹痛と云う訴を抱いて来て見ると、あに計らんや、其対症療法として、六づかしい数学の問題を出して、まあ是でも考えたら可かろうと云われたと一般であった。考えろと云われれば、考えないでもないが、それは一応腹痛が治まってからの事でなくては無理であった。(『門』、五七七頁)

ここでの「腹痛」はいわゆる比喩として使われていて、これまでの腹か胃かという二分法でいえば一見、腹の問題ということになりそうなのだが、重要なのは「腹痛」という事態が、言葉でとらえきれないような、つまり頭で「問題化」しうるような事柄とは別の次元に属するものとして語られているということである。「腹痛」は「難しい数学の問題」とはちがって決定的にリアルなのであり、なまなましく逃れようのない現実感を持っている、というのである。

この一節は『門』全体にあるような食と胃をめぐる態度についても示唆的であるように思え

る。つまり食に関わる一連の事態は、出来事として出会われたり、思想として問題化されるような質のものではなく、存在の根っこにまで延びていて、言葉にすらならない気持ちの悪い執拗さをもっているということである。他方、すでに引用したように『門』では人物たちによる神経衰弱への言及がきわめて多くなってくる。主人公宗助も妻御米も、ともにその神経過敏さが設定の重要な部分となっており、いかに彼らが自分たちの神経過敏さとつき合っていくかが、物語の最大のミソなのだとさえいえる。たとえば、坂井の家に泥棒がはいったり、あるいは御米の前夫が坂井の家を訪ねる、といった場面では、夫妻の神経がざわめくことと、物語がサスペンスの中で緊張感を高め、ドラマとして盛り上がっていくこととがほぼパラレルな関係となり、読者としては主人公たちの神経の顚末を負うことが、すなわち、物語の進行を追うこととほぼ同義となってくる。胃が単純に主題化されにくくなる一方、神経は物語の中心にある機能として主題化・問題化されやすいのである。

漱石の精神病発病期が『門』の連載のあった時期と近いということを考えれば、神経過敏が漱石自身の重要問題となりつつあったからこそ、こうして物語においてもわかりやすい主題となったのだと言えるかもしれない。その一方、食は主人公や、小説世界の「なまなましい」部分を担わされていった。つまり食は主題であるよりも、主題以前で、思想の言葉や物語のプロットとしては扱い得ないような、ほとんど目にも見えない小説的現実感の地盤に食い込んでいくことになる。

「自分の胃弱を意識する人」という漱石の好む人物像は、伝記的事実から明らかなように漱石自身をモデルにしているいると考えてよいだろう。とするなら、『門』において食がこうして主人公のなまなましい部分を担っていったことは、漱石自身が胃弱を戯画的な「ネタ」としてではなく、自分自身の現実感をその上に築きうるよう、存在論的な地盤にしようとしていたことを意味するのではないか。

漱石には胃病と神経病という二系列の病気があった。スーザン・ソンタグにも指摘されているように、病を意識することで身体感覚を確定させ、そこから現実とのつき合い方をも安定させて実存的不安を解消する、という傾向は多くの作家にみられるが、漱石の場合、自身のうちに胃と精神というふたつの病の系列が拮抗するのを意識していたということが重要に思える。そのどちらが勝るかは、そのときどきの作家の状況に応じて変わってくるのだろうが、『三四郎』から『それから』、そして『門』へと進んでくる中で明らかになるのは、ふたつの系列の病のうち、胃の病こそが漱石の現実感建設の中心となっていくということである。胃の営みこそを小説の芯の部分に据え、自身や主人公を胃の病を生きる人間として意識し描くことで、漱石は世界との関係を安定させ、小説世界における「リアルなもの」の水準を確立しようとする。そしてその一方で、ちょうど『三四郎』において食がきわめて出来事的であったのと同じように、神経が物語的出来事性を担うようになっていく。宗助が寺にこもるなどという事件がおこりうるのも、神経がプロットの片棒を担ぐに足りるほど主題化されているからだろう。

『硝子戸の中』の後半、漱石の抱える病気について友人が次のようなコメントをする箇所がある。

「そりゃ、癒ったとは云われませんね。そう時々再発する様じゃ。まあ故《もと》の病気の継続なんでしょう」。

これを受けて漱石は考える。

此継続という言葉を聞いた時、私は好い事を教えられたような気がした。それから以降は、「何うか斯《こ》うか生きています」という挨拶をやめて、「病気はまだ継続中です」と改めた。そうしてその継続の意味を説明する場合には、必ず欧州の大乱を引合に出した。「私は丁度独乙が連合軍と戦争をしているように、病気と戦争をしているのです。今斯うやって貴方と対坐して居られるのは、天下が太平になったからではないので、塹壕の中に這入って、病気と睨めっくらをしているからです。私の身体は乱世です。何時どんな変が起らないとも限りません」（『硝子戸の中』、五九一頁）

「継続」という言葉は胃病の論理を代弁するだろう。人生は過去の集積なのである。その過去といかに妥協し生きながらえていくかが人生だ、という時間意識を運命感としてほとんど盲目的に背負いこむことは、漱石にとって貴重な安定を得ることでもある。生きることと病むことが同義だと決めることで、漱石は自己の抱えるもうひとつの病を抑えこむのである。

『点頭録』には次のような一節がある。

また正月が来た。振り返ると過去が丸で夢のように見える。何時の間に斯う年齢を取つたものか不思議な位である。

（中略）

驚くべき事は、これと同時に、現在の我が天地を蔽ひ尽して厳存してゐるといふ確実な事実である。一挙手一投足の末に至る迄此「我」が認識しつつ絶えず過去へ繰越しているという動かしがたい真境である。だから其処に眼を付けて自分の後を振り返ると、過去は夢所《どころ》ではない。炳乎《へいこ》として明らかに刻下の我を照しつ、ある探照燈のやうなものである。従って正月が来るたびに、自分は矢張り世間並に年齢を取つて老い朽ちて行かなければならなくなる。

生活に対する此二つの見方が、同時にしかも矛盾なしに両存して、普通にいふ所の論理を超越している異様な現象に就いて、自分は今何も説明する積はない。又解剖する手腕ももたない。ただ年頭に際して、自分は此一体二様の見解を抱いて、わが全生活を、大正五年の潮流に任せる覚悟をした迄である。（『点頭録』、六二七―六二八頁）

こうしたエッセイにあらわれた漱石の時間意識こそが、平岡敏夫の言う「『消えぬ過去』を生涯背負いつづけた人」という作家像を作り上げるのだろう。時間や人生や世界を「継続」という相のもとにとらえようとする漱石において過去は、少し悪いものを食ったあとには必ず罰があたるような、慢性的な胃の病に酷似している。それはきわめてネガティヴな呪縛のように見える。

しかし過去の呪縛とダイナミックな均衡関係にあると思える今ひとつのもの、今の『点頭録』では過去を夢のようにみせるような時間感覚をも漱石は持っているということを見逃すことはできない。そんな時間において過去と現在とは寸断され、主体は非連続的に生起する出来事に常に脅かされることになる。漱石においてはそれがとくに「精神界」のこととしてとらえられる傾向があるようである。

「此肉体は、いつ何時どんな変に会はないともかぎらない。それどころか、今現にどんな変がこの肉体のうちに起こりつつあるかも知れない。そうして自分は全く知らずにいる。恐ろしい事だ」

此処まで働いて来た彼の頭はそこで留まることが出来なかった。どつと後《うしろ》から突き落すような勢で、彼を前の方に押し遣った。突然彼は心の中で叫んだ。

「精神界も同じ事だ。精神界も全く同じ事だ。何時どう変るか分らない。さうして其変る所を己は見たのだ」

彼は思はず唇を固く結んで、恰《あたか》も自尊心を傷つけられた人のような眼を彼の周囲に向けた。(『明暗』、七頁)

「何時どう変るか分らない」という感覚は、柄谷行人が「意識と自然」の中で論じようとしているような、漱石の存在論的な部分（三三頁ほか）、つまり合理的な体系や、自然主義的な体系をさえはみ出す「グロテスク」（一八頁）で「善悪の彼岸」（一六頁）にあるような気持ちの悪い存在とつながっているのだろう。あるいはまた、桶谷秀昭が注目するように、狂気や「発作」という形をとってあらわれて人間に復讐するものとしての「自然」（一一七―一一八頁）ともつながるのかもしれない。

いずれにせよ、こうした文章を通して見えてくるのは、いかにも「継続」的な胃の病でもっていつ破裂しないとも限らない精神の病を制しようとするような作家の姿勢だといえる。胃病もまた狂気と同じようにグロテスクで語りえぬ病なのだが、漱石はそれを生の継続と読み替えることで、「すでにあるものをただ負う」という胃病者特有の感覚をとぎすませる。そこに現れるのが時間哲学であろうと、倫理であろうと、世界にはこうして土台が与えられるのだ。世界は、そして漱石の胃は、押し寄せる過去の集積場と化すのである。

漱石の文学はしばしば、当時文壇の主流を形成していた自然主義文学と対置されてきた。本章でも取り上げた正宗白鳥は自然主義陣営の代表格だっただけに、そうした比較の対象としては都合の良い作家でもあった。その白鳥が、胃に特異なこだわりを見せていた。白鳥の殺し文句だった「どん底の心の声」の「底」とは、おそらく人体の底部としての「腹の底」であり、ということは彼は「心の声」を語るにも腹部の隠喩に拠った、ということなのである。

胃病者の倫理を描く漱石に、自然主義への接近が見られることは疑いないだろう。そういう漱石を、胃の作家としての漱石を、白鳥も好んで取り上げ称揚した。が、たとえば桶谷が漱石について言う「自然」と、徳田秋声や国木田独歩の自然主義の「自然」とは明らかに違う。いわゆる「リアリズム」の作法を標榜する小説に食事の場面が多いとは誰もが気づくことで、ある種の連続テレビドラマで食卓風景がしきりと描かれるのとそれは同じ理由——つまり、日常性を手っ取り早く保証する、ということである。自然主義の「自然」は、食や胃の持っているそんなくすんだ、地味な現実感を拠り所にしてきた。日々消化を自意識するということは、当たり前で退屈な日常を自分で自分につきつけるということである。カーライルが「いつもながら胃腸の調子がよくない」とつぶやくとき、彼は自分自身であることの退屈に辟易している。と同時に、その退屈に酔ってもいる。どこか安住さえしている。自然主義作家もまた、日常性や、平凡さや、ひいては「私」というどうしようもなく退屈で逃れられない牢獄を描きつつ、腐臭がただようばかりのその閉塞感に美学を見出していたはずである。

漱石は、たぶん、ちがう。漱石の「自然」はもっと厄介なものだった。グロテスクで語り得ぬ何か。押さえこまねばならぬ何か。安住すべき退屈な「私」は、はじめから与えられたものなどではなかった。だから漱石の胃の論理は、どこかで作為に満ち、力んでいて、長生きするためにはやや毒がきつすぎた。なかば自殺行為とも見える「南京豆のバカ食い」のために漱石が胃潰瘍を悪化させて死んだのも、そういうことだったのではないだろうか。

引用文献

阿部公彦『モダンの近似値――スティーヴンズ・大江・アヴァンギャルド』松柏社、二〇〇一年
桶谷秀昭『増補版 夏目漱石論』河出書房新社、一九八三年
柄谷行人『漱石論集成』第三文明社、一九九二年
スーザン・ソンタグ『エイズとその隠喩』冨山太佳夫訳、みすず書房、一九九〇年
千谷七郎『漱石の病跡――病気と作品から』勁草書房、一九六三年
夏目鏡子述・松岡譲筆録『漱石の思い出』文春文庫、一九九四年
平井富雄『神経症夏目漱石』福武書店、一九九〇年
平岡敏夫『漱石序説』塙書房、一九七六年
藤森清編著『漱石のレシピ――「三四郎」の駅弁』講談社+α新書、二〇〇三年
正宗白鳥「父より胃病を母より神経過敏症を」（一九一八年）『正宗白鳥全集』新潮社、一九六五年〜一九六八年
村瀬士郎「〈食〉を〈道楽〉にする方法――明治三〇年代消費生活の手引き」、金子明雄・高橋修・吉田司雄編『ディスクールの帝国――明治三〇年代の文化研究』新曜社、二〇〇〇年、一六五―一九八頁
夏目漱石作品からの引用は夏目金之助『漱石全集』（岩波書店、一九九三年〜一九九九年）を使用し、当該巻の頁番号のみ記した。その際、旧仮名遣いは新仮名遣いに改めた。

「如是我聞」の妙な二人称をめぐって
――太宰治の「心づくし」

日本の近現代の文学には、論争や確執がつきものだった。夏目漱石と正宗白鳥、谷崎潤一郎と芥川龍之介といった作家たちの間に生じた意見の相違は、単なる作家同士の気質の違いを示したにとどまらず、小説の方法をめぐる根源的な葛藤をもあらわし、それだけに文学の流れを構造的に把握しようとする者にも興味深い視座を提供してきた。

志賀直哉に対する痛烈な攻撃で知られる太宰治の随想「如是我聞《によぜがもん》」も、本来ならそうした論争史の一角をしめてもおかしくはない作品である。『文藝』誌上で行われた座談会中で志賀に自作を嘲罵された太宰は憤激し、その評言をとらえて激しく反撃するとともに、その延長上で志賀の作品の批判をも繰り広げた。

或る「老大家」は、私の作品をとぼけていていやだと言っているそうだが、その「老大家」の作品は、何だ。正直を誇っているのか。何を誇っているのか。その「老大家」は、たいへん男振りが自慢らしく、いつかその人の選集を開いてみたら、ものの見事に横顔のお写真、しかもいささかも照れていない。まるで無神経な人だと思った。

（第一一巻「如是我聞」・三四四頁）

太宰の作品について、志賀が「とぼけていていやだ」と言ったというくだりにしても、志賀の作品の「正直」や「男振り」、「照れていない」「無神経」といった点を太宰があげつらうあたりにしても、作家の方法をめぐる根本的な問いにつながりうる着眼には違いない。

実際、「如是我聞」を出発点にして志賀と太宰の対立点を炙り出そうとする試みはこれまでにもなされてきた。とりわけ相馬正一による「家族」の問題に焦点をあてた分析は興味深い。相馬は、ともに家族との葛藤を作品の中心テーマにすえてきた両者に深い共通点があるとしたうえで、家からの仕送りに依存しつづけた志賀と違い、家族からはるかに厳しい扱いを受け生活費の工面にさえ困っていた太宰は、志賀に対して独特な感情を持ったはずだと指摘している。「太宰の目から見ると、志賀の〈不和〉は父子の意地の張り合いから生じた家庭喜劇に過ぎず、双方が意地を引っ込めればいつでも〈和解〉出来る程度の安易な対立劇で、殊更に父子が涙を流して〈和解〉したなどと大袈裟に書き立てる程のものではあるまい、ということになるのである」。

たしかに「如是我聞」第一部の冒頭近くには、やや唐突とも言えるような「家庭」への言及があるが、このあたりにも相馬の言うような、予定調和的な「家庭喜劇」に対する太宰の苛立ちを読むことは可能かもしれない。「所謂、彼らの神は何だろう。私は、やっとこの頃それを知った。家庭である。家庭のエゴイズムである。それが終局の祈りである。私は、あの者たちに、あざむかれたと思っている。ゲスな云い方をするけれども、妻子が可愛いだけじゃねえか」(三四一―三四二頁)。志賀の家庭に対する姿勢の取り方に太宰がこれほど強く反発するのは、どこか「家庭」というものに安心していたのかもしれない志賀とは違い、太宰が「家庭喜劇」を書かなかった――書けなかったのか、あえて書かなかったのかは議論のあるところだろうが――そのコンプレクスのようなものを見て取ることもできるだろう。

そういうわけで「如是我聞」には、創作ではなく随想でありながら、「太宰文学の総決算」(山下明)として読みうる要素がたしかにある。決して多くの評文を書いたわけではない太宰が、彼なりの方法で自身のこだわりや方法意識を表したという意味では、太宰文学の理解に欠かせない重要作品であるのは間違いない。

しかし、にもかかわらず、「如是我聞」をもって太宰と志賀の論争や対立のあらわれとすることにいささかの躊躇を覚える人もいるのではないかと思う。それは何より、文体のためである。佐藤泰正は太宰の批評の方法に触れ、「エッセイ一篇にもその含羞、また虚実とりまぜての筆致の妙はあざやかだが、なお彼は小説におけるほど自由ではなく、『観念野郎』とみずからいう野暮ったさは、よりストレートに表白されざるをえなかったはずである」と言っているが、たしかに「如是我聞」でもヒステリックなまでの感情的な興奮が前面に出る一方、創作の中で太宰が見せる特有のなめらかでやわらかい言葉の運びがそれほど見られないとも思える。太宰自身が別の随筆で「これが随筆でなく、小説だったら、いくらでも闊達に書けるのだが」（第一一巻「作家の像」・二九八頁）と言っていることからもわかるように、太宰は随想となるとたんに筆が重くなる傾向があった。「如是我聞」が『新潮』の編集者・野平健一による聞き書きによって構成されたことはよく知られているが、実際には太宰があらかじめ原稿やメモを用意した箇所もあったことがその後わかってきた。ということは口述という方法は、太宰なりに評文の壁を壊す試みだったのかもしれない。しかし、それにもかかわらず「如是我聞」の文章が、かなりぎこちないものであるのも否定できない。あちこちに飛躍や脱線を含み、必ずしも効果的ではないような軽率な語彙が用いられ、論争の一極と見るにはあまりに一本調子で感情的、それだけに不安定でもあり、後の自死と合わせて考えると悲劇的には見えても、どこまで本気にとっていいのかわからないところがある。

つまり、「如是我聞」は太宰の文学の方法を明らかにする評文としては、いささか頼りなくも見えるということである。しかし、本章で焦点をあてたいのはまさにそこである。「如是我聞」の不安定で気まぐれで、論理的な屈強さとも随想的な滋味ともあまり縁のない文章に、実は太宰の小説作品の根底にもあるような重要な特徴が読み取れるのではないかと考えたいのである。以下、そのあたりを精査してみる。

「如是我聞」で批判されているのは明らかに志賀直哉だが、はじめから実名が出ているわけではない。まずは「老大家」「あの人」といったぼかした言い方がなされ、第二部になると

「外国文学者」や「教授」「語学教師」に矛先がかわる刹那もある。それが第三部で明確に「志賀直哉」という名前に言及がある。「志賀直哉という作家がある。その人の発表しているものは、書である、リーグ戦である。小説が、もし、絵だとするならば、その人の発表しているものは、書である、と知人も言っていたが、あの『立派さ』みたいなものは、つまり、あの人のうぬぼれに過ぎない」(第一一巻「如是我聞」・三六一頁)。これまでの文章から十分に読み取れることとはいえ、「志賀直哉という作家がある」と名指しの形をとることで、あらためて批判の中心だったのが志賀だとわかる。そこで注意したいのは、この名指しをへることで、志賀に対する罵倒がよりはっきりと二人称の呼びかけの形をとりはじめるということである。しかも、はじめは「一言で言おう、おまえたちには、苦悩の能力が無いのと同じ程度に、愛する能力に於ても、全く欠如している」(三六二頁)というようにややぼかした複数形を使っていたのが、座談会で志賀に自身の作品を酷評されたことがわかるとあらためて太宰は怒り、明確に志賀を標的にした二人称を使うようになる。

あの座談会の速記録が志賀直哉という人の言葉そのままでないにしても、もしそれに似たようなことを言ったとしたなら、それはあの老人の自己破産である。いい気なものだね。うぬぼれ鏡というものが、おまえの家にもあるようだね。「落ち」を避けて、しかし、その暗示と興奮で書いて来たのはおまえじゃないか。(三六三頁)

そして次の第四部になると、志賀に対する罵倒の二人称はすっかり定着する。

おまえはいったい、貴族だと思っているのか。ブルジョアでさえないじゃないか。おまえの弟に対して、おまえがどんな態度をとったか、よかれあしかれ、てんで書けないじゃないか。家内中が、流行性感冒にかかったことなど一大事の如く書いて、それが作家の本道だと信じて疑わないおまえの馬面がみっともない。（三六五頁）

この二人称が示すのは、何よりも太宰の感情の昂ぶりだろう。ただでさえ憤っていたところへ、さらに座談会中の志賀の発言が届いて火に油を注いだ。しかし、「如是我聞」にはもともと、話の盛り上がりどころで三人称から二人称への移行が起きるというパターンがあった。第二部は明らかにあちこちで「外国文学者」に対する呼びかけ調になっているし、第一部でも「私は、あの者たちに、あざむかれたと思っている。ゲスな云い方をするけれども、妻子が可愛いだけじゃねえか」というあたりでも、語りが直接的な罵倒になりつつあるのがわかる。ただ、その一方で、ひとつの疑問も浮かぶ。この二人称は果たして本気で相手に対して語りかけたものなのだろうか。

頑固。彼は、それを美徳だと思っているらしい。それは、狡猾である。あわよくば、と思っているに過ぎない。いろいろ打算もあることだろう。それだから、嫌になるのだ。倒さなければならないと思うのだ。頑固とかいう親爺が、ひとりいると、その家族たちは、みな不幸の溜息をもらしているものだ。気取りを止めよ。私のことを「いやなポーズがあって、どうもいい点が見つからないね」とか言っていたが、それは、おまえの、もはや石膏のギブスみたいに固定している馬鹿なポーズのせいなのだ。
も少し弱くなれ。文学者ならば弱くなれ。柔軟になれ。おまえの流儀以外のものを、いや、その苦しさを解るように努力せよ。どうしても、解らぬならば、だまっていろ。むやみに座談会なんかに出て、恥をさらすな。(三七〇頁)

「彼」から「おまえ」へという移行の裏に読み取れるのは、依然として語り手が「彼」という三人称の地点でも対象をとらえているということだ。二人称の枠組みへと移行しつつも、背後ではいつもこの「彼」という視点を持ってもいる。

つまりこの「おまえ」という二人称はあくまで一時的で仮想的な、仮の呼びかけにすぎない。志賀本人にむけて直接語りかけるのでもなければ、語っているうちに激して志賀直哉本人に聞こえてしまおうとするのでもない。もちろん活字になる前提の文章だから、現実問題として本人が読む可能性はおおいにあるし、それを期待してもいるのかもしれないが、あくまで土台には三人称的な距離があり、だからこそその出発点に幾度も立ち戻ろうとする。

そして、より興味深いのは、あくまでそうした三人称の「彼」を念頭に置こうとしながら、太宰がその「彼」を二人称の枠に持ちこみ、まるで二人称の対象であるかのように罵倒したり毒づいたりすることで、かえってその罵倒の虚構性を示してしまうことである。本当に志賀を打ちたければ、徹底的に三人称の地点にこだわって冷たく分析的にその作品のアラを突けばよさそうなものなのだが、今、引用した箇所にも表れていたように、太宰はときおり二人称に移行することで、むしろ幼いほどに無邪気で、毒気のない、ほとんど戦う前から腰が引けているような姿勢を露わにしてしまうのである。

太宰が評文を苦手とした理由は、このあたりに読み取ることができると私は考えている。つまり太宰は「如是我聞」でも三人称で語る姿勢を採用し、なるべくその枠に依ろうとしながら、他方、二人称の枠を離れて語ることに非常な困難をおぼえていたのではないだろうか。創作とは違い、批評というものは三人称という虚構による言説である。そこで示される判断は、好き嫌いのレベルで語られるときでさえ、三人称的に俯瞰する視線を前提としている。だからこそ太宰もまた、あくまで「老大家」とか「彼」とか「あの人」といった三人称の視点から志賀を語ろうとした。批評的になろうとするとき、人はつねに三人称に囚われる。あるいはそれを囚われと感じること自体が太宰的な感性なのかもしれない。批評的な資質を備えた人ならば、むしろ三人称によって解放されるはずである。

太宰は逆だった。太宰の創作がしばしば誰かに語りかけるという虚構に則ることでなめらかさを得てきたのは周知のとおりである。『斜陽』や『人間失格』といった長編をはじめとして、太宰には、読者なり聞き手なりに語りかけるスタイルをとることで闊達な語りを展開する作品が数多くある。しかもそれは、形だけの便宜上の語りかけ調にはとどまらなかった。実際に相手を眼の前にしたときと同じような、微妙な駆け引き――上目遣いや誘いや挑戦や威圧など――も含まれている。ただ、そうした駆け引きの前提となっていたのは、相手が自分の語りに耳を傾けてくれるという安心感でもあったろう。太宰の語りは聞き手の暖かみの中でこそ語られるものである。それを甘えと呼ぶことも可能だろうし、一種の共同幻想の構築、もしくは愛の語りと見なすこともできるかもしれない。

「如是我聞」の中でも、ところどころで太宰がそうした語り手と聞き手との間の駆け引きや感情的なもたれ合いを前提としていることのうかがわれる箇所がある。太宰は志賀に対し「何も、知らないのである。わからないのである。優しさということさえ、わからないのである」と批判する。「つまり、私たちの先輩という者は、私たちが先輩をいたわり、かつ理解しようと一生懸命に努めているその半分いや四分の一でも、後輩の苦しさについて考えてみたことがあるだろうか、ということを私は抗議したいのである」（三四四頁）。ここからもわかるように、作家としての太宰が前提としているのは「優しさ」を備えた「先輩」であり、また読者層なのである。冷たく突き放したり、鋭く見破ったりするよりも、どこかでいたわり合うような関係が語り手と聞き手・読み手の関係に投影されている。そういう意味では、相手を寄せつけないような志賀の語りは、太宰の姿勢の対局にあった。それを太宰は「はりきり」と呼んで批判した。「はりきって、ものをいうということは無神経の証拠であって、かつまた、人の神経をも全く問題にしていない状態をさしていうのである」（三四四頁）。太宰が標榜するのは「デリカシィ」である。「デリカシィ（こういう言葉は、さすがに照れくさいけれども）そんなものを持っていない人が、どれだけ御自身お気がつかなくても、他人を深く痛み傷つけているかわからないものである」(三四四頁)。相手を傷つけないことで、自分も傷つかないようにする。太宰の文学は三人称的な「無神経」よりも、二人称の「デリカシィ」に根ざしたものだった。それを太宰は「心づくし」という概念に依って説明する。

文学に於て、最も大事なものは、「心づくし」というものである。「心づくし」といっても君たちにはわからないかも知れぬ。しかし、「親切」といってしまえば、身もふたも無い。心趣《こころばえ》。心意気。心遣い。そう言っても、まだぴったりしない。つまり、「心づくし」なのである。作者のその「心づくし」が読者に通じたとき、文学の永遠性とか、或いは文学のありがたさとか、うれしさとか、そういったようなものが始めて成立するのであると思う。(三五五頁)

「心づくし」という言い方に太宰がこめているのは、読者との対面的な関係性なのである。ときに他者が書けていないと批判されることもある太宰だが、彼にとっては理解できない得体の知れない他者を小説の中に引き込むことで、はっとするような真理をほのめかすことより、眼の前の聞き手をどう遇するかということの方がよほど重要だった。

『斜陽』のような作品で、太宰が過剰なほどに丁寧語による表現にこだわったのも、この対面性への意識の顕れと思える。丁寧語の使用はたとえそれが三人称であっても、どこかに聞き手を含意し、ひいてはその相手と自分との関係性を浮かびあがらせる。相手に対し自分がどのような態度で接しているかを、「丁寧」という態度が先鋭に示してしまうのである。

スウプに限らず、お母さまのお食事のいただき方は、頗る礼法にはずれている。お肉が出ると、ナイフとフオクで、さっさと全部小さく切りわけてしまって、それからナイフを捨て、フオクを右手に持ちかえ、その一きれ一きれをフオクに刺してゆっくり楽しそうに召し上がっていらっしゃる。また、骨つぎのチキンなど、私たちがお皿を鳴らさずに骨から肉を切りはなすのに苦心している時、お母さまは、平気でひょいと指先で骨のところをつまんで持ち上げ、お口で骨と肉をはなして澄ましていらっしゃる。そんな野蛮な仕草も、お母さまがなさると、可愛らしいばかりか、へんにエロチックにさえ見えるのだから、さすがにほんものは違ったものである。（第一〇巻「斜陽」・一一〇頁）

このような語りの中では、「お母さま」という言葉ひとつにしても、母親に対する直接的な敬意を表すだけでなく、こうして敬語を使って話す語り手と、敬語で語りかけられている聞き手との関係性を浮かび上がらせる。そのしつこくまだるっこしい語り（「ナイフとフオクで、さっさと全部小さく切りわけてしまって、それからナイフを捨て、フオクを右手に持ちかえ、その一きれ一きれをフオクに刺してゆっくり楽しそうに召し上がっていらっしゃる。」）も、文字通りの敬語ではないにせよ、その回りくどいやわらかさを通していかにも丁寧な雰囲気を導きこみ、そのことで対面的な関係性を示唆する。
考えてみると太宰の文章にいつも見られるどこか過剰なジェスチャーは、一般の読者に向けられたものであるよりも、語り手が眼の前に必要とした仮想の語り手・聞き手関係を反映していると言えるだろう。語り手はつねに聞き手に神経を使い、また使っていると演出することでこそ、語りの推進力を得ていく。それはまさに「心づくし」の演出にほかならない。「人間失格」の一節を参照してみよう。

つまり自分には、人間の営みというものが未だに何もわかっていない、という事になりそうです。自分の幸福の観念と、世のすべての人たちの幸福の観念とが、まるで食いちがっているような不安、自分はその不安のために夜々、転輾し、呻吟し、発狂しかけた事さえあります。自分は、いったい幸福なのでしょうか。自分は小さい時から、実にしばしば、仕合せ者だと人に言われて来ましたが、自分ではいつも地獄の思いで、かえって、自分を仕合せ者だと言ったひとたちのほうが、比較にも何もならぬくらいずっとずっと安楽なように自分には見えるのです。（第一〇巻「人間失格」・四〇三頁）

この引用部だけでも、相手に対するさまざまなジェスチャーが見て取れる。「……という事になりそうです」というおずおずと遠慮するような口調。「……自分はその不安のために夜々、転輾し、呻吟し、発狂しかけた事さえあります。自分は、いったい幸福なのでしょうか」という訴えかけるような「弱さ」の見せつけ、押しつけ。とりわけ「自分は小さい時から、実にしばしば、仕合せ者だと人に言われて来ましたが、自分ではいつも地獄の思いで、かえって、自分を仕合せ者だと言ったひとたちのほうが、比較にも何もならぬくらいずっとずっと安楽なように自分には見えるのです」という一節には、自分はあなたにだけとっておきの秘密を告白しているのだ、といった態度も読めそうである。そのような態度を含めることで、自分の語りに切迫感をもたらし、そのことで相手を誘い、説得し、落とそうとするというのが太宰の語りにしばしば見られる方法なのである。

太宰から見ると、志賀直哉の「相手」に対する驚くべき無関心は、まったく言語道断だった。志賀の語り手はもっぱら自分の気分にばかり執着し、相手と自分との関係性などよりも、自身の内面に生じた衝撃の方をはるかに優先的に描き出そうとする。太宰は志賀の「灰色の月」の冒頭部をとりあげ、自身の気分への過剰な拘泥ぶりをあげつらう。

すなわち、「東京駅の屋根のなくなった歩廊に立っていると、風はなかったが、冷え冷えとし、着て来た一重外套で丁度よかった。」馬鹿らしい。冷え冷えとし、だからふるえているのかと思うと、着て来た一重外套で丁度よかった、これはどういうことだろう。まるで滅茶苦茶である。いったいこの作品には、この少年工に対するシンパシーが少しも現われていない。つっぱなして、愛情を感ぜしめようという古くからの俗な手法を用いているらしいが、それは失敗である。(第一一巻「如是我聞」・三六六頁)

たしかに「東京駅の屋根のなくなった歩廊に立っていると、風はなかったが、冷え冷えとし、着て来た一重外套で丁度よかった。」などという心境をいちいち語ってみせること自体、相手の視線や反応を何より重視する太宰にとっては「馬鹿らしい」と思えただろう。たしかにそこには聞き手に対する意識が皆無で、とくに「着て来た一重外套で丁度よかった」というようなわずかな安心感をいちいち言葉にするところには、自己中心的で相手の反応に頓着しない尊大さが読めるとも言える。

しかし、見方を変えればこのような視点はその自己中心性ゆえに一人称的であるだけでなく、その一人称的心理から距離をおくような態度をも織り込んでいる。そういう意味では三人称的でもあるのだ。そして、そうした視点に寄り添うなら、この一節から語り手の実に微妙な不安感や寄る辺《よるべ》なさを読むことも可能なはずである。そもそも「一重外套」を着てきたことにいちいちほっとするほど寒さを恐れていることに、語り手の何らかの性質や心境を読み取るべきではないだろうか。ただ、志賀の文章にはそうした気分を積極的に相手に対して示し、訴えかけようとする態度はない。そのような部分をとらえて人々は「サービスしない」と言うわけである。

太宰はそこに苛立つ。しかし、この両者のずれはかなり根本的なものだと言ってもいい。太宰は料理の比喩を通してそのあたりを説明している。まさに「サービス」のことである。

料理は、おなかに一杯になればいいということでは無いということは、先月も言ったように思うけれども、さらに、料理の本当のうれしさは、多量少量にあるのでは勿論もちろんなく、また、うまい、まずいにあるものでさえ無いのである。料理人の「心づくし」それが、うれしいのである。心のこもった料理、思い当るだろう。おいしいだろう。それだけでいいのである。(三五五頁)

「おなかに一杯になればいいというものでは無い」と太宰が言うのは、語りの内容よりも、語り手がどのように語りのジェスチャーを演出するかに小説の魅力がかかっているということである。もちろん志賀直哉にしても、その点は同意するはずだ。むしろ違いは、そのジェスチャーをいったい誰に向けて行うかということである。志賀は自分に向けてそれをやった。太宰のわきにはつねに誰かがいた。

志賀の小説の方法にもジェスチャーが見られないわけでは決してない。むしろ、不機嫌そうで、威張っていて、執拗で、男らしい、まさに太宰のやり玉にあげる通りの身振りが存分に見られる。ただ、それは対面的なものではなかった。志賀は、二人称的な関係性をおよそ必要としなかったのである。反対に、太宰は対面的な関係の中で書き続けた作家である。対面するのが不特定多数の読者であるにしても、特定の個人であるにしても、そのような虚構が太宰には必要だったのであり、その虚構を通してこそ、太宰はその文章を洗練させていった。

しかし、対面的である限り、文章の中で対象を論駁することはできない。距離をおけないからである。むろん小説は相手を論駁するためのものではなく、むしろいかに論駁などできないかを示すのが本務だと言ってもいいくらいだからそれで十分だったろう。距離をおかなければならないのは批評である。しかし、「如是我聞」は一見評文の体裁をとり三人称の構えを持ちながらも、たえず二人称へと移行しようとするような不安定さをも抱えこんでいて、結局、大事なところに限って虚構臭を漂わせてしまう。たとえ志賀自身がこの文章を読んだとしても、本気で非難されているのかどうかわからない、いったいどういうことなのかと訝ったに違いない。

引用文献

佐藤泰正「弱者の論理――『如是我聞』を中心に」『國文學 解釈と教材の研究』一九七六年五月号、一四八―一五三頁
相馬正一「志賀直哉と太宰治――『如是我聞』と『和解』」『国文学 解釈と鑑賞』二〇〇三年八月号、七六―八二頁
野平健一「志賀直哉と『如是我聞』新資料」『新潮』一九九八年七月号、五八―六六頁
山下明「太宰文学の総決算としての『如是我聞』」『文学と教育』一〇二号、一九七七年、二七―三五頁

太宰治の作品からの引用は第一一次筑摩書房版『太宰治全集』（一九九八年五月～一九九九年五月）に基づき、該当頁を記した。旧字旧仮名等は適宜変更した。

西脇順三郎の英文学度、

——抒情詩と「がっかりの構造」をめぐって

『英語青年』の一九八二年一〇月号は西脇順三郎追悼特集だった。実に四三人の寄稿者が原稿を寄せ、通常号五〇頁前後に対しこの号では総頁が八〇頁、追悼関係だけで三三頁を割いている。奇しくもその翌月、日本のザ・英文学と言える齋藤勇の追悼特集が組まれることになるのだが、総頁は同じく八〇頁。寄稿者五八人・追悼部分四三頁は西脇追悼号を超えるが、両者が拮抗していることからも、いかに西脇の死がこの雑誌にとって大きな意味を持ったかがわかる。英語英文学界のいわば業界誌であることを標榜しつつも、必ずしもアカデミズムに没入せず、文学的なものとの縁を保ち続けてきた『英語青年』にとって、西脇という人物は日本的な意味での文学と、英文学という「勉強的」な領域とをつなぐシンボリックな存在であったのかもしれない。

しかしほんとうのところ、西脇の詩の英文学度、はいったいどれくらいだったのだろう。「英語屋」を自任した西脇は、若い頃は日本語の詩を書こうとせず、英国留学時には当時のモダニズムの空気を存分に呼吸、慶應義塾大学英文科の中心スタッフとして教鞭をとり、長い伝統を誇る「慶應の中世研究」の基礎を作った。日本英文学会全国大会の第一回大会で英語による「講演」を行ったのも有名だ。作品を読めば一目瞭然のように、ヨーロッパの文学の中でもとくに英文学には憧れが強く、多くのイメージや言い回しを借りている。つまり、きわめて英文学色の濃かった詩人であることは間違いないのだが、その英文学消化の痕をたどっていくと、西脇がある重要な部分で英文学的なものときわどい「ずれ」を示し、まさにその部分に注目することで西脇の西脇らしさを語ることができるのではないかと思える節もある。やや大きい問題になるが、私なりのひとつの提案として話をすすめてみたい。

西脇順三郎のはじめての日本語詩集『Ambarvalia』の冒頭には、「コリコスの歌」と題された次のような序詞がある。

浮き上がれミユウズよ。
汝は最近あまり深くポエジイの中にもぐつてゐる。
汝の吹く音楽はアビドス人には聞こえない。
汝の喉のカーブはアビドス人の心臓になるやうに。

ギリシャ・ローマ以来の「呼びかけ」の手法を軽やかに転覆する詩行なのだが、記念すべき詩集の扉に掲げられた西脇のこの「声」には、パロディというだけでは説明しきれない独特の響きがあるように思える。

ポウプなどに典型的に見られるように、英国でも王政復古期にはすでに神々への呼びかけは本気で行われるようなものではなくなりつつあった。それでもロマン派詩人あたりまでは、アポストロフィと呼ばれる突然の語りかけが手法として用いられることはよくあったが、西脇からするとロマン派の詩人でさえ「遠い遙かな楽園に住んでいた」（新倉俊一）のであり、当然ながらその手法を単純に真似するわけにはいかなかった。

もちろん、たとえロマン派的な激しい感情性からは距離をおいていても、西脇が感情表現と無縁なわけではない。『Ambarvalia』の改訂版である『あむばるわりあ』に付されたあとがき「詩情」では、西脇は次のように「淋しさ」という概念に言及している。「人間は土の上で生命を得て土の上で死ぬ『もの』である。だが人間には永遠といふ淋しい気持ちの無限の世界を感じる力がある」。後の詩や詩論の中でも何度も言及されることになるこの「淋しさ」という感覚は、以下に引用する「つまらなさ」の意識とあわせて西脇の詩学のキーワードと言えるだろう。「習慣を破ることは現実を面白くすることになる。意識力が新鮮になるからである。併《しか》し注意すべきことは習慣伝統を破るために破るのではなく、詩的表現のために、換言すれば、詩の目的としてつまらない現実を面白くするため破るのである」（「PROFANUS」）。「淋しい」というのは消極的な欠乏感である。対して「つまらない」というとやや攻撃的な態度で、そういう意味では両者はある種のコントラストをなすが、「淋しさ」にしても「つまらなさ」にしても、低く重く沈滞する否定的な心境である点は共通している。

英文学の文脈ではこの否定的な心境は、メランコリーの心理として早い時期から注目され、とくに詩においては、ナラティヴのもっとも重要な動機のひとつとなってきた。西脇の「淋しさ」は、その日本回帰が鮮明になったとされる詩集『旅人かへらず』以降、より目立つようになるが、ではそれは英文学的なメランコリーとはどのような関係を持つのか。

英詩的なメランコリーを具体的に示すのにちょうどいいのは、But I knowという言い回しである。たとえばフィリップ・ラーキンの「ヒキガエル」という詩。これは「自分の中には『仕事』というヒキガエルがいつも居座っている」という出だしの作品で、語り手は自分が日々地味に働きつづけている現状を嘆いたうえで、もっと要領よく頭を働かせておもしろおかしい人生を歩みたいものだ、死にゃしないじゃないか、年金なんかくそ食らえ、すべて投げ出したい、と言いつのる。だが、そこまで言ったところで続くのが、次のような一節なのである。

But I know, all too well, that's the stuff / That dreams are made on: / For something sufficiently toad-like / Squats in me, too

だけど俺はよくわかってる／夢もその上につくられているのだと／ヒキガエルによく似たものが／俺の中でうずくまってもいる

結局一時の夢想もむなしく、語り手は我に返って自分の中を振り返り、そこにいる「ヒキガエル」を確認する、という筋書きである。ひととき夢を見、飛翔し、しかし、「やっぱり」という形で自分に返ってくるというこうした「But I know」のパターンは、英文学史上最大の躁鬱詩人たるウィリアム・ワーズワスの「不滅のオード」ではそれこそ不滅の「鬱」のモデルを提供している。

But yet I know, where'er I go, / That there hath passed away a glory from the earth.

だけど僕にはわかる、どこへ行こうと／地上からは栄光が消え去ってしまったことが

その他にもウォレス・スティーヴンズの「クロウタドリを見やる一三の方法」をはじめさまざまな時代の、さまざまな傾向の作品でこの枠組みは用いられてきた。
おそらく「But I know」という切り返しのジェスチャーは近代英詩の長い伝統の背後にずっと居座ってきた、揺るがしがたい何かと密接に結びついているのだ。遡れば初期近代に流行した「今を楽しめ」(carpe diem) のテーマを語る詩にもその影は見える。一七世紀の詩人アンドルー・マーヴェルの「はにかむ恋人へ」はきれいに三つのスタンザに分けられ、①「もし、我々が永遠の春を謳歌できるなら、こうやっていつまでもはにかんでいるのも仕方ない」→②

「でも、我々はまもなく時の神によって無に帰されることになるのだ」→③「だから、楽しみをもぎとろう」という、段階を追った明瞭な論理を展開しているのだが、傍線を引いた第二段階における「でも」にはBut I knowの先駆けが読めるだろう。

But at my back I always hear / Time's wingèd chariot hurrying near: / And yonder all before us lie / Deserts of vast eternity.

しかし、背後にはいつも聞こえる／翼を生やした時の馬車が足早に近づくのが／そして目の前には巨大な永遠の砂漠が広がる

広大な永遠が砂漠のようにひろがるというイメージは近代英詩の原風景であり、T・S・エリオットの『荒地』にも借用されているものである。But I knowという形でこの虚無と絶望の原風景に立ち返るという展開が、ときには明瞭に、ときには隠微《いんび》な形で、近代英詩の土台を成してきたと言えるのである。

作品が常に虚無と絶望に帰着するという見取り図は、ひどく暗澹《あんたん》たるものと見えるかもしれないが、こうした知の構造のおかげでこそ、近代の語りが維持されてきたという側面がある。But I knowとは、話が「私」に戻ってくることで落ちる、つまり、「私がわかっている」という地点を一種の終着点にすることで、「語る私」というものの特別性を維持し、「私がわかった

以上、もうその先はないぞ」という形で、作品や結末、あるいは語り手といった諸機能をひっくるめて保証するような制度の枠組みなのである。終わることでテクストは作品化し、「わかる」ことで内面の存在が確認され、「がっかり」して現実に戻ることで意味づけという行為が開始される。文学作品を書き、あるいは読み、そして確かに自分は書いたのだ／読んだのだと納得する行為自体が、But I know という形で現れる「がっかりの構造」によって支えられていると言っても過言ではない。そうした伝統に対抗したと見えるようなエリオットをはじめとするモダニストたちが、結局はメランコリックな倦怠感をその作品の基調にしたとするなら、But I know 的な「がっかりの構造」は意外に根が深いということにもなる。

では、西脇の詩は「がっかり」するのだろうか。そのあたりを考えるには西脇における「私」のあり方を検討してみる必要がある。「がっかり」は反省したり、内省したりする「私」なしにはありえない。

たとえば「ギリシア的抒情詩」と題された一連の詩に、「雨」というものがある。

南風は柔い女神をもたらした。
青銅をぬらした、噴水をぬらした、
ツバメの羽と黄金の毛をぬらした、
潮をぬらし、砂をぬらし、魚をぬらした。

静かに寺院と風呂場と劇場をぬらした、
この静かな柔い女神の行列が
私の舌をぬらした。

タイトルにもあるように、この作品は抒情詩というカテゴリーの中で書かれており、そこでは作者が何かを感じたり思ったりすることが想定されているわけだから、たとえば「作者の内にある、女神に喩えられる柔らかく暖かい南欧的な雨の情感をイマジスティックに形象化し、自らも女神である雨と交歓することで、感覚を通して古代南欧世界とふれあおうとしている」(澤正宏)といった解釈がなされるのももっともかもしれない。

しかし、この詩の「私」は、そのような抒情詩的な「私」としてとらえきれるのだろうか。たしかに、「ぬらした」という語の連鎖がもたらすエスカレーションの果てに「私」が登場することで、外から内へ、現実界から想像界へという転換がもたらされ、おかげで詩に一定の決着がつく、という構造にはなっている。が、この「私」は考えたり感じたりする主体たりえているのだろうか。むしろ「私」はこうして「ぬらした」というイメージを介して外の世界と連結されることで、風景の中に溶けだしてしまっているのではないか。

すでに冒頭で引用した「コリコスの歌」をはじめ、「ギリシア的抒情詩」中の諸作品では、「私」が出てくるようで出てこない、でも、出てこないかと思うとひょいとそこにいる、ということがしばしばある。「カプリの牧人」という短い作品もそうだ。

春の朝でも
我がシ、リヤのパイプは秋の音がする。
幾千年の思ひをたどり。

「我が」という形でこの詩にも「私」が顔をのぞかせる。でも、あくまでのぞいているだけ、とも見える。「思ひをたどり」などというが、この「思ひ」は誰のものなのだろう。

西脇の詩では呼びかけのジェスチャーが頻繁に見られるわりに、応酬相手としての対立的な他者はほとんど登場しない。では外部がないかわりにテクストが「私」によって埋め尽くされているのかというと、それもちょっと違う。西脇の詩を語る声は、いちおうの体裁としては「私」ということになっているのだが、そのわりにその「私」は一向に私らしくないのである。

ここでひとつのエピソードを紹介しよう。鍵谷幸信が「西脇と三好」というエッセイに書いているものである。堀口大學の家で酒を出されたときに、堀口が次のようなことを言った。「ねえ西脇君、ぼくはいろいろと考えてみたんだが、新体詩以降最大の詩人は君でもない、むろんぼくでもない。北原、萩原、高村でもない。春夫君でも室生君でもないね。やっぱり日本語の美しさという点では三好君だと思う」。

すると、にわかに険悪な雰囲気が流れ始めた。西脇は語調を荒げて言った。「いや堀口さん、それは違う。萩原だよ」。堀口はそれでも「三好君の日本語の錬磨は完璧だ」と譲らない。西脇がさらに続けて「言葉だけで詩は評価できない。詩精神の圧力、感性の鋭さが萩原と三好とでは比べものにならない」と言うと、堀口は「萩原の言葉は荒っぽくてねえ」と言い返す。

鍵谷はふたりの口調が厳しくなってきたので心配になった。すると「オリグチさん、あなたはまちがっている。反対だな」と、西脇がなぜか「オリグチ」さんを連発しだしたのである。「オリグチさん、あなたの詩観とぼくの詩観は全く違うよ」。

まもなく堀口がこの「オリグチ」に気づいた。「西脇君、ぼくはホリグチ、堀口大學だ。折口信夫じゃない」。しばしの沈黙の後、西脇は「フランス語でいったらHはサイレントだから、Horiguchi も Origuchi も発音は同じさ」とごまかしたという。

あまりに傑作なのでついスペースをとってしまったが、この話は西脇順三郎という人のある側面をよく表すと思える。対面相手との視線レベルが微妙にずれるというのか。「人を人と思わぬ」と言うと言い過ぎになるが、他者とは西脇の中でいったいどのような位置を占めていたのだろうかと考えたくなる。人物エピソードに議論を帰着させるのは邪道かもしれないが、一見プライベートなものを超越したと見える西脇の作品を読むときに、こうした詩人の逸話を想起すると妙に合点がいくような気がするのも確かなのである。そういえば、と思う。

そういえば西脇の詩というのは――やや俗っぽい言い方をすれば――とても頭が高いのだ。どこか「お偉そう」というか、威張った感じがする。ただ、それは「私」という明確な人格が威張っているというのとは少し違う。声だけが独歩的に高みにあり、神々《こうごう》しく振る舞っているという印象なのである。その原因はおそらく語尾にあるのではないだろうか。西脇の文の語尾、もしくは述部は、決して「私」には戻ってこないような、「私」の「私らしさ」を支えないような仕組みになっている。それはだいたいにおいて一種の真空状態になっていて、「である」文に見られるような、主体の意図を確定する「〜だぞ、と私は思う」といった態度が希薄なのである。とくに『旅人かへらず』以降の作品でこれは顕著になる傾向であり、いかに述語による拘束なしに言葉を展開するかが西脇の詩作法の要諦ではないかと思えるほどである。

その特徴的な表れのひとつが「コリコスの歌」でも見られた命令形である。初期の作品を見るとわかるのは、命令文がたいへん印象的に使われているということである。

ダビデの職分と彼の宝石とはアドーニスと莢豆との間を通り無限の消滅に急ぐ。故に一般に東方より来りし博士達に倚りかゝりて如何に滑かなる没食子が戯れるかを見よ！

（「馥郁タル火夫」）

一般に命令形とは、語り手が何かに働きかけようとする態度が濃厚に出るような、そういう意味では語り手の「私」らしさが存分に発揮されうる語尾なのである。だが西脇の命令形は決して意図や欲望を反映せず、ゆえに出所も行き先も不明なのである。そして、そのわりにパシッというような乾いた強烈さだけは残す。「私」的な意図や欲望とは無縁で、ということは政治的な意味での「権力」にも帰着しない、それでいて強い閃光のような「力」は誇示するような言葉、そうしたものを西脇の語尾は生む。

これを仮に「神の声」のようなものと考えることができるかもしれない。神は絶対であり、私情などというものは持たない。君臨するが、欲望はしない。あるいは碑文のようなものとも言える。石に刻まれて何千年も残され、もはや語り手の影は消えているのだが、強烈さだけは保持しているような言葉。シェリーの「オジマンディアス」に描かれるような廃墟からの語りかけ。無機物に近い声。だからそこには他者はもちろん、反省したりがっかりしたりする「私」など現れようもない。

ただしもう一点。「淋しさ」を標榜するわりに、西脇の詩では『旅人かへらず』以降のものであっても、軽さや明るさ、優雅さや甘さが消えることはない。植物名や人名が延々と羅列されるだけに見えても、そこにはどことなく祝祭的な賑わいが感じられるのだ。西脇の語ろうとする「神の声」は、そうした賑わいの中から聞こえてくると言える。西脇の詩がぴんと来ない人は、詩の語り手と無理に面と向かおうとするより、その詩行を周りの空間から聞こえてくるものとして、あるいは天から降ってくるものとして読むといいだろう。この祝祭の根拠、もしくは土台が「私」ではないとするなら、それはいったい何なのか、といえば、それこそが英文学ではないかと私は思う。ただ、この「英文学」とは西脇作品の中でつくられたフィクションでもある。皮肉なことにエドマンド・スペンサーの「祝婚歌」のように華麗で甘く、まさに祝祭そのものを行っているような作品は近代英文学の中では次第に書かれなくなり、それに取って代わったのが「But I know の詩学」だったのである。西脇の言葉ははじめから But I know 的なものを欠いていた。他者とぶつかって私に戻ってくるという応酬関係の成り立ち得ないその神のように孤独な絶対性にこそ、西脇の「淋しさ」の根拠は見いだせるのかもしれない。

引用文献

鍵谷幸信『詩人　西脇順三郎』筑摩書房、一九八三年
澤正宏『西脇順三郎のモダニズム――「ギリシア的抒情詩」全篇を読む』双文社出版、二〇〇二年
西脇順三郎『定本　西脇順三郎　1』筑摩書房、一九九三年
新倉俊一「史的展望への試み」『現代詩読本　西脇順三郎』思潮社、一九八五年、八五―九八頁
英詩の引用はそれぞれ Philip Larkin, *Collected Poems*, ed. with and an Introduction by Anthony Thwaite (London: Faber, 1988), *William Wordsworth*, ed. by Stephen Gill (Oxford: Oxford UP, 1984), *The Poems of Andrew Marvell*, ed. by Nigel Smith (London: Longman, 2003) を使用した。

第4部

言葉を伝えるために汗をかく

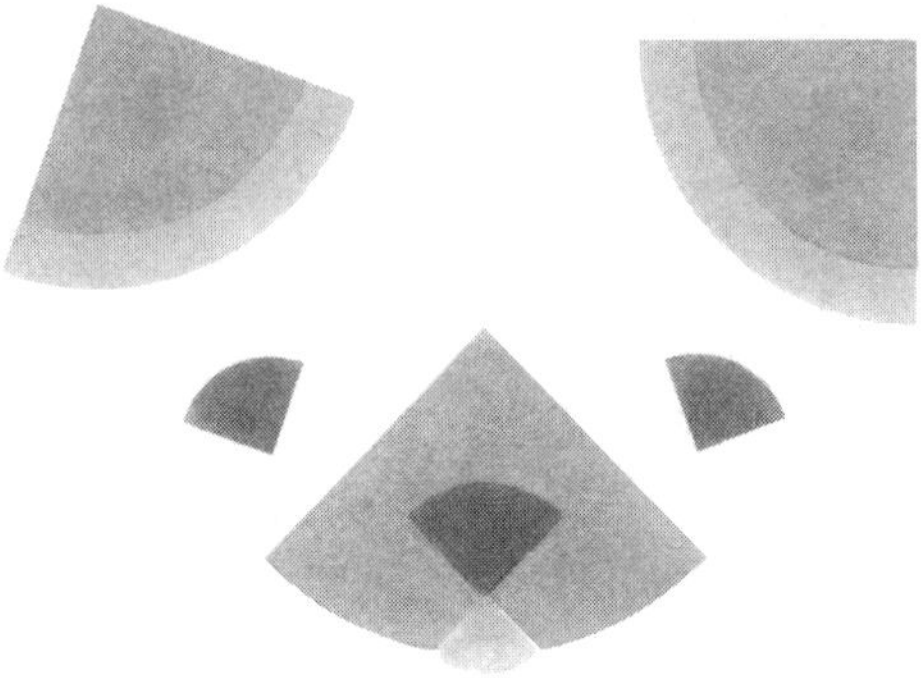

「はじめに」でも書いたように、言葉はうまく伝わらないのがあたりまえ。文学作品はその伝わらなさをより純粋化して、深いところでもがく。壮絶な失敗。不可能。でも奇跡的に何かがこちらに及んでくることがある。この体験が何物にも代えがたい。
ひとたびこうした体験をすると、人はそれを誰かに伝えたいと思う。もちろん、簡単にはいかない。しかし、うまくいかなくてもがくところが、また楽しい。
第4部に集めた文章では、私が長らく関心をもってきたテーマを、ワーズワス、トウェイン、ジョイスといった作家の周辺で展開してみた。伝え方を主眼にしているので、第3部とちがって書き方は少しやわらかめである。
第2部と同じく、「どう伝えるか」の試みは、どう読むか、どう言葉にするかへのヒントを与えてくれた。「ワーズワスは偉い」「ジョイスはすごい」をあたりまえのこととして受け入れない。この詩人の作品をどうやって伝えよう、どうやって他の人にも読んでもらおう、と頭をひねったとき、彼らの変てこりんなところから出発したらいいことに気づいた。

由良先生とコールリッジ顔のこと

ワーズワスを教えたい

学生に教えようとしてもなかなかうまくいかない詩人がいる。とりわけ難物なのはウィリアム・ワーズワスである。ワーズワスは昔から日本でもよく知られてきた詩人だ。かつて学校の英語の教科書には水仙の詩など載っていたらしいし、英文学にそれほど興味がない人でも「ロマン派の詩人ワーズワス」と言うだけで、「あ、そうか」くらいは思う。湖水地方の観光にでも行けば、ワーズワスの住んでいた家を訪れたりする。でも、この詩人、果たしてどれだけちゃんと読まれてきたのか、どれだけ愛されてきたのか、とも思う。

ワーズワスというと自然派の詩人と言われる。いかにも詩人にふさわしいイメージである。さわやかで、みずみずしくて、きっと〝いい人〟なのだろうと思ったりする。でも、事はそう簡単ではない。この夏、大学院の授業でワーズワスを扱ったのだが、評判があまりよくない。たとえばある院生はこんなことを言った。「先生が好きな詩人というのはそもそも変人系が多すぎますよ。僕はやはりふつうの健康な詩人が読みたいなあ。今学期読んだワーズワスなんてはっきり言ってド変人ですよ。読むだけで体調が悪くなってきました！」

この反応はなかなか正しい。ワーズワスは決してさわやかな〝いい人詩人〟などではない。むしろ〝取り扱い注意〟の詩人である。でも、だからこそ、私としてはワーズワスについて語りたいのである。この詩人のおもしろさを何とか伝えたい。それにはどうしたらいいのだろう。

ワーズワスのことをわかるには、ワーズワスの近くにいながらワーズワスにはならなかった人を参考にするのがいいような気がする。すぐに思い浮かぶのは同じく詩人のサミュエル・テイラー・コールリッジのことである。この人を経由してならうまくワーズワスに近づけるかもしれない。ワーズワスは一七七〇年生まれでコールリッジは一七七三年、年の差もわずかだ。このふたりが二〇代のある時期に意気投合して密な関係を持った。お互いの家を頻繁に行き来し、詩について語り合った。一七九八年には「ひと山あてようぜ」というようなもくろみとともに二人で『抒情民謡集』という当時としてはたいへん伸び伸びした詩集を出版。文学史の教科書ではこの一七九八年をもって英国ロマン派の始まりとみなすほどで、画期的な出来事とされている。

でも、文学史の話はこの際置いておこう。『抒情民謡集』がいくら画期的な詩集だったとしても、そもそもワーズワスにもロマン派にも興味がなければどうでもいいことだ。歴史的意義云々などというのは学者の世界の話で、詩を読もうかどうしようか迷っている人にはあまり関係がない。

ウィリアム・ワーズワス

サミュエル・テイラー・コールリッジ

今、私が注目したいのはワーズワスとコールリッジの顔である。幸い、二人とも肖像画が残っている。この二つの絵を比べて欲しい。まずワーズワスの顔はなんだか尖っている。眼差しは鋭く、口はきっと結ばれ、顎もすっと伸びていく。首から下も痩せているというか、引き締まっていそうだ。いかにも小さい頃から野山を駆け回り、大人になっても朝飯前に何マイルも散歩したという人にふさわしい頑丈そうな体軀である。きっと足腰はしっかりし、意志も強いのだ。長生きしそうだ（ワーズワスは八〇歳まで生きた）。それだけに自分のペースを頑《がん》として守るような気むずかしさも見える。

対してコールリッジはどうか。とんがり顔のワーズワスの隣に置くとよけい目につくのだが、丸顔でちょっと小太り。目がくりっとしていて、人なつこそうな愛嬌にあふれている。きっと話し出したらとまらないタイプだ。でも、散歩はどれくらい得意だったのだろう。少なくともワーズワスのように地の果てまで歩くという印象はない。

実は二人の顔に注目したのには訳がある。これだけ密接な関係にあった二人の詩人なのだが、ワーズワスを好きな人とコールリッジを好きな人というのはわりに明確にわかれる。そして、どちらを好きになるかでその人の詩の好みがわかる。そこにはどうも今触れたような顔の問題がからんでいるらしい。

コールリッジの顔を見ていると思い出す人がいる。由良君美先生のことである。由良先生は東京大学の駒場キャンパスで教鞭をとっておられた英文学の研究者。近年では、四方田犬彦氏の『先生とわたし』（新潮文庫）でその生涯が詳述され話題になった。とりわけ本の終盤、弟子である四方田氏の成功を妬《ねた》んだ由良先生が、夜の新宿の酒場の暗がりで四方田氏の腹部にこっそり陰湿なパンチをくらわしたという事件を描いた一節は、もしそれがフィクションであったとしても――いや、フィクションであったらなおさら――とてつもなく濃厚な師匠と弟子との関係を描いているようで衝撃的である。この本を読んでから何年かたつが、この一節の感触は依然として腹部に蘇るような気がする。

私は由良先生が東京大学を定年退官する直前に、その授業に出ていたことがある。大学の一年のときだった。授業は駒場キャンパス一一号館の、当時はまだ新しかった真っ白い建物で行われていた。竣工直後の化学薬品の臭いの残る密閉感の強い小さな教室で、一〇人ほどの学生がいたと思うが、由良先生はいつもせっせとパイプにタバコを詰めながら、「んふふ」というような声をあげておられた。

四方田氏の『先生とわたし』を読んで、違うな、と私が思ったのは、私が知っていた頃の由良先生は決して否定しなかったということだ。怒りもなし。非常に温厚で、ほとんどいつも「んふふ」だけだった。たしか木曜の五時限目に行われていたそのゼミには、由良先生を太古の昔から知っているかのようなエ氏という社会学専攻の学生を筆頭に、常連風の学生が何人かいて、その常連たちは私がまだ聞いたことのないような非英語圏風の思想家の名前を次々にあげては由良先生の「んふふ」を誘っていた。由良先生もだいたい一日一回くらいは最近の学問的収穫の話をされていたような気がする。有名になりつつあったイーグルトンの話も出たし、デリダの『絵はがき（*La carte postale*）』も話題になった。とりわけ私の印象に残っているのは、由良先生が「イルカは頭がいいのね」と楽しそうな口ぶりで言っておられたことである（後になって、この話は『言語文化のフロンティア』（講談社学術文庫）の「イルカのコトバ」というセクションにおさめられていることを発見した）。いったんしゃべり出すと、由良先生は非常に雄弁であった。女性的と思えるほどやわらかい語り口で、「なわけね」とか「なのね」といった語尾を使われるので、明治時代の華族のように見えたりする。

由良先生はそんな具合で、学生のことを叱ることも罵ることも、ましてやパンチすることもなかったが、授業には何とも言えない緊張感が漂っていた。授業のスタイルは「とにかくテクスト分析をすること。テクストは何でも可。詩でも小説でも、漫画でも音楽でも、建築でも町でも山でもいい。ただし、伝記主義的なアプローチは禁止。あくまでテクストを論ぜよ」、そんなルールだったと思う。学生はたいへんである。そもそも素材を自分でみつけてこなくてはならないし、「変なことは言えない」という抑圧感も強かった。おまけにペダンティックな常連組が番頭のように先生の脇に控えている。先生のややあやしげな風情とも相まって、おそろしく緊張感に富んだゼミだった。授業の時間が終わってもその余韻は長く続き、他の学生もそうだったのだろう、ゼミの後には必ず駒場の線路脇の喫茶店などでエ氏を囲んで「続き」が行われた。それが言わば毒消しというか、酔い覚ましになったのである。

この「続き」がさらに展開することもしばしばだった。授業には、私と同じクラスのナ氏も出ていた。NHKの特派員を父に持つナ氏は、少年時代をスイスのフランス語圏ですごしたとかで、第二外国語ドイツ語の発音にフランス語訛りがまじるというようなインターナショナルな人物だったが、バブルの当時としてみるとちょっと浮世離れしたところがあり、色白で端正な顔立ちに上から下まで黒服という格好といかにも釣り合うような恥ずかしがり屋のところもあった。そのナ氏に「おい、ちょっと変なゼミがあるぜ」と由良ゼミのことを耳打ちしたのは私だったのである。

その後、ナ氏は私よりもはるかに由良ゼミに馴染み、ゼミの「続き」が駒場の喫茶店から明大前にあるナ氏の自宅にまで延長されるということがしばしばになった。ナ氏の父親は海外特派員だったこともあり両親はいつも不在。不夜城、などという言葉とともにゼミの面々はその高級マンションで朝まで非英語圏の思想家の話を続けた。私も五回に一回くらいはその不夜城に参加した。

さて、そんな具合で由良ゼミにはきわめて濃厚な時間が流れていたのだが、その後、突然、ゼミは打ち切りとなってしまった。エ氏からは「教務課に聞いても何も教えてくれない」とだけ伝達があった。この打ち切りの理由はその後ゴシップめいた尾ひれとともに何となくわかってきた。ここでは詳述はできないが、要するに由良先生の体調の問題であった。

しかし突然由良先生を失った形になった由良ゼミだが、どうやらそれからしばらくはエ氏を中心に活動を続けたようである。テクストを分析するというルールを守りつつ、映画鑑賞会のようなものに形をかえて勉強会が続けられた。やがて由良先生も復帰されたと伝え聞いたが、その頃には私は由良ゼミから遠ざかっていた。

私が最後に由良先生の姿を拝見したのは、六本木の国際文化会館で行われた先生の退官パーティの席であった。トレーナーにスラックスに運動靴という出で立ちの富山太佳夫先生をはじめて目撃するなど、なかなか思い出深い会だった。そして、である。前置きがすっかり長くなってしまったのだが、話題にしたかったのは由良先生がこのとき行った講演である。

その講演はコールリッジにかかわるものだった。由良先生は一冊の古びた本を手にして、「ちょっと馬鹿な散財をしましてね」というようなことをおっしゃる。コールリッジが影響を受けたといわれるハートリーという哲学者がいる。コールリッジはこの哲学者をたいへん尊敬しており、息子にもその哲学者の名前をとってハートリーという名をつけたくらいである。その影響関係を語るのに欠かせないある貴重な文献を、英国の古本屋から入手したのです、と言って由良先生はそう厚くないその古びた書物を聴衆の前にかざしたのである。「ちょっと馬鹿な散財」というのが当時の私にはひどく神秘的に聞こえたものである。一〇万円だろうか。

いやいや。一〇〇万円。いや、もっと。まさか一〇〇〇万。そんな想像が頭の中をかけめぐった。

しかし、よくわかるなあ、と思うのである。由良先生はぜったいコールリッジであって、ワーズワスではない。『椿説泰西浪曼派文学談義』（青土社）をはじめとする先生の著作をめくってくるとすぐわかるのだが、由良先生は四〇代の頃、英文学の歴史をいわばコールリッジを軸に書き直そうとしていたのである。英文学を何とかしかめ面ではないような、わくわくするようなおもしろいものにしようと夢見た先生が拠り所にしたのが英国ロマン派であり、とくにアヘン服用時の幻想に基づいた「クーブラ・カーン」や、両性具有の蛇女クリスタベルの出てくる「クリスタベル」を書いた詩人としてのコールリッジだったのである。「ロマン派の心情の基本構造は文化ゲリラだった」（『みみずく英学塾』青土社、五七頁）という由良先生にとって、ロマン派のキーワードといえば、悪、幻想、ユートピア、性、祭儀などであった。『椿説泰西浪曼派文学談義』には印象深い一節がある。

幻想文学はゲテモノではない。むしろ、諷刺・幻想・ユートピアという三者は一体のものであって、この三者の想像力による燃焼こそ、すべての文学の生命を形ちづくり、推進するエネルギー源なのであって、とりわけ幻想性は文学的離陸の主翼なのである。文学が〈虚構〉であり、〈フィクション〉であって、良い意味での〈絵そらごと〉であるとすれば、その〈虚〉と〈そら〉にたいして、実体を凌ぐ影のありようの燃料を充塡する不可思議な力こそ、幻想性なのである。〈社会主義リアリズム〉などという国家権力の光背がないと一人立ちもできないような糞リアリズムこそ、もともと文学という名の共和国では、正統の名にも価いしないドブネズミである。（二一八頁）

これが由良的コールリッジの背後にあるものである。しかし、由良先生が引きつけられたコールリッジにはもうひとつの顔があった。私がはじめてバシュラールとかバーク（ケネスの方）といった後々までお世話になる書き手の名前を教わったのは由良ゼミだったが、それは由良先生自身が哲学科を卒業してから英文科に入り直したというような経歴の持ち主で、「文学をやっていると哲学にひかれ、哲学をやっていると文学にひかれるという」人だったからに他ならない（『みみずく偏書記』青土社、一八頁）。あのゼミの部屋での「んふふ」にしても、由良先生をとりまく一種狂騒さえ含んだ濃密な人間関係にしても、そこにはコールリッジ的観念世界ならではの遊戯性があった。

そういう意味で由良先生は知的であることの格好良さをこれ以上ないほど体現しておられたが、同時に知的であることの弱さも背負っていたと思う。退官記念の講演の壇上で、「ちょっと馬鹿な散財をしましてね」などと言いながら、しかし、肝心の散財の値段は言わずにこちらに「一〇万円か一〇〇〇万円か」などと想像させてしまう文化を由良先生は生きていたのである。

コールリッジの顔を見ると由良先生の顔を思い出す。それは由良先生がコールリッジ顔をしているからである。そっくりではないが、ワーズワスかコールリッジかと言ったら、明らかにコールリッジ顔である。由良先生はワーズワスのことも書いていないわけではないが、ああ、ワーズワスの詩には興味がないのだな、というのが明らかにわかる書き方である。私が知っている頃の由良先生はおそらくすでに体調も万全ではなかったのだろう、でも、きっとお元気な頃の由良先生はコールリッジのように話し好きで愛嬌があったはずだ。それほど意志が強いという感じではなかったかもしれない。ワーズワスのように野山を駆け回ることはなかった。由良先生はコールリッジのように観念の言葉で世界を説明するのが好きだったのである。

さて、これでやっと出発点にたどりついた。ワーズワスとは、そんなコールリッジと意気投合しながら、途中で結局袂《たもと》をわかった人である。コールリッジの愛人との関係に口をはさみ、その作品をボツにし、結局はコールリッジが詩が書けなくなる原因をつくったのがワーズワスである。コールリッジにはない、しぶとい生命力を持っていた詩人。ワーズワスは圧倒的な人である。学生の言葉を借りれば「ド変人」。その変人ぶりはコールリッジの変人ぶりとは違う。「んふふ」という相槌によって案配された談論風発からははるかに遠いところで、ワーズワスは詩を書いていたのである。では、そこはいったいどんな場所だったのだろう。

記憶の捏造をめぐって

ワーズワスを教えたい

ワーズワスは困った詩人である。ひどく健康的なのだ。悪、夢、幻想、祭儀などをキーワードにしてコールリッジ中心のイギリスロマン派地図を書こうともくろんでいた由良先生にとっては、この健康さはなかなか扱いにくかったのではないかと思う。

一七九〇年、ケンブリッジ大学セントジョーンズ・コレッジの学生だったワーズワスは長期休暇を利用して、友人のロバート・ジョーンズとともに大旅行を計画する。ヨーロッパ大陸を歩いて回るというのである。しかし、時が時だ。一七九〇年と言えばあのバスティユ監獄の襲撃に端を発したフランス革命の翌年、フランスは動乱のただ中にあった。ワーズワスの両親はすでに亡くなっていたが、親代わりとなった人たちからは当然反対された。

しかし、若きワーズワスは歴史の転換点をこの目で確かめておきたかった。旅行は決行される。一七九〇年の七月から九月にかけてワーズワスとジョーンズは何と三〇〇〇マイル（五〇

○○キロ弱）を徒歩で踏破。一日に平均して二〇～三〇マイルを歩いた。　象徴的なのはふたりが早起きだったことである。ジョーンズの回想によれば、まず起きがけに一二〜一五マイルを歩いて早朝の景色を満喫し、それからゆっくり朝食を摂るというのが日課だったという。まさに「朝飯前」の行軍である。早起きと健脚と太陽の光。悪や夢や幻想とは対照的ではないか。

ふたりにとってこの旅行のハイライトはアルプスであった。目指したのはシンプロン峠。これまでアルプスの壮大な眺めについてふたりは書物を通して聞き知るだけだったが、いよいよそれを目の当たりにできる。「崇高」が流行していた時代である。アルプスの高い頂からの眺めはまさに時代の美意識に訴えるものとなるはずだった。

しかし、ここで事件が起きた。後にワーズワスの代表作『序曲』第六巻に描出されることになる有名な出来事である。シンプロン峠を目指したふたりは何人かのグループとともに行動していた。ところが休憩所で食事をとるのにやや時間がかかり、このグループが先に出発してしまったのである。ワーズワスとジョーンズはグループの進んだ道を後からたどって追いつこうとする。どうやらここで間違えた。途中で出会った農夫に道をたずねると、言葉がうまく通じないながらも何とか伝わってきたのは、ふたりが辿っているのが誤ったルートだということである。引き返して正しい道に戻らなければならない。それから後はとにかく下る。

そこでふたりは「え?」と思ったのである。「下る?」

そう、とにかく下る。そこでふたりは驚くべき事実に直面することになった。あれだけ期待していたアルプスの峠を、何とふたりは知らぬ間に通り過ぎてしまっていた!

しかし、そこからがさすがワーズワスなのである。『序曲』にはそのときの心境が以下のように描かれている。まもなく本来のルートに戻ったふたりは、川の流れに沿った山道を下ることになる。足場を確かめながらゆっくり歩くこと数時間。ワーズワスにはある気分がわき起こってくる。山道を下るうちに出会う木々や滝、風、岩などがひとつの声を持っているように思えてくるのである。

まるで激しく流れる水のぞっとするようなあり様や
眩暈のするような展望も
ちぎれ雲や空の一部も
動乱や静寂　闇や光も
みなひとつの精神による作用であり　ひとつの顔の
さまざまな側面　一本の木についた花々
偉大なるアルプスの諸々の特徴
永遠の印でありかつ象徴
はじめから最後まで　ただ中でも　いつまでも
(拙訳。以下の版を用いた。*Prelude: 1799, 1805, 1850*, ed. by Jonathan Wordsworth et al., Norton, 1979)

ワーズワスならではの神秘性をたたえた自然の描写である。声がある。いや、ありそうだ、というだけで、それが潜在的なままとどまっているところがおもしろい。

実はこの描写は若きワーズワスが行ったものではない。『序曲』のこの版の完成は一八〇五年。つまり、一〇年以上をへて、記憶を頼りに書いたのである。旅行時にワーズワスが妹のドロシーに書き送った便りにはこのような描写はなかった。

記憶を頼りに書く。これはワーズワスが得意とする詩の作法でもあった。『抒情民謡集』の一八〇二年版から付された「序文」の中でワーズワスが、「詩とは激しい感情を、静寂の中で想起することで書くものだ」と述べているのは有名で、おそらくワーズワスが詩の書き方について語った言葉の中でももっともよく知られたテーゼとなっている。

しかし、記憶を頼りに書くというのはなかなか微妙な問題をはらむ。記憶はしばしば捏造されるものだから。とくにワーズワスの場合、記憶の改変はどうも頻繁に行われていたフシがある。ワーズワスと生活をともにし、その記録係の役を担った感のある妹ドロシーが大事なこともつまらないことも実にマメに日記に書き留めていたのに対し、兄の方は詩のタイトルにわざわざ日付や書かれた場所を書き込むわりに、その正確さには疑問符がつく。嘘ではないか、というのである。なぜそんなことで嘘をつくのか。

近年もこのワーズワスの記憶の捏造をめぐって、ちょっとした騒ぎが起こった。発端は、ワーズワスの詩「ティンターン寺院の数マイル上流で書かれた詩　旅行中にワイ川のほとりを訪れて　一七九八年七月一三日」についてのマージョリ・レヴィンソンによる批評であった

("Insight and Oversight: Reading 'Tintern Abbey'," ; *Wordsworth's Great Period Poems*, Cambridge U. P., 1986)。「ティンターン寺院」と略されることが多いこの作品は、単にワーズワスの代表作であるにとどまらず英語で書かれた抒情詩の中でも最も美しいもののひとつともされるのだが、レヴィンソンはこの詩を鋭く批判したのである。

レヴィンソンが問題にしたのは、「ティンターン寺院」に書かれている内容ではなく、そこに書かれていないことだった。たしかに変ではある。今あげたようにこの詩の正式なタイトルはかなり長いため、通常「ティンターン寺院」と省略されることが多いのだが、詩の中では「ティンターン寺院」への言及は一切ない。そこがあやしい、とレヴィンソンは言うのである。ワーズワスは何かを隠している。隠蔽している。

ティンターンは工場町だった。産業革命進行中の当時のイギリス社会の実情をよく映す風景がそこにはあっただろう。工場で働く労働者や農村の荒廃に伴って現れた乞食たちが近辺には目についたはずだ。ワーズワスとドロシーが所持していた旅行ガイドにはティンターン寺院にあふれる乞食についての記載もあった。当時すでにティンターン寺院は廃墟と化していて、それゆえ観光名所になっていたが、そこには行き場を失った人々もたむろしていたのである。ワーズワスが寺院のことを書かなかったのは、そういう人たちのことを書きたくなかったからではないか? レヴィンソンはこんなふうに疑念と推論をつらねていく。詩の中では隠遁者は出てきても、乞食は出てこない。これはワーズワスが社会問題に蓋をして、強引に美しい抒情詩の世界にまとめあげようとした証拠ではないか?

レヴィンソンの批判は一九八〇年代から九〇年代に流行しつつあったいわゆる「新歴史主義」の論調に乗ったものだったが、当然ながら激しい反発も引き起こした。その代表例はハーヴァード大学で英詩を講ずる大御所ヘレン・ヴェンドラーによる「ティンターン寺院――二つの攻撃」であった（"Tintern Abbey: Two Assaults", *Bucknell Review*, 36. 1, 1991）。ヴェンドラーはレヴィンソンの論文に対するこのカウンターアタックの中で（このようなボクシングの比喩を用いるのが全く適切であるくらいにヴェンドラーの論文の口調は苛烈なものである）、いかにレヴィンソンがワーズワスの伝記をちゃんと勉強していないか、いかにレヴィンソンの立てた疑問が愚劣なものであるか、いかに彼女がそもそも詩が読めていないかを徹底的に暴き、ほとんど完膚無きまでに打ちのめしている、かと見える。たしかにレヴィンソンの批評は論の組み立てとしては鮮やかであっと驚くところがあるが、ワーズワスの作品を深く読みこんだものというより、新歴史主義のフォーマットを上手にあてはめたという印象が強い。

しかし、である。レヴィンソンの「ティンターン寺院」論の粗《あら》さは認めたうえで、そこに気になる指摘があることも否定できないと私は思う。たとえばレヴィンソンは「ティンターン寺院」の語り手が終始自分で話すばかりだと言う。その結果、「社会」の出てくる余地がなくなる。それはひいては、社会的なものや民衆の苦しみに対するワーズワスの意識の低さを露呈させるのではないか、というのが彼女の議論だ。ヴェンドラーが正しく指摘するように、それはないものねだりというものだろう。ただ、良くも悪くもワーズワスの詩に、外からのものや、雑音や、自分以外の誰かを登場させる余地がほとんどないというのもたしかである。繰り返すが、良くも悪くも、である。別にそれが悪いとか、それが民衆的なものを抑圧する体制的な視線を表象しているなどということは言っても言わなくてもいい。とにかく有無をいわせぬ強引さがある。そしてワーズワスの詩が好きになる人はだぶんこの強引さに惹かれるのである。逆に、ワーズワスが苦手でコールリッジを応援したくなるような人は、この強引さに耐えられない。コールリッジの詩というのは、あのくりくりした眼と丸っこい顔つきに似つかわしく、強引どころか非常にやさしいものである。外からの音に聞き耳を立てたり、何となく気が散ってしまったり、さあ、中にはいってきなさいとこちらを手招きするような詩なのである。

強引さと、記憶の捏造。このふたつはつながると私は思う。レヴィンソンは「ティンターン寺院」の〝嘘〟について今ひとつの指摘をしている。日時である。わざわざ「一七九八年七月一三日」などという日付をタイトルに入れているわりに、どうもこの詩が実際に書かれたのは七月一三日ではなく、もっと後らしい。レヴィンソンはこの〝日時の捏造〟についても、「社会的なものの抑圧」という議論につなげているのだが、私たちは結論を急ぐ必要はない。

実は「ティンターン寺院」は日時についてもうひとつ〝嘘〟をついている。この詩はタイトルにあるように、おそらくワーズワスと同一視できる語り手が五年ぶりに、ワイ川沿いのティンターン寺院から数マイルさかのぼったところにある美しい場所を訪れた際の心境を描いた作品である。語り手は五年ぶりなのに自然がまったくかわっていないことに感動する。その一方、五年の間に自分が変わってしまったことをも痛感する。しかし、この自然が自分の中に生きていて、そのおかげで過去の自分とのつながりも維持されているのだといったことが語られる。

それで問題の日付である。語り手のいる現在が一七九八年だとすると、五年前というのは一七九三年ということになる。この年、ワーズワスはまだ「過去の自分」であり、つまり何の屈託もなく自然と一体化できるような人間であったはずである。ところが自伝詩『序曲』の一二巻（二二五行）などを読むと、一七九三年という年はワーズワスの自我がすでにより成熟した、従ってもはや自然との屈託のない一体化をすることのできない段階に達していた年とされているのである（Stephen Gill. *William Wordsworth: A Life*, Oxford U. P., 1989, p. 10）。果たしてどちらが正しいのだろう。一七九三年、二三歳のワーズワスはまだまだ少年の面影を残した屈託のなさで自然に没入することができたのか。それとも『序曲』で語られているように、すでに沈思黙考を行う大人の域に達していたのか。

この問いに答えを出すことはおそらくはできないが、たしかに言えるのは二つの日付のうちのどちらかが正しくないということである。タイトル中に日付を書くのを好んだワーズワスが、その肝心の日付を間違えた、もしくは意図的に捏造した、というのはなかなかおもしろいことではなかろうか。日付は明らかに記録性を持つが、ワーズワスの日付はどうもそれとは違う意味を持ちそうなのである。

ワーズワスを教えたい

突然の人

詩は記憶で語るものだ、とワーズワスは言う。過去を見やる視線はワーズワスの創作欲の根源にあるようだ。しかし、その一方で、そこに浮かび上がる過去の像は必ずしも正確とはいえない、捏造されることすらある……。

そうか、と思う。このあたりの問題は、ワーズワスの別の面を理解するのにも役立つかもしれない。教室でワーズワスの詩をとりあげるときに困ることがある。英詩入門を兼ねてワーズワスを読もうというとき、選択する作品はだいたい短い作品となる。英語もやさしく、あまり観念的でないもの。〈ルーシー詩篇〉と呼ばれる一連の短詩などがちょうどいい。だが、これが意外と扱いにくいのだ。

たとえば「妙な胸騒ぎを覚えて（Strange fits of passion have I known）」という作品。語り手は「恋する者ならこの話はわかってくれるでしょう」と前口上を述べた後、自分の経験を語り始める。ある晩、彼は馬に乗って、ルーシーという名の大切な女性のいる家に向かっている。草原をぬけ、丘をのぼる。月が見えていた。その月の位置が次第に変わる。下りてくるのである。語り手の乗った馬はどんどん進み、やがて彼女の家の間近まで来る。すると、ついに月がルーシーの家の向こうに隠れてしまった。そこで彼ははっとする。「ルーシーが死んだらどうしよう！」。おしまい。

当然ながら「え！　これでおしまい？」と思う人が多い。しかし、これで終わりなのである。どうしてこれで許されるのだろう。どうしてこれで、詩になったことになるのか。

私もはじめてこの作品を読んだときは違和感を覚えた。ふつう、もう少し何かあるでしょ、と思ったのである。いや、詩にいつも二転三転する展開や明瞭なオチがあるわけではない。むしろ詩の場合は筋らしい筋がなくても、陶酔感や、あるいは呪文のごとき魔力のごとき響きを通して、言葉の力で読み手を引きこむことができる、詩にストーリーを求めてはいけない……とふだんから私もそういうことを繰り返し強調してはいる。

ただ、この作品はちょっと違う。はじめから語り手はさも「オチ」があるかのように話をはじめているではないか。「じつはこんなことがありましてね……」と、とっておきの小話でもするような語り口なのである。ところがそのオチが今ひとつぴんと来ない。どこか唐突なのである。

もちろん、前口上でも述べられているように、作品の中心にあるのは恋する者ならではの独特な心理状態である。特殊な心理を描いているわけだから、私たちは「なるほど。そういうこともありますか」と珍しがればいい。そういうことなら、この唐突さも、まあ、納得できなくもない。

しかし、納得できなくもないが納得したともいいきれない。ほんとうにそういう納得の仕方でいいのだろうか。実はワーズワスの作品を読んでいくと、他にも「唐突さ」のエピソードは出てくる。しかもそれらは恋愛心理とかかわるとも限らない。代表的な例をあげるなら、「三年にわたって雨の日も晴れの日もルーシーは成長をつづけた」（突然、ルーシーが死んでしまう）、「木の実拾い」（突然、語り手が暴れはじめる）、「不滅のオード」（突然、語り手が絶望したり歓喜したりする）など。とりわけ「不滅のオード」はワーズワスの自伝的作品とも代表作ともみなされるものなのだが、全部で一一のスタンザからなるこの長編オードの「唐突さ」はとても気になる。

通常、「不滅のオード」で話題になるのは作品半ばの五連目あたりだ。詩人が人間の魂についての形而上学的な自説を展開する箇所である。人間というものは生まれる前は輝かしい永遠の世界に属しているのだが、生まれ落ちて成長するにつれ、徐々にその輝きを忘れていく、という。

栄光の雲をたなびかせて
神の下から私たちはやってくる
(...trailing clouds of glory do we come / From God)

というような鮮烈なイメージのある一節だ。
だが、今話題にしたいのはそうした議論がはじまる前の、いわば助走にあたる箇所である。ワーズワスは暖かい日差しや咲き乱れる花々に思わず恍惚となっている自分を描き出すのだが、ふとしたことからその美しい自然の様相が一変する。「今までのあの輝きはどこへ？」と語り手は愕然とする。恍惚も自然の慈愛もすべてが突然失われてしまうのである。「不滅のオード」の出発点にあるのは、この突如として見捨てられ絶望の淵に突き落とされる語り手の像なのである。しかし、「不幸」とはいっても、それはあくまで心理的なものである。今まで体験していた自然を、自分が体験できなくなってしまった、ということが嘆かれている。

　こうして見るとわかってくることがある。私たちはワーズワスの詩の唐突さを無理にわかろうとする必要はないのではないか、ということである。読者はむしろ彼の詩の中にあらわれた因果関係の欠如や、その暴力的なまでの唐突さとこそ出会う必要があるのではないか。そして「何だ、こりゃ?」とびっくりする必要がある。なぜなら、ワーズワスが表現したいのもまさにそこだからである。「いったいなぜ私はこのようであるのか？」という問いこそがそこでは問われているのではないだろうか。

　これまでコールリッジとの比較で浮かび上がってきたワーズワスの像は、早起きで健脚、意志も強いというものだった。意志薄弱でアヘン中毒から抜けられず、大学も放校になったコールリッジが、絶えず病や闇のイメージを漂わせていたのとは対照的に、健康そのものの詩人というイメージである。肖像画の眼光にもそのような〝強さ〟はよく表れていたし、八〇歳まで生きたわけだから、当時としてはかなりの長生き詩人でもあった。

しかし、ワーズワスの私生活が病と無縁だったわけではない。たとえば妹のドロシーによる『日記』には、二〇代のときから頻繁に身体の不調を訴えていた様子が記録されている。頭痛、胃腸不良、神経痛めいた身体の痛みなど具体的な記述のあるものから、「兄、今日は調子悪い」といったややあいまいなものまで、ほとんど病状日記かと見まがうほど、そこには身体の不調が毎日のように記録されている。

こうした記述を見て気づくのは、しばしばワーズワスの体調不良が突然訪れるということである。このことは本人も自覚していたようで、ウィリアム・マシューという大学時代以来の友人への手紙では、自分の頭痛について触れている。ワーズワスはロンドンにいるマシューに職の斡旋を頼んでおり、そのことでやり取りをしているのだが、自分の職の可能性として議会の速記者、翻訳といった仕事をあげたうえで、自分はやたらと暑いところや騒音の激しい場所にいると、強烈な頭痛に襲われることがあって、そうなるとあらゆる記憶が失われてしまう。よって速記者は無理であろう、というようなことを伝えている（*The Letters of William and Dorothy Wordsworth: I The Early Years 1787-1805*, Clarendon Press, 2000, p. 138）。

「あらゆる記憶が失われてしまう」という言い方はいささか大げさに聞こえるかもしれないが、ある種の偏頭痛の発作を想像すれば、必ずしも誇張的な表現とも言い切れない。しかもそれが環境との関係で生ずる、つまり必ずしも身体に予兆があるわけではなく、たまたまある種の条件が整うと起きてしまうというのは興味深い。

元々、ワーズワスはケンブリッジ大学を卒業してから弁護士になるつもりだったようだが、ドロシーによれば頭痛と身体の側面の痛みのためにそれを諦めざるをえない状況にあった（前掲書、p. 7）。上記の速記者の件ともあわせ、ワーズワスの身体の不調は彼の職業選択にまで影響を及ぼすような相当深刻なものだったと言える。ただ、注意したいのはそれが彼に長期間養生を強いるような、徐々に彼の生命力を奪っていくような――たとえばキーツの結核のような――ものとは違う種類の〝病〟だったということである。ワーズワスの〝病〟は発作的で、突発的で、奈落の底に突き落とすような暴力的な苦痛をもたらすものだが、十分に快癒の可能性のあるような症状でもあった。たしかにワーズワスの詩に時に訪れる伸びやかで晴れがましい躁状態を思い起こすと、病からの劇的な回復の体験をその裏に読むことができるような気がしてくる。ワーズワスにとっては苦痛や不幸だけでなく、満ち足りた幸福の状態もまた唐突に訪れるのではないか。両者は表裏の関係にあるように思える。

そのような症状をつねに生きていたワーズワスが、「なぜ私はこのようであるのか?」「なぜ自分にはこのような唐突さが訪れるのか?」「発作の訪れる前の自分と後の自分との間にはどのような一貫性があるのか?」という問いを立ててもおかしくはない。いや、彼の詩は、まさに彼の抱え持った問いの表現だと言えるだろう。彼の詩がときに強引に記憶を作り替えてしまうようなものだとしたら、それは彼が〝症状〟の中で体験した暴力的な力を反映しているのではなかろうか。

ここで今一人、「ワーズワスではなかった人」に登場してもらおう。病におかされた詩人、正岡子規である。病床で子規が記録にふけったことはよく知られているが、平出隆はその記録についておもしろいことを言っている。

半覚半睡のままつづく最期の日々に、子規は劇痛によってめざめ、麻痺剤を飲んだ。そうして、枕許に置いてある「仰臥漫録」と題された冊子にその時刻を記録した。この記録はしかし、記録魔の記録ではないと思う。まして、整理というものでもないと思う。病床にある人が、意識があればそうしてしまうという、普遍の色さえ帯びた行為ではなかろうか。(『遊歩のグラフィスム』岩波書店、六三頁)

平出が強調するのは、子規の記録が「一定の規則にしたがってする」のでもなければ、「一定の規則を探し求める過程でするそれ」でもないということである(六五頁)。ではそれはいったい何だったのか。

子規のそれのような、渾沌を呼び入れるふうな記録は、面白そうな事象ならとりあえずそれを記録してしまえ、というものである。その上で、記録された事象の眺めをとおしてなにか別の次元へと直観を研ぎながら進む、という体のものだから、必ずしも整理と結びつくとはかぎらない。それは、自然科学の方法であり、また一種の哲学をはらむ。(六五頁)

「面白そうな事象ならとりあえずそれを記録してしまえ」というのはまさにコールリッジ的な世界ではなかろうか。ワーズワス的な世界とはちょっと違う。子規の記録と付き合わせてみると、あらためてワーズワスの記録の独特さが見えてくる。「面白そうな事象なら……」という姿勢に表れているのは外に向けて開かれた視界である。結核で瀕死の状況にあるにもかかわらず子規の精神は驚くべき屈強さを示した。

ワーズワスはそうではなかった。たしかに彼は早起きで、健脚で、太陽の光を浴びて生きた人だったかもしれないが、その記録や記憶へのこだわりが示すのは外の世界の事象を強引に絞り込もうとする、守勢にまわった人ならではの余裕のなさである。そこには記録されるべきものを操作するような、外の世界を押さえ込もうとするような力みが感じられる。それはそうだろう。少なくとも若い頃のワーズワスにとって、世界とは突発的で暴力的で、いつその様相を一変させるかわからない獣だったのである。そしてその世界の大きな部分を占めているのが、ほかならぬ自分自身であるのを彼は知っていた。そのような獣を抑えこもうとする精神の運動の軌跡が彼の詩の中心にあるとするなら、それを健康とよぶか病と呼ぶか、あらためて迷ってみる価値はありそうだ。

少しばかり遅れた出会い
——私のマーク・トウェイン体験

トウェインときちんとお目に掛かる時期がずいぶん遅れたなと思っている。小さい頃、手に取った『トム・ソーヤーの冒険』の翻訳は内容もよくおぼえていないし、最後まで読まなかったのではないかという気さえする。第一印象は今ひとつ希薄。ふつうは、このあたりに出会いがあるのではなかろうか。

その後しばしご縁はなかった。ようやく機会が訪れたのは、大学に入って二年目の冬学期。進路が英文科に決まった人のための「英文学入門」という授業が用意されていた。専門課程のある本郷キャンパスから教養課程中心の駒場キャンパスに先生が出張して教えるのである。その年の担当は渡辺利雄先生だった。先生は「ともかく長い小説を一冊、英語で読み通すことが肝心なのです」というようなことをおっしゃった。私はその頃はポオやホーソーンにまず興味があったが、当時あまり興味のなかったフォークナーやメルヴィルも、原書ではなかったが読み始めつつあった。

それで、このあたりから記憶があいまいなのだが、渡辺先生がトウェインのことをいつの間にかやたらと褒めていて「このひとが最初にアメリカらしい英語で小説を書くことを普及させたのです。たいへんな偉人です」と熱心に時間をかけて説明しておられる。しかし、そこで頭に浮かぶのは例の『講義アメリカ文学史』（研究社）にも生かされた、渡辺先生特製のハンドアウトである。トウェインからの抜粋もたっぷりタイプされていて、会話中には、ふつうに読んでも発音できない単語がたくさんあった。ということは、このあたりの教えは駒場での「英文学入門」ではなく、本郷での「米文学史」の授業で授かったものかもしれない。

さて、ときは流れて二〇〇〇年。後藤和彦氏が『迷走の果てのトム・ソーヤー』（松柏社）を上梓した年である。氏についてはある編集者が「編集者でもない素人のおめえにはわからないかもしれねえが、後藤さんというのは編集者泣かせのところがあってなあ。文章にやたらと勢いがあるから、誤植のチェックをしようとしてゲラを読んでても、あたしなんかどんどん読まされちまって、ミスがなかなか見つからない。参ることしきりよ」と、嘆いているのか喜んでいるのかわからないようなコメントをしていた。

その『迷走の果てのトム・ソーヤー』だが、冒頭近くに当時私が黒々と線を引いた箇所がある。

これから私が採用する議論の方法は、まずは評伝研究、あるいは場合によっては歴史的研究と分類するのがもっとも適当であろう方法である。マーク・トウェインの謎への想いを「歯嚙み」と表現する私には、その方法しかあり得ない。私は文学作品を読んで、まずそれを書いた人物を想う。書かれた文字の行と行の間から立ち昇る、作家の人間的苦悩を想う。その苦悩を、現実に歴史を生きた人間の直接的な表現であると考える。確かに、現実の人間と、作品から知り得る作家との差は歴然と存在しているだろう。ならば私はその乖離をまた彼の苦悩のしるしとして知りたいと思う。あるいはその乖離が苦悩の結果としか受け止められない作家を読み、研究したいと思う。勿論、マーク・トウェインはまさにそういう作家のひとりである。（一一頁）

たしかに件の編集者が言うように、読まされてしまう文章だ。言葉をさりげなく繰り返すことで〝のりしろ〟をつくりながら語り進める後藤氏の筆法には、ロマン派の詩人を思わせるような畳《たた》みかけてくる勢いがあって、独立した批評的文体の強さを感じる。

それにしてもトウェインがこんな勢いとともに語られうるというのは、私にとっては驚きであった。「歯嚙み」や「木に竹を接ぐ」といったキーワードに拠りつつ展開される本書の議論は、引用部でも明確に述べられているようにトウェインの「人物」を見極めようとするものである。その人格的分裂の軌跡を、ときに音量を高めときに低めしながら、後藤氏は丹念に具体的に辿っている。私のトウェイン体験は、ここへきて、大きく展開することになったわけである。

やがて研究者の世界に踏みこむことになって、日本のアメリカ文学研究、とくに南部文学研究には独特の磁場があることがようやくわかってきた。おおざっぱにいうと、それは「全体性へのこだわり」とでもいうものだ。その後に刊行された同じく後藤氏の『敗北と文学』（松柏社）にも明らかにそういう面がある。自分の研究がちょっと近視眼的になってきたなと思うとき、そういう全体性への志向がまぶしく見える。

二〇〇八年、大学から研究休暇をもらってアメリカに滞在した。ニューヨークから飛行機でニューオリンズに飛んでちょっとリフレッシュ。「湿地のワニ＆プランテーション・ツアー！」などという軽薄な催しにも参加したが、一見味気ないほど爽やかに見える、ハックの影も形もないようなミシシッピ川の近辺をうろついていると、それでも、南部の匂いは鼻をつくのであった。幽霊の街ニューオリンズの画廊街で、悪魔を憐れむかのような濃厚な抽象画を一枚買い求めてしまったのも、おそらくはその魔力にやられたためだろう。

小説はものになれるか？
――ジェイムズ・ジョイス『ユリシーズ』を読む

英語圏はランキング好きな人が多い。「英文学で一番すごい小説はどれか？」というようなアンケートも頻繁に実施される。その是非はともかく、こういうアンケートで「有識者」が必ずといっていいほどあげる二大作品が、ジェイムズ・ジョイスの『ユリシーズ』（一九二二年）とジョージ・エリオットの『ミドルマーチ』（一八七二年）である。実は『ユリシーズ』の魅力について考えるにも、その先輩格で、目の上のたんこぶでもある『ミドルマーチ』のことから始めるのが助けになる。

『ミドルマーチ』の最大の特徴は長さである。この作品は、タイトル名にもなっている中部イングランドの架空の町で展開する老若男女の人間模様を描くのだが、とにかくすべてが長い。総ページ数だけの話ではない。まずセンテンスが長い。パラグラフも長い。情景描写も背景説明も長く、人物の紹介も長い。場面の描き方も緻密で細かく、心理描写も長々と微細な襞に分け入っていく。あまりに長いので、語り手が途中で飽きて、「あーあ。またまたこんな話になっちゃった」とゲップみたいな一言を挿入したりもする。すると読者としても「ひゃあ。長丁場やなあ」という気分が増す。

この長さは「退屈」と紙一重である。しかし、辛抱強く言葉と心理と時間とをじわじわ縒《よ》り上げていくこの作品には、小説というジャンルの究極の魅力がたっぷりつまってもいる。「そうかあ。こんなに時間がたったかあ」と心の底から思わせる時間体験がそこには生まれるのである。単なる観念の詰め込みとは違う。妄想と怨念と希望の混じり合った情念が滔々と流れ、向こうの方はぼんやりと霞《かす》み、こちらに近づくにつれてくっきりと鮮明に、そしてふと見あげると、すぐそこに鋭い峰がそびえ立つ。悠々たる景色である（別に山登りの小説ではありません。念のため）。

近代小説の一つの頂点がここにはある。『ミドルマーチ』を読むと、まるで時間体験が深いものへ、真実へと私たちを導く通路であるかのように思えてくる。私たちはこうして長さ＝深さ＝真実だと感じる〈心の構造〉を身につけるのである。

では『ユリシーズ』はどうか。この小説も総ページ数では『ミドルマーチ』に負けてはいない。だが、「長さ」との付き合い方がまったく異なる。二〇世紀初頭のジョイスにとって、「長さ」はもはや一九世紀的深遠さなどたたえていない。「長さ」は退屈と日常性の具現なのである。ジョイスをはじめとしたモダニズムの作家たちにとって、もっとも古くさく嘘くさく思えたのが、滔々と時間の流れる一九世紀的長編の世界だったのである。小説というジャンルは大きな曲がり角を迎えていた。

タイトルにあるように『ユリシーズ』はホメーロスの『オデュッセイア』（主人公オデュッセウスのラテン名Ulixesの英語形が「ユリシーズ」）を下敷きにした作品である。『オデュッセイア』はホメーロスによる古代ギリシャの長大な叙事詩で、同じホメーロスによる『イーリアス』の続編。トロイア戦争で勝利した英雄オデュッセウスが、故郷に戻ろうとして二〇年間も漂泊するその様子を描く。加えて、故郷で夫を待ち続けるペネロピーや、父を捜し求めるテーレマコスなどの物語もからむ。何しろ叙事詩だから、壮大なスケールで移動と時間の経過がたっぷりと語られる。

一方、ジョイス版の『ユリシーズ』の舞台はアイルランドのダブリン。いちおう首都だが、ロンドンやパリにくらべてはるかに小ぶりなこの街を、広告代理店に勤めるハンガリー系ユダヤ人のレオポルド・ブルームがさ迷う二四時間が小説中に描かれる。『オデュッセイア』と同じように、息子的存在となるスティーヴン・ディーダラスや、不貞の疑いのある妻モリーがフォーカスされる章もあるが、別に大冒険が繰り広げられるわけではない。典型的なのが第四章の冒頭部だ。「ミスタ・レオポルド・ブルームは好んで獣や鳥の内臓を食べた。好物はこってりしたもつのスープ、胡桃の味のする砂嚢、詰めものをして焼いた心臓、生パン粉をまぶした肝臓のカツレツ、鱈子のソテー。なかでも大好物は羊の腎臓のグリルで、ほのかな尿の匂いが彼の味覚をそそった」（一巻・六八頁）

この一節からもわかるように、『ユリシーズ』は、ホメーロスの叙事詩に描かれた雄大で冒険性に満ちた時の流れを、日常的で冒険性のかけらもない、むしろ凡庸で低俗で卑近な世界に引き摺りおろしてくる。この第四章の終わりでは、冒頭部と呼応するかのようにブルームの「うんこ」の現場が長々と描かれる。ブルームは用を足すときに読書するのが癖。そんな彼の心の中で、新聞に掲載された懸賞小説と脱糞の進行とがパラレルになる。「じっと我慢しながら彼は静かに一段目を読み、そして、出しながらしかも抑えながら、二段目を読みはじめた。半分まで来て、すっかり抑えることをやめて静かに内臓が開いてゆくに任せながら読み、じっと辛抱つよく読みつづけるうちに、昨日の軽い便秘はすっかり取返しがついた。あまり大きいとまた痔がひどくなるんだが。いやいや、ちょうどいいところだ。そう。あっ！」（一巻・八五頁）

ブルームは「自分じしんの立ちのぼる臭気のなかにじっと坐ったまま読み」つづけるが、『ユリシーズ』の読者もまたこの臭気にどっぷりとつかる。脱糞だけではない。ブルームは気の散りやすい、行き当たりばったりの妄想家である。頻繁に彼の心を訪れるのは性的妄想。第一三章では海辺の岩に腰かけてしゃべる少女たちの様子が描かれるが、ブルームがそれをのぞき見ている。そのうちに彼の頭には、妻モリーをはじめさまざまな女性の性的嗜好をめぐる夢想が去来し、ついには興奮のあまりマスターベーションで性欲を発散せざるを得なくなる。「ミスタ・ブルームは丹念な手つきで濡れたシャツをととのえた。おお神様、あの小さなびっこの悪魔め。なんだか冷たくてじとじとしてきた。あと味はよくない。しかしとにかく出してしまわなきゃ仕方がないんだから」（二巻・三五頁）

『ユリシーズ』はこの妄想家であり迷走家であるブルームを主人公に据えたおかげでこそ成立した。徹底した即物性とともに世界と接する彼にとって、すべての現実の根にあるのはこうした生理的事実であり、彼のリアリティの土台は糞便と悪臭と性欲によって作られる。もちろん、その「リアリティ」はスティーヴン・ディーダラスの観念性や、モリーの横溢する感覚性と並置されればこそ映《は》えるのだが、作品に通底する、物から物や言葉から言葉をはしごするように連鎖する意識の運動は、二〇世紀の始めに書かれた多くの先鋭な小説や詩のロジックとも重なる。ブルームの視線には新しい時代のリアリズムの、純度の高いあらわれを見ることができる。意味と精神の君臨を疑い、ものと形に注目しようとした二〇世紀初頭の思想的傾きがそこにはにじみ出していたのである。『ユリシーズ』が壮大な文体の実験場となったのもこうした背景と関係している。『ユリシーズ』では、スティーヴンやブルームといった中心人物の彷徨が章ごとに異なる文体で語られる。とくに有名なのは第一四章で、ブルームが知人の女性を病院に見舞い、そこでスティーヴンと遭遇する経過が、古英語の詩形からマロリー、欽定訳聖書、バニヤン、デフォー、スターン、ウォルポール、ディケンズ、カーライルといった、英文学史に燦然と輝く作家作品の模写を通して描き出される。キリスト教の教理問答のスタイルをパロディした第一七章も実に小気味良いひねりがきいて、ジョイス自身のお気に入りだったと言われるし、そのほかにも、さまざまな仕掛けやアリュージョン（言及）を半ば謎かけ的挑戦的に作家は埋め込む。

その到達点として、必ず引用されるのが最後の第一八章のモリーの独白である。「そうよ《イエス》だってあさのしょくじをたまごをふたつつけてベッドのなかでたべたいなんてかれがいったことはシティアームズホテルにいたころからずっといっぺんだってなかったことなんだものあのころかれはいつもびょうにんみたいなこえをだしてびょうきでひきこもってるみたいなふりをしてていしゅかんぱくであのしわくちゃのミセスリオーダンのおきにいりになろうとして」とはじまる独白は、句読点を一切省き、節と節とが水平的に連鎖する書き方を採用することで、モリーの性的妄想や過去の想起などの「生理的真実」を未整理のまま鮮烈に伝えてくる。「意識の流れ」（心理学者ウィリアム・ジェイムズの言葉）の代表例と見なされてきたこの独白は、意識の濾過《ろか》によって秩序づけられたり、洗浄されたりする前の「ナマの声」を表現するが、ここには文体模写と同じく、どこまで言葉を身体としてとらえられるかの試みがあると言えるだろう。 and yes I said yes I will Yes. という肯定の連呼で終わるこの独白に、『ユリシーズ』という作品の究極の「力」を見る人も多い。

引用文献

丸谷才一・永川玲二・高松雄一訳『世界文学全集 II-13 ジョイスI』『II-14 ジョイスII』河出書房新社、一九六四年

第5部

書くことへの「こだわり」は病なのか、救いなのか

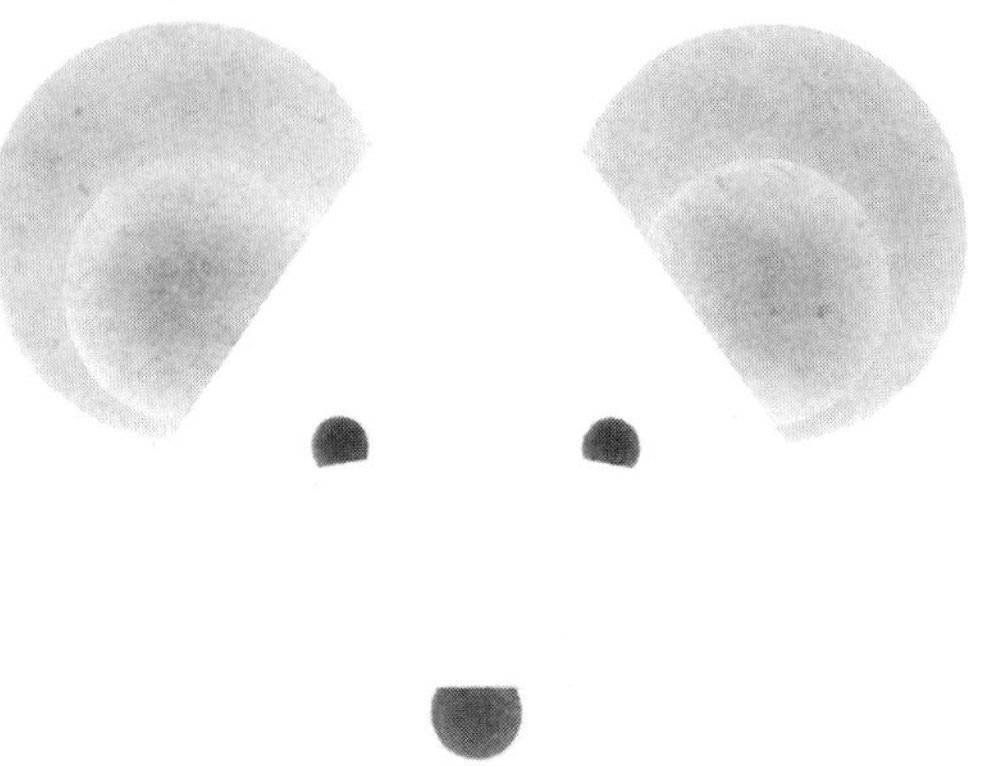

人はなぜ語るのだろう。なぜ書くのだろう。言いたいことがあるから？　伝えたいことがあるから？

おそらく、そんな単純なことではない。きっと語ろうとすること自体が、一種の病なのだ。しかし、人の生とはつねに病をうちに抱え込んだもの。語りたいという病を飼い慣らし、そこからエネルギーを得ることで生きる人もいる。

病には「部位」がある。文章ではそれは「こだわり」となってあらわれる。それを捕まえるには、ちょっとページに目を近づけて顕微鏡のまなざしになり、文章の凹凸や濃淡に聞き耳を立てるといい。

言葉の使い方は人それぞれ。どの作家にも、どの作品にも、固有の文法がある。よくわからないこだわりもあれば、癖や生理、呼吸、運動感覚が露出することもある。その究極には「お腹の具合」があると私は思ってきた。本書に「お腹」の話が頻出するのもそのためだ。

良い作品は一言や一文で惹きつける。そんな作品の「声」を聞き逃さないよう、耳をすましたい。もちろんいい意味で裏切られることもある。失敗することもある。それもまた愉し。

百合子さんのお腹の具合

武田泰淳の短篇に、結婚前の百合子とおぼしき人物の出てくる「もの喰う女」という作品がある。房子という名のこの女性は「食べることが一番うれしいわ。おいしいものを食べるのがわたし一番好きよ」と宣言するような人で、とにかく食べるのが好き。ストーリーの中でも甘い物屋に行ったり、主人公にトンカツを食べさせてもらったりする。

たしかに武田百合子は食べ物の似合う人だ。かの『富士日記』にも、食べ物がたくさん出てくる。ただ、そもそも『富士日記』というのは、泰淳から「俺もつけるから。代る代るつけよう。な？　それならつけるか？」と言われてイヤイヤつけはじめた日記なのであり、そのせいか、食べ物もその日の献立を愛想もなしに羅列しているだけに見える。

四月九日（金）　くもりのち快晴

朝　パン、スープ、ベーコンエッグ、夏みかん。

昼　お赤飯、なまり煮付け、京菜つけもの。
夜　また、おこわ。串カツ、からし菜つけもの、サラダ、夏ミカン。
（『富士日記（上）』、七四頁）

まるで給食の献立表みたいで、あんまりおいしそうではない。はじめから出版の計画があった日記ではないし、いかにも義務でやっているふうで、面倒くさそうなのである。食べ物は日々のことだし、味がどうとか、料理法がどうといったことはいちいち書かない。ただつけてある。今の引用部でも、表情があるとしたら、「また、おこわ」というところくらいだろうか。面倒くさいといえば、『富士日記』で大活躍する人物の一人に、地元の外川さんという人がいるのだが、外川さんの話をまとめるときにもこんなメモがついている。

これは昨日、六月七日に、田植の話のほかにした話で、昨夜眠くなって書くのがいやになってやめておいたら、今日になって主人が「外川さんの話は書いておくのだぞ」と言うから、忘れないうちに書いておく。いやだなあ。指はイタくなるし、字を書くのは大へんだ。外川さんがこれからも沢山話をしたら困ることになる。（『富士日記（上）』、九九頁）

百合子の心配通り、外川さんはそれからも妙な話をたくさんし、いろいろと変なことをしでかす。そのたびに百合子は「今日の外川さんの話」などと項目をたてて外川さんの話を箇条書きにしたり、その行動を書きとめたりするのだが、どうもそういう外川さんのことと、食べ物のことが重なって見える。なんか書くのが面倒くさいのだけど、いちおうつけてある。

しかし、そう考えてきて、ふと思う。実は、「面倒くさいけどしょうがないから書いておく」というのは、武田百合子の文章の大事な出発点になっているのではないだろうか。『富士日記』はもちろん、その後にエッセイ集として出た『日日雑記』『ことばの食卓』『遊覧日記』などにしても、この「面倒くさいけどしょうがないから……」というスタンスが底の方にあるように思う。

武田百合子の文章にはがつがつしたところがない。「あたしの言うことを聞け!」「あたしを読め!」などと一生懸命こちらに語りかけてきたりはしない。むしろ、さっぱりあっさりしていて、読んでも読まなくてもいい、どこにも行く当てはない、ほとんどはかなさと言ってもいいような浮遊性がある。それなのに、つい、どこまでもついていってしまう。文章であって文章ではないような不思議な読み心地で、いったいどうしてこういうことになるんだろうと思う。

鍵はきっとこの「面倒くささ」にあるのではないだろうか。食べることが好きな面倒くさがりの人。人の書きっぷりというのは、その人の食べっぷりと大いに関係していると私は信じている。でも、ふつうは食べることが好きというと、もっとがつがつとしていそうだ。身を乗り出す人。執着しつきまとう人。秘密や真相に興味を持つ人。あわよくば隠れたものを手に入れようとする人。要するに、欲の強い人。おもしろい小説というのは、そんなふうに欲にまみれたものだ。夏目漱石は胃弱のくせに食い意地の張った人で、文章や心理や小説構造にあらわれた尋常ならざる「こだわり」も、そのあたりと連動していた。だからおもしろい。反対に同じ胃弱でも、漱石の宿敵正宗白鳥はあんまり食い意地が張っていなくて、漱石のおもしろがり方／おもしろがらせ方に鼻白《はなじろ》んだ。白鳥は自分が頭痛持ちで胃弱であることをねちねちと書き連ね、小説の中でも人の息の匂いが酸っぱいことなどを描く。世の中をおいしくて興味深い、奥の奥に何かの潜んでいる、ただならぬあやしさに満ちたものとして書くつもりなどなかったのだ。

では、武田百合子はどうか。たしかに食べることは好きなのかもしれない。しかし、同時に目立つのは、この人がしょっちゅう気持ち悪くなることでもある。オエッとなる。ゲロを吐いたり、おしっこをもらしたり、うんこが「びりびり」になったりする。そして何より注目すべきは、ふつうならわざわざ言わないそういうことをいちいち言ったり書いたりするということでもある（じゃなきゃ、私だって知らない）。きっとそこには何かがある。

食べることの好きな武田百合子だが、食べ物のおいしさについては案外書いていない。『ことばの食卓』は食べ物についてのエッセイを集めたもので、もともと『草月』といういけばなの雑誌に掲載されたわけだから依頼の側には、おいしいものをおいしそうに書いてほしいという期待もあったのだろうが、今にもおいしげになりそうな食べ物が出てきても、味覚の話にはならない。

「枇杷」と題されたエッセイはちょうどいい例である。武田泰淳の最期の頃を書いたものでとりわけ気持ちのこもった名品なのだが、冒頭、枇杷を食べている百合子に、夫が「俺にもくれ」と言ってくる場面はこんなふうである。

枇杷の汁がだらだらと指をつたって手首へ流れる。

「枇杷ってこんなにうまいもんだったんだなあ。知らなかった」

一切れずつつまんで口の中へ押し込むのに、鎌首をたてたような少し震える指を四本も使うのです。そして唇をしっかり閉じたまま、口中で枇杷をもごもごまわし、長いことかかって歯ぐきで嚙みつくしてから嚥み下しています。(『ことばの食卓』、九―一〇頁)

「ああ。うまいや」

この枇杷はたしかにうまそうだ。しかし、ちょっとちがう。これはあくまで泰淳がおいしがっている様子なのである。だから「鎌首をたてたような少し震える指を四本も使うのです」なんていう描写ができる。百合子だっておいしそうに枇杷を食べていたのだろうが、そのことはあまり書かない。つまり、〝自分のおいしさ〟のことは書かない。そのかわり、エッセイはこんなふうに終わる。

皺ぶかくニス色をした手の甲が柔らかくて、白い掌や指先が湿っていて「ゴムみたい。黒ん坊みたい。吸盤があるみたい」と、私はいつも思っていました。

向かい合って食べていた人は、見ることも聞くことも触ることも出来ない「物」となって消え失せ、私だけ残って食べ続けているのですが――納得いかず、ふと、あたりを見まわしてしまう。

ひょっとしたらあのとき、枇杷を食べていたのだけれど、あの人の指と手も食べてしまったのかな。――そんな気がしてきます。夫が二個食べ終るまでの間に、私は八個たべたのをおぼえています。（『ことばの食卓』、一一―一二頁）

食べることに対するこの距離は何なのだろう。食べることは好きなのだけれど、語るとなると、その〝好きさ〟について語るよりも別の方面に注意がいく。決して食べることに酔いはしない。「枇杷」の場面では、食べることがいつの間にか喩えと化し、泰淳と自分との関係へと話が流れる。食べることが、もう食べることではすまないのだ。ふっと何かが冷え、その一方で何かが芯で暖まるような。とにかく味どころではない。

百合子が食べ物の「まずさ」を語るときの目にも同じような距離を感じる。娘の花と入ったオムレツ専門店について、百合子はかなり詳細なレポートをする。


フォークとナイフをかまえて、オムレツのはじを切って口に入れる。べつだん、うんとおいしくもない。二度めに切ると、佃煮の塩昆布くらいな味。嚙んでみるとちがったへんな味が加わる。「そっちのは、どんな味？」「うん。普通の味」うつむいたまま娘が返事する。三口目を食べる。「何だか、まずいような気がする」「うん。何だか」うつむいたまま娘が返事する。「こういう味のことを、まずい味と言うんじゃないかなあ」「うん」半分食べてとりかえてみる。ツナオムレツも想像とまるでちがう味である。

（『ことばの食卓』、一〇四―一〇五頁）

「噛んでみるとちがったへんな味が加わる」という描写の、何と鮮烈なことだろう。「何だか、まずいような気がする」という台詞の、何と生々しいことだろう。

この「噛んでみるとちがったへんな味が加わる」という感覚には、書き手のきわめて鋭敏な部分が出ている気がする。何だか、まずさと出会うときこそ、武田百合子の観察や、洞察や、人生に対する興奮のスイッチが入るようにさえ思えるのである。

ひょっとすると、それは単に百合子の胃腸の具合が悪いせいではないかという見方もあるかもしれない。年中、胃部の不快感に苦しめられている書き手が、それを世界に投射しているのではないか、と。しかし、それはちょっと違う。やはり百合子は食べたい人なのである。けっこう食欲がある。貧弱な胃腸の持ち主とは見えない。だが、それだけに、ついついよけいなものを食べてしまう。そして、ほれ、みたことかとばかりに、気持ち悪くなるのである。典型的なパターンはこんな具合である。

午前中本郷の印刷屋に用足しに出かけ、帰り、根津の貝屋で「新のり」四百八十円。昨日今日と続けて急に冷え込んできた朝にとれた海苔を食うとうまい、と貝屋のおじさんは言う。俺はわさび醬油で食ってんだ、と言う。そうか、そういう食べ方は知らなかった。朝御飯を食べずに出かけてきたので、急いで戻って御飯を炊いて試してみた。

それだけではもの足りないように思ったから、ちょっと考えて、ねぎを刻んだ。刻みねぎに醬油をたらして熱い御飯の上にのせて食べ、次にわさび醬油の海苔をのせて食べた。まだ少しもの足りないような気がして途中で考え、甘いいり玉子をこしらえて、三種類を代り番こに御飯にのせて食べた。

しばらくして気持ちがわるくなった。(『日日雑記』、一二頁)

この一節を読んだ人は、気持ち悪くなった元凶が「もの足りない」と思う百合子の心理にあるのに気づく。「もの足りない」と思うからこそ、「三種類を代り番こに御飯にのせて食べた」などという、いかにも気持ち悪くなりそうな行為に及ぶのだ。

そして夫の泰淳も、百合子の宿痾《しゅくあ》ともいうべきこの「気持ち悪さの構造」に見事に組み込まれていたのである。


今日は箱のように大きな伊東静雄の伝記をずーっと読んで、そのあとギターを弾いてばかりいた。お菓子を持ってこなかったので、我慢をしているためにそうなっていた。この次は、東京からやっぱり持ってこなくちゃ。お菓子を持ってこなかったのは、はじめてで、ウリばかり持ってきたので、そればかり食べていたせいか、下痢している。胸がつかえている。

「うんこビリビリよ」と言うと「俺は病気の女は大キライ」と言う。憎たらし。

（『富士日記（上）』、一一五頁）

つまり百合子の「気持ち悪さの構造」は、「もの足りない」→「変なものを食べる」／「食べすぎる」というプロセスだけで終わっていたわけではないのだ。最後のところでふっと泰淳があらわれ、「愚かなことよ」と叱ってくれることでこそ、ひとつのストーリーが完結していた。

こう見てくると百合子の「気持ち悪さ」は、むしろ胃腸が元気で、どんどん食べようとするからこそ生じているというのがわかる。食べ物が好きだからこそ、裏切られる。百合子にしても娘の花にしても、まずいものを食べたり、気持ち悪くなったりすることの実に多い人たちで、わざわざ「思い出に残るまずい食べ物」をあげるほどなのである。

それから、思い出に残るまずい食物を、めいめいにあげた。Hは、友人の家で御馳走になった、北海道から送ってきたという肉を入れた、泡がもくもくといつまでも湧き出てくる鍋料理。私は、O氏の家の「今日はお客さんだから、特別にシューマイと卵を入れたよ。三越のシューマイだよ」といって出してくれたプスプス煮つまって緑灰色になった汁のおでんと、青山三丁目のオムレツ屋のオムレツと、神宮外苑花火大会のたこ焼だった。それから、今後は母の日だとか誕生日だとかに、特に張り切って、いい目にあおうと出かけたりするのはやめにしよう。毎日、自然に飲食しよう。とも話し合った。

（『日日雑記』、三三頁）

こういうふうにまずいものをあげながらも、二人の目が不思議と輝いているようでもある。この人たちは、いったい、まずいものに打たれ、気持ち悪くなるのが楽しいのだろうか。それは人間だから、おぇっとなるのはつらいはずである。しかし、「特に張り切って、いい目にあおうと出かけたりする」とそのあとに決まっておしおきのようにして、バチがあたるようにして気持ち悪くなる、というパターンにどこか安心しているようにも思える。さらにそこに泰淳があらわれ、「こら」などとしかってくれればなおさらなのではないか。死んでしまったあとも、泰淳はそうやって百合子や花の「気持ち悪さ」を見守ってくれている。

胃腸の不具合には必ずといっていいほど後悔の念がつきまとう。「ああ、あのとき食べすぎた」「あんなもの、食わなきゃよかった」というふうに私たちは考えるものだ。そうやって私たちは自分たちの体験を歴史化し、原因と結果のあるわかりやすいものとして理解しようとする。百合子の「まずさ」や「気持ち悪さ」への反応にも、「そういうことだったか」とばかりに世界の正体と遭遇するかのような、失意とあきらめと納得と、さらには幾ばくかの興奮や爽快感さえが混じっているように思う。

あるいは百合子は、「いい目」に会うのが苦手な人だったのだろうか。弟の鈴木修は百合子にははしゃいで楽しそうにしているところと、急に気難しくなるところの二面性があったと言っているが（「インタビュー　姉・百合子の素顔」）、内に不安定なものを抱えた人が「ああ、あのとき食べすぎたのがいけなかったのだ」という形で世界の合理性と出会おうとする心理は十分理解できるだろう。まずいものを食べ、オェッと気持ち悪くなり、さらにそのことを書きながら「やっぱり」と確認することは、黒々としたわけのわからないものを鎮める作用を持つのかもしれない。だからかもしれない、百合子の「気持ち悪さ」はしばしば食べ物以外のものにもアンテナを張っていた。

赤坂見附の駅の前の花屋に、青色の菊があって気持ちわるい。インクでも溶いて吸わせたのかしら。構内の階段を降りて行くと、むっとする。切符を買って改札を入ると、もっとむっとする。階段のところどころが欠けくずれて、ヤニ色の水が溜っている。じっとりと湿っぽいコートを着て、雫の垂れる傘を持った皆は、そこを避けてのろのろと降りて行く。ホームはもわあっとして羊小屋のような臭い。青山一丁目で人身事故があったから、電車は遅れると放送している。飛び込み自殺らしい。体と体がこすれ合いそうにホームに溜ってしまった人たちは、傘をふるってみたり、もぞもぞと巻いたりしながら、うつむいて放送をきいている。駅員が通りかかっても、誰も何もきかない。ＯＬ風の娘が三人、動物の芸当の話をしていた。何といっても象の水上スキーよねえ。あれはどうやって訓練す

るのかねえ。（『日日雑記』、三七頁）

『富士日記』でも人の死には頻繁な言及があるが、決して死自体が「気持ち悪い」のではない。たとえばそのわきで「象の水上スキー」の話がされたりしていることこそが、変な気分の中でとらえられている。そうやって変な気分になっていることを認めることでこそ、黒々としたものも鎮められるのだ。

食べ物のまずさや気持ち悪さの向こうには、いつ気持ち悪いものへと変じてしまうかもしれない世界がひかえている。百合子はこの世界全体を、まずいかどうかという目で見た。そう見ることができたとも言えるし、そう見ざるをえなかったとも言える。そして食べ物と同じで、やっぱり百合子は世界をたらふく食べたい人なのだ。泰淳だけではない。いろんな人間をたらふく食べた。そうして食べすぎては「あんなもの食べたからだ」「やめときゃよかった」と後悔したりもする。でも、そうやって後悔することでこそ、百合子は世界を受け入れることができたのではないだろうか。叱られてわかる、鎮められる、という形で。

『富士日記』の外川さんにしても、『日日雑記』のO氏にしても、いろいろと変なことをしでかしてくれるおかげでこそ百合子の何かを治めていた。

O氏は、「人間ちゃんとしっかりと食べとかなくちゃ」をくり返し、ひっきりなしに鍋の中をかきまわしては、黒くなるほど煮え震えている肉を、自分の分までせっせとくれたり、嗄がれ声を張り上げて卵のお代わりを頼んでくれたりするので、私は十二分のもてなしをうけているな、と満足した。(『日日雑記』、九七―九八頁)

変な人に会って、その正真正銘の変さに打たれ、その変さを愛することでこそ、百合子は安心できたのである。たとえ面倒くさくても、そういう人たちのことを描くことで、不安定なものは落ち着いた。いや、面倒くささや退屈さこそが食欲の予兆だったのかもしれない。だからこそ、百合子もこの人たちと会い続けていたのではないか。食べることが好きな百合子が食べ物に裏切られつづけたように、世の変な人たちを百合子は愛し、しかも爽快に裏切られた。もちろんそこには夫も含む。

毎年八月の半ば、旧盆が近づく頃になると、山小屋の内外には、湿った感じの大きなハエが異常にどっさり発生する。夫は二本のハエタタキを座右に置いて愛用していた。(何故二本かというと、ハエタタキにとまってしまう利口なハエがいるので、そのハエだけは叩くことが難しく、もう一本を必要とした。)原稿用紙に向って思いあぐねているときなど、手にとってつくづく眺め、撓い具合、形、大きさ、軽さ、について一々ほめあげ、「いいか、ハエタタキをバカにしてはならんぞ」と、まだ私がハエタタキについて何一つ考えていないのに、にらんで言うのだった。(『日日雑記』、一三九―一四〇頁)

こんな夫がそばにいたら、たしかにつまらない「おもしろさ」など超越してしまいそうだ。むしろまずいもののまずさをしかと確認し、変なものやどうでもいいつまらないものをじっくり見つめ、人生とがっぷり四つに組む。こうしてみると百合子さん、すでに人生の達人の域にいたのかもしれない。

引用文献

鈴木修「インタビュー　姉・百合子の素顔」『文藝別冊 武田百合子』河出書房新社、二〇〇四年、八八―一〇〇頁
武田百合子『ことばの食卓』ちくま文庫、一九九一年
武田百合子『日日雑記』中公文庫、一九九七年
武田百合子『富士日記（上）』中公文庫、一九九七年

境目に居つづけること

――批評と連詩と大岡信

言葉を使うときに誰もが気になるのは、ずれである。どんな場所でも、誰に対してでも、どんなときにでも使える言葉というものはない。語の選択にしても、言い回しや文のつくり方にしても、なかなかぴたりとはまるものが見つからない。そのため、私たちはいつも微妙なずれを検知しながら、どう補正し、どう適合させるかに心を砕く。

しかし、現代の詩はこのずれをむしろ積極的に活用してきた。日常のさまざまな状況で使われる言葉を、ときにはわずかに、ときには徹底的にずらして、その違和感を土台にして訴える力を生み出す。

詩の言葉がわかりにくいとされる最大の理由はここにある。何しろ、通常の了解をご破算にし、言葉が流通するための回路をいったん止めてしまうわけだから、こちらとしてはそういう言葉をどう受け取っていいかわからない。従って、新しい言葉と出会うたび新しい〝文法〟を用意することになる。

詩に批評者が必要となるのはこのためである。言葉のずれ具合を確認しつつ、意図的にずらされた言葉と、私たちの日常言語の文法とをつないでくれる人が詩の居場所を守る。

詩の世界で、大岡信はもっともすぐれた批評者の一人だった。大岡はいわゆる「専業批評家」ではなく、自ら詩を書き発表してきた人でもある。詩人の多くは批評活動も行うが、まるで詩のように批評を書く人と、詩と批評とをまったく異なる言語で行う人とがいる。大岡は後者、つまり、詩の言葉をどのように受け取ったらいいかを明晰な散文で語ることができる人だった。

大岡の批評活動は多岐にわたる。若い頃の『蕩児の家系』（思潮社）のような本格的かつ挑戦的な批評書ももちろん重要だろう。しかし、多くの読者を得た「折々のうた」シリーズのような活動には、大岡が持っていた資質が存分に発揮されてもいた。

「折々のうた」は『朝日新聞』紙上に一九八〇〜九二年、九四〜二〇〇七年に連載されたコラムである。短歌や俳句なら一篇、詩や唄ならその一部を引用して簡単な解説を付すという構成だった。元々日本の伝統的な定型詩には制作背景を併置させる伝統があったし、さまざまな歌人の作品から秀作をえらんでアンソロジーを編むという選詩集の歴史も長い。「折々のうた」がこうした伝統を踏まえた企画だったのは間違いない。

ただ、大岡がこの企画で力を発揮したのは、彼が単なる解説者の役割におさまらなかったためではないかと思う。アンソロジーの編者が解説者に徹するというやり方ももちろんある。対して、好き嫌いをはっきり打ち出し個人の趣味を標榜するアンソロジーもある。「折々のうた」は新聞の一面に掲載されたということもあり、また限られた字数ということもあり、評者の反応をあからさまに打ち出すことはなかったが、実は作品の選択を含め、かなり大岡自身のカラーも出ていた。このシリーズが成功したのは、それが単に選ばれた作品を読者に差し出すだけに終わらず、評者自身がどのように詩と出会うか、その姿勢を小さなコラムの中に微妙に織りこむことができたからだと思う。

「折々のうた」に対してこうした印象を私が持つのはあるいはやや過剰な深読みなのかもしれない。しかし、この「過剰な深読み」は無意味なものではないとも思う。というのも、こうした視点を通して詩の可能性の一つにあらためて目を向けることができるから。

ここで私が注目したいのは、詩の共同制作である。大岡をはじめ谷川俊太郎、茨木のり子といった詩人が参加した「櫂」のグループは、伝統的な連歌にヒントを得て連詩という詩の共同制作に取り組んだ。その中心にいたのが大岡だった。連詩のコツは停滞させないことだと大岡は説く。受け、かつ流す。どんどん展開していくところから連詩の味は生まれるという。

私はかねがね疑念を持っていた。果たして連詩の場で制作されたものを作品と呼ぶのは適切なのだろうか。その偶然性、即興性、共同性は、私たちが通常、詩作品というものに抱くイメージを微妙に裏切るのではないか。詩がそうであるはずのものから逸脱してしまうことになるのではないか。

かつてこのことについてじっくり考える機会があった。今から、もう二〇年以上前のことである。一九九九年、大岡信はイギリスからチャールズ・トムリンソンとジェイムズ・ラズダンという二人の詩人を迎え連詩の会を行った。私はそこに通訳・翻訳者として参加したのである。日本からは他に佐々木幹郎と川崎洋も加わった。三島の旅館に泊まりこんで行ったセッションは四日間にわたり、完成した作品は『現代詩手帖』一九九九年三月号にも掲載されている。その冒頭部とむすびを以下に引用してみよう。

1

十月。ツバメは去る、
アフリカを目指し。が　この年、
イングランドのふたり組が日本人に混じり
新しい調べにのせて歌う、花や木の名を口ずさむ、
寒さが、そうして「もののあわれ」が訪れる前。

チャールズ

1.

October: the departure of our swallows:
Their aim is Africa, but this year sees
An English pair among the Japanese,
Learning new tunes, new names for flower and tree,

Before cold comes and mono no aware.　　Charles

25
幾百の都市を超えてやつてきた二人の詩人よ
燕のやうにまたやつておいで　太陽と驟雨を背負つて。
詩では政治は変へられないが
詩は生きのびるためのレッスンだ
囁きや溜息の下で　哄笑を養ふ技術だ。　信

25.
Soaring over hundreds of cities, you've come, you two poets
Come again, like the swallows shouldering sunlight and sudden showers.
Poetry can't change politics
but it gives lessons in survival
Beneath the whispers and sighs it's the art of nurturing crescendos of laughter　Makoto

二つの節がそれぞれ「あいさつ」になっていると大岡は連詩の後に行われたシンポジウムで説明した。「あいさつ」という概念はおもしろい。たとえばチャールズ・トムリンソンが日本

を訪れたのははじめて。大岡とも初対面だった。二人は詩を通して文字通り「はじめまして」と言わんばかりのあいさつをかわし、さらに終わりには「ごきげんよう。では、さようなら」という別れのあいさつをした。

あいさつは日常生活の中で誰もが行うものだが、そこには儀礼的でフォーマルなものという含みがある。考えてみれば、これこそ現代詩がもっとも力を入れて排除してきたものではないだろうか。より個人的で共同体の束縛から自由であること。より本質的で、危機的で、掛け替えのないものを語ること。これらが現代詩の最低限の約束ごとだったのではないか。だからこそ、言葉は形式から自由になる必要があった。徹底的にずれてみせるのである。今さら「あいさつ」とはどういうことだろう。

しかし、まさにここに連詩が提起する詩のありようがある。「あいさつ」という一見形式的な束縛のおかげで、詩人は自分の自由にはならない枠組みに直面する。冒頭やむすびだけではない。連詩のプロセスでは、詩人たちはいちいち先行する詩人の差し出す句と出会う。この遭遇を通し、詩人たちは他者の声に反応を強いられる不自由さを思い知ったはずである。外から来る声をどう受け、流すか、そこに大きなエネルギーを使うことを強いられた。

ただ、そのおかげでわかることがある。ひとりで行われる詩作というものが、外からの声の排除によってこそ成り立っている、ということである。そうした排除が悪い、誤っているというのではない。言葉を生み出すためには、必然的に無数の言葉を押し殺し排除する必要がある。しかし、このプロセスを私たちはふだん、どれほど意識するだろう。少なくとも連詩の場では、排除したはずの他者の言葉があらためて自分の前に立ちはだかり、ときにはずんずんと自分の言葉に侵入する。圧倒的な異物感である。

しかも発生するのは異物感だけではない。異物が入ってきたはずなのに、なぜか通じてしまう。その交感。昂揚。ときには興奮さえある。私も通訳・翻訳者としてその場に居合わせることで、彼らの間にたしかにそうした磁場のようなものが生まれるのを知った。これもまた、しばしば詩を書くという行為から遠いものとして排除されてきた心のあり方ではないかと思う。一人であることとの緊張感から紡ぎ出される詩作においては、個の境界をあいまいにするような他者とのかかわりは抑圧されがちなのである。

こうした異物感や同化の昂揚から生まれた連詩の結実は、最終的にどれくらい読者に訴えただろう。しかし、詩人が詩を書くという過程でしばしば見失われる何かが、連詩の場で回復されたのは間違いない。連詩の流れを捌く宗匠《そうしょう》の役割を担うことの多かった大岡が、詩と散文の間をつなぐ批評者としても活躍したということの意味はこのあたりに見つけることができるのではないかと思う。詩を生み出す力の源は、詩と詩ではないものとの拮抗から生まれる。大岡はその境目に居つづけることのできる強さを持った人だった。連詩はその格好の舞台だったのである。

これは連詩の合宿で大岡と個人的に話をかわし、お酌をさせていただく機会を得た私の個人的な印象でもあるのだが、大岡は決して詩を闇雲《やみくも》に信用する人ではなかった。詩人というステータスに過剰な信頼を置く人でもなかった。ゴシップも好きだったし、つまらない詩をつまらないということもできる人だった。境目に居つづけるとはそういうことでもある。詩が、詩ではないものと拮抗する場は、ときに殺伐としたものとなる。死屍累々ともなる。それを避けて詩の楽園に引きこもってしまうこともできなくはない。しかし、大岡はそれをしなかった。大岡にとっては連詩も批評も「完成形」のためのものではなかったのではないか。むしろそれは「準備」だった。詩が詩でないものと出会うことで、また新しい詩が生まれるための、豊穣で魅力的な場がそこにはあったのである。

蓮實重彥を十分に欲するということ
──『「ボヴァリー夫人」論』の話者らしさをめぐって

『「ボヴァリー夫人」論』（筑摩書房）は幻の書物として終わるはずだった。「これを完成させてしまうと、自分の批評はおしまいになりはしないかというような危倶があるとさえ思える」との一九九二年の著者の弁には、清々しい諦めさえ読める（「インタビュー　蓮實重彥論のために」聞き手・金井美恵子、『國文學　解釈と教材の研究』一九九二年七月号、六―二四頁）。当初の刊行予定は一九八一年だったわけだから、このインタビューの時点ですでに予定からは一〇年以上が経過している。大学の紀要を含めあちこちにばらばらの形で発表されてきた『「ボヴァリー夫人」論』は、多くの読者にとっては入手困難な状態が長く続いていたのである。著者はそんな「拡散状態」こそが『「ボヴァリー夫人」論』にはふさわしいと考えていた。「それを例えば、筑摩書房から一冊の本にして出すというのは、やはり人生観の大きな変革なしにはありえないのかもしれない（笑）」とまで言う（同インタビュー）。しかし、その後さらに二二年の歳月が流れ、ようやくこの「例えば」が本当になる時が来た。しかも版元は他ならぬ筑摩書房である。

え、では蓮實さんの人生観に「大きな変革」があったのですか？　などという野暮な質問はしまい。変わったのは世界の方なのだから。八〇年代、日本の批評は元気だった。その勢いは批評が奉仕するはずの対象をも凌駕するほどで、文芸評論家たちは文芸誌に掲載された作品群を前にして、しきりに「文学の死」や「小説の終わり」を宣告したものである。めった斬《ぎ》りが横行し、伝統的な小説作法も否定された。

しかし、この状態は長くは続かなかった。死んだのは「死」を宣告された文学作品ではなく、宣告した批評の側だったかとさえ思えるほどである。もちろんこの時代に批評が死滅したわけではなかった。しかし、文学作品について別の領域の知見を援用した発言のいちいちがやけに新鮮に思えたような、七〇年代から八〇年代にかけての乱反射的な言語状況が、まるで酔いが覚めるように白々とした覚醒感にとってかわられたのは間違いない。

そんな転換期が、蓮實重彥が某大学における行政的な事務仕事に忙殺された「失われた一〇年」と重なっていたことに何らかの意味を見いだす人もいるかもしれない。ただ、少なくとも『「ボヴァリー夫人」論』にとってはこのような時代の到来は、むしろ好都合だった。なぜなら、そのような「乱反射」から「鎮静」へ、そして「不毛」へという転換があったからこそ、『「ボヴァリー夫人」論』出版の機が熟していったからである。二〇〇七年には著者久々の本格的な文芸評論『「赤」の誘惑』（新潮社）の刊行もあり、『ボヴァリー夫人』をめぐる考察の核となる問題意識はじわじわと発酵度を高めていく。人々の嗅覚は刺激されつつあった。今、拡散的な「『ボヴァリー夫人』論」が『「ボヴァリー夫人」論』という一冊の書物として世に出るのは、このような過程をへて世界がその刊行をようやく十分に欲したからだと言える。

一九八一年に刊行されていてもおかしくはなかった「『ボヴァリー夫人』論」が、今になってようやく切実に世界に欲せられるようになった。では、一九八一年の段階では、世界は「『ボヴァリー夫人』論」の魅力をまだ十分に知らず、従って十分に欲することもできなかったというのか。この書物に対する、「あなたが好き」の表明が足りなかったのか。だからその著者は、まるで恋人をじらすかのように、「人生観の大きな変革なしにはありえないのかもしれない(笑)」などと意地悪な笑みを浮かべてきたのだろうか。

実のところ、一九八一年の世界が「『ボヴァリー夫人』論」を不十分にしか欲しなかったかどうかというのは些末な問題にすぎない。まあ、それなりに欲したのではないか。それよりも大事なのは、「『ボヴァリー夫人』論」が乱反射から不毛への転換期にこの上なくフィットする書物だということなのである。たとえば『失楽園』の冒頭部分を思い浮かべるとよい。ジョン・ミルトンによるこの一大叙事詩は、地獄に堕ちた天使たちの、まるで雨の日の試合に負けたラグビー選手の血だらけ泥だらけのユニフォームのような惨めな敗残の姿からはじまり、やがてそれが復讐ののろしへとつながっていく。同じように、「『ボヴァリー夫人』論」が一冊の書物としてまとまるには、その背後に荒涼とした批評的焼け野原の風景が控えている必要があった。そうした焼け野原に燦然と輝くべく屹立するのが『「ボヴァリー夫人」論』の言わば宿命だったのではないか。まるで『失楽園』の魔王《セイタン》よろしく、敗残の地からバッと羽根をひろげて飛び立つ、そのための舞台がようやく整ったのである。

まずは多くの読者の期待に応え、八〇〇頁を超えるこの重厚長大な論考をいち早く読んだ数少ない人間の一人として、全体をごく簡単にマッピングすることからはじめたい。タイトルの通り本書はギュスターヴ・フローベールの『ボヴァリー夫人』を扱った作品論である。著者名から予想はつくと思うが、多くの作品論とはちがい、先行批評の概観、背景の説明、粗筋の紹介、登場人物の吟味、そしていよいよ新発見の開陳といった手続きが淡々ととられるということはない。ただ、特筆すべきは、にもかかわらずそうした地味に文学研究的な作業も、意外なほど律儀にまぎれこませてあることだ。そのあたりにこそ〝機が熟した〟ということの意味もあるのだが、これは後で触れよう。

序章と終章を含めてぜんぶで一二の章にはそれぞれ明確な問題意識がある。しかし、それぞれの章が独立して淡々とおのおのの作業に当たるわけではなく、問題意識はときに章の境をこえて持ち越され、かなりのオーバーラップも生じている。そのために、本書は筋肉が複雑にからみあった巨大な肉体のように、膠着的な論述の展開を生み出している。それぞれの筋肉＝ストーリーが互いを補強し合い、入り組んだ連続感を実現しているのである。

発端にあるのは、ボヴァリー夫人という人物の実在に関する疑義である。よりわかりやすく言えば、著者は『ボヴァリー夫人』という小説をボヴァリー夫人の人生の物語として読もうとすることの誤謬を、あの手この手をつかってつきつけてくる。批評家たちはしばしばエンマ・ボヴァリーなる人物が小説内にたしかにいるという前提で議論を進めるが、実は作品中、ただの一度も「エンマ・ボヴァリー」という名称は用いられていないといった指摘は、あるいは屁理屈に聞こえるかもしれないが、その狙いは単なる揚げ足取りではなく「テクスト的な現実」に対する私たちの注意の喚起にある。

　そもそも小説における人物とは何か？　小説の言葉は誰が語るのか？　著者はこうした問いを、自由間接話法をめぐる議論などを参照しながら慎重に吟味した上で、この作品にときに描かれる、誰のものかわからない、誰に属するのかも不明な言葉や心理を提示していく。その過程で、私たちはじわじわと著者の向かおうとする方向を思い知るだろう。「自分であることと、世界に生きているということと、世界であることとの一種の不分明なさま」（ジャック・ネーフ）をたっぷり味わわねば、『ボヴァリー夫人』を読んだことにはならないということなのである。

　こうしたいわば準備と助走をへて、第Ⅱ章以降はまさに蓮實節の面目躍如となる。『夏目漱石論』『大江健三郎論』をはじめ、かずかずの論考の中で示されてきた批評の方法が華麗に展開される。そこで柱となるのは、テクストのいわばこだわりに注目するテーマ批評（主題論）と、もう少し巨視的にナラティブを見渡し分析する説話論的アプローチである。これらの章の内容をいちいち細かく解説する余裕はないが、たとえば「懇願と報酬」と題された第Ⅱ章では、よくぞそのようなテクスト的ふるまいに気づかれた！　と喝采を送りたくなる着眼が示される。

『ボヴァリー夫人』の「懇願」は、「一貫した意志を欠いているとしか思えない夫のいかにも推測しがたい決断に向けられており、であるが故にむなしい」（九四頁）とのこと。要するに、いくら権力者にお願いをしても「うん」とも「すん」とも答えが返ってこないので、聞いてもらっているのかどうかよくわからない。それでお願いした方はすっかりくたびれ、やる気をなくしてしまう。ところが、ときに不意にその反応が伝わってくることもある、といった厄介な状況が『ボヴァリー夫人』の世界では生じている。著者はこれを時代特有の権力構造のあり方として示してみせる。「『ボヴァリー夫人』に描かれている権力は、『命令』や『禁止』による個体への抑圧的な働きかけをいささかも誇示するものではない」（一〇一―一〇二頁）のだが、これは一見自由主義的に見えるものの必ずしもそうではない。なぜなら「自由な発言を許された者たちは、いわば反応の不在によって、存在のゆるやかな消耗による疲弊した状況に陥るしかないからだ」（一〇二頁）。何とデリケートなポイントだろう。そしてデリケートでありながら、何と広がりのある見方だろう。

なるほどこのような指摘をへて読み直される『ボヴァリー夫人』は、より肉厚でよりジューシーな作品となりおおせているのである。ジューシーと言えば、第V章の足をめぐる、著者のもっとも得意とするフェティッシュな分析は、『ボヴァリー夫人』をめぐる批評を読んでいるという意識さえ忘れて陶然としそうになるほどの、フローベールの語りの変奏とも読めるし、第IX章の数をめぐる考察では、テクストに対する著者のからみが朗《ほが》らかに伸びやかに実践され、思わず「きゃっ」などと喜悦《きえつ》の声をあげそうになる。考えてもみてほしい、フローベールが数字に関して異様なほどに律儀で、一以下の数字を「四分の一」、「三分の一」、「二分の一」、「三分の二」というふうに丁寧に拾うとともに、『二』から『二十』までのすべての数字をテクストのさまざまな場所に満遍なく配分している」（五五一頁）などという〝発見〟をなしえたこと自体、賞賛に値するが、そんな発見を何かの成果であるかのように堂々と説得的に誇示しえるのは、著者の批評的芸達者ぶりゆえというほかないだろう。

こうして構造分析と呼ぶにはあまりに繊細な手つきでテクストの中に潜む傾向を著者が採集し提示していくさまは、若い学生の刺激にはなっても、その並外れた洗練ゆえとてもお手本にはなるまいと思う。こうした批評的アプローチは英米圏のアカデミズムでは、シンボル・ハンティング等、やや堕落した形に姿を変えて形骸化・大衆化し、小説を読むための装置というよりは、むしろ小説を読まないためのそれとして流通してきた経緯がある。もちろん著者もそのあたりは重々承知。あらゆる批評の方法は、本来は「テクスト的な現実」をよりよく読むためのものであるのに、ふと気づくとそれがテクストを読まないために濫用されているのはいつものことである。このような悪癖が繰り返されるのは、著者の言葉を借りれば「端的に言って、人類は『テクスト』を読むことをあまり好んではいないし、また得意でもない」ためである（六四頁）。だからこそ、序章から第I章にかけて提起された、固有名的存在への過度の依存の危険にはくり返し注意喚起がなされるし、エンマが果たしてどれくらいものを考えられる人なのかという問題をめぐっては——多くの批評家がその抽象思考の欠如を前提としているのに対し——自由間接話法をめぐる先行者の議論を覆したうえで、あくまで「テクスト的な現実」に寄り添った回答が提示されることになる。

それにしても、日本の一般読者にもおなじみのロラン・バルト、ジョルジュ・プーレ、ガストン・バシュラール、ミシェル・フーコー、ジャック・デリダといった華やかな名前があちこちで登場するのは当然として、ちょっぴり硬派で地味なジョン・サールやソール・クリプキ、J・L・オースティン、さらにはぐぐっと地味なドリット・コーンやアン・バンフィールドなどの——仏文学的というよりはほとんど英文学的な——批評家までをもたっぷり登場させ、忍耐強くその議論に付き合う著者の姿勢には、単なるアカデミズムへの敬意以上の何かが読み取れると思える。

この長大な論考がいったいどのようなスカッと胸のすく結末を迎えるのかといたずらな期待を抱く人もいるかもしれないが、終章の議論はそうした晴れ晴れしい大団円とは微妙に異なるものである。これまでのさまざまな議論をおさらいした上で、著者はエンマが死の床で耳にする小唄に注目する。著者の見立てでは、この小唄が「時代を超えて外部からもたらされる匿名の声として機能している」(七〇八頁)というもの。このような見立てでは、論考全体をつらぬく「声」の出所をめぐる問題提起とももちろんつながるが、おそらく本当のポイントは、外部からの唐突な声の到来というイメージとともにこの論考を終わらせることにあるのだろう。それはひょっとすると、この論考の完成を遅延、もしくは破綻させるための著者のひそかな策略なのかもしれない。

さて、マッピングはこれぐらいにしておこう。あらためて冒頭部で立てた課題に戻りたい。なぜ『「ボヴァリー夫人」論』は、今や十分に欲せられることとなったのか。取っかかりとしたいのは――そして蓮實重彥の著述について考察するならどうしてもこれは避けて通れない問題となるのだが――その文体である。「蓮實的」という形容詞が『新明解国語辞典』あたりに載っていてもおかしくないほど、彼の文体にある種の特徴があり強い感染力を持つということは今更指摘するまでもない。かくいう私も『「ボヴァリー夫人」論』を論ずるにあたって、気をつけてはいても何だかうっすらその語り口に感染してしまったような気がする。その是非はともかく、それだけ流通性のある文体が濃密に駆使された論考について議論するなら、その語り口に一言触れないわけにはいかないのである。

しかし、一口に文体とは言っても、これまでの著者のさまざまな批評的試みの総決算とも呼べる『「ボヴァリー夫人」論』は多面性をもった書物である。すでに触れたように、ときに言語哲学の知見を批判的に検討するフィクション論が開陳されるかと思えば、ときには華麗にテクスト的な現実への没入を演じ、またときには少し身を引いた実況中継風の読みを実践する。エロスへの耽溺をあおることもあれば、一転、テクストを穴のあくほど見つめるようにして個別の単語のニュアンスをめぐり詳細で粘り強いクロース・リーディングを行ったり、文献学的な誠実さとともに草稿の比較検討や引用出典の吟味がなされることもある。

しかし、そうした一連の批評的所作をつらぬいて何かがある。ためしにそれを、今回の書物の中でもとりわけ特徴的な「いささか」という語に注目することで解明してみたい。以下に、

第Ⅷ章から使用例をひとつあげてみよう。

こうした古色蒼然たる「感情」の優位にしたがって作中人物の振る舞いに「共感」したり、「反発」したりしながら作品を読むことしか想像できない理論家には、なるほど「メイクビリーヴ＝ごっこ遊び」という発想もふさわしかろうといささか啞然とさせられる。

（四九三頁）

引用部分だけでも文意はわかるかと思うが、ここでは人物に感情移入することで小説を読もうとするような批評家のスタイルに対し、強く否定的な見解が示されている。こうした著者のスタンスがまさにこの『「ボヴァリー夫人」論』の出発点にあることはすでに確認した通りだが、そのような議論の方向を感知する前に、この一節を読んだ多くの読者は、いかにも蓮實的な文体ですね、と無意識のうちにも首肯《しゅこう》しているのではないだろうか。では、そのように議論に先行してこちらを説得してしまう「蓮實的」という感覚は、いったいどこからくるのか。おそらくここで「蓮實的」なる機能を発揮しているのは、「なるほど」、「いささか」、「啞然」といったいくつかの特徴的な語彙ではないかと思う。

もうひとつ例を見てみよう。エンマがどのように世界と接しているかを、シャルルとの比較を通して丁寧に精査する第Ⅹ章の次の一節でも、語彙は大きな効果を発揮する。

つまり、ここでのヒロインは、彼女自身のからだからたちのぼる匂いをいわば「報酬」として享受しているその夫のように、ごく身近なところにも世界の未知の表情が息づいており、それに触れることで思いきり知覚を震わせることなどまずないのだから、あえて鈍感とまではいわぬにせよ、少なくとも、「心情」《cœur》（*Bovary* 130）において、また「感覚」《sentiment》（同前）においても、いささか繊細さに欠ける存在として語られているのである。（六二一―六一三頁）

主語と述語との間に距離があるのでわかりにくいかもしれないが、「いささか繊細さに欠ける存在」とはエンマのことである。そのエンマを語るにあたって、「あえて」「いささか」といった副詞的表現が特徴的な使われ方をしている。

「いささか」とはむろん「すこし」という意味である。そのような通常の語法に変更が加えられている形跡はない。ただ、この語を日常会話の中で使う人は、現在、それほど多くはいないだろう。口語というよりは、どちらかというと文章語であり、もっと言うとやや「古色蒼然」とした語である。だから、その使用者には何となく〝年配者の風情〟、あるいは少なくとも〝年上の風情〟が漂う。もちろん、著者の実年齢はここではまったく関係ない。著者はすでに三〇年以上前からこうした語彙を使いこなしていたのであり、この『「ボヴァリー夫人」論』にしても本来は一九八一年に刊行されていてもおかしくはなかったものなのである。

ではこのように著者の実年齢とは無関係に〝年上の風情〟を漂わせることにはどのような意

味があるのだろう。そのことによって、文章にはどのような出来事が生ずるのか。たとえば何となく〝手強い渋面〟を思い浮かべるという人はいるかもしれない。そこまでいかなくとも、いかにも簡単にはうんと言ってくれそうにない、理屈っぽくて細かい人。官僚的でガードが堅く隙の無い人。だから論争相手としてはとても面倒くさい人。そんな一連の印象が浮かぶだろうか。こうした年上風の落ち着きが、その裏には、〝若さ〟や〝青さ〟に対する警戒心を隠し持っているのも間違いない。無防備に〝真心〟なるものをさらけ出し押しつけるような態度の、そのナルシシズムや暴力性を敏感に察知する感性がそこにはある。もちろん、そうした強面《こわもて》な仮面をかぶったうえで、「むふふ」と思わず漏れ出る笑いをこらえるような、茶目っ気あふれる紳士の影が垣間見えることにも注意しておく必要はあるだろう。

しかし、これだけではまだ十分な読みとはならない。今の引用箇所をあらためて振り返ってみると、そうした渋面効果とまったく無縁ではないにせよ、〝年上の風情〟の働きとしてより重要なものが別にあることも見えてくる。「……あえて鈍感とまではいわぬにせよ、少なくとも、『心情』《cœur》(*Bovary* 130)において、また『感覚』《sentiment》(同前)においても、いささか繊細さに欠ける存在として語られているのである」。ここで目につくのは「あえて」や「いささか」などの語を要所に配置しながら、まるでさじ加減を微妙に調節するようにして、「程度」についての細かい言葉の操作が繰り広げられているということである。とりわけ重要なのは、言葉の意味をいかに差し引いて言うかに著者が多大のエネルギーを費やしているということでもある。つまり、「鈍感」「心情」「感覚」「繊細さに欠ける」といったややパンチのある表現を登場させる一方で、決して手綱は放さずに、抑えて抑えて、と言わんばかりの調整が執拗なほどに行われているのである。

ここにあるのは、いわゆるアンダーステイトメント《understatement》の美学である。言葉の使用をめぐって、より多くより大げさに言うよりも、より少なくより小さく言うことで鋭く狙いを達せようとすること。これはたとえば英国では一八世紀以来根づいてきたポライトネスと呼ばれる洗練された言葉遣いの根底にあった〝思想〟なのであり、おそらくその源流はイタリアやフランスのより円熟した宮廷文化に見いだすことができる。

ただ、〝手強い渋面〟や潜み笑いの陰に、宮廷文化風の作法や取り澄ましを見るだけでもまだ十分ではない。というのも、このような「程度」をめぐる細かい操作をそもそも要請するのは、何らかの形でそこに人物的なものがからんでもいるからである。「あえて鈍感とまではいわぬにせよ」とか「いささか繊細さに欠ける存在」といった微調整の語りがことさら目につく形で行われるのは、何よりエンマという作中人物をめぐる議論がそこで行われていることを語り手が意識しているからなのである。

そこには著者のある姿勢が垣間見える。一方にエンマの住むフィクション世界に対する強い関心を抱きつつも、決して正面からそれを睨みつけたり、断定的な言葉を吐いたりすることは自分には許さない。むしろほとんどエンマ的なものに対する恥じらいとでも呼びたくなるような、遠慮深い距離がそこでは保持される。だから、著者はエンマに対しつねに斜（はす）に見るような視線を送るのである。顔や身体中心部ではなく手や足へフェティッシュな視線を送る姿勢もそこに根を持つと言えるだろうし、そもそもエンマ・ボヴァリーという固有名やその人物像を安易に議論の前提としたり、エンマに平気で感情移入を行ったりする論者たちの「テクスト的な現実」への鈍感さを著者が許容できないのも、人物的なものに対する配慮の欠如をそこに感知しているためなのである。

では、著者は人物的なものを語るに際してなぜかくも慎重な態度をとるのだろう。人物的なものをめぐる繊細さが『「ボヴァリー夫人」論』と題された書物の原点にあることは再三確認してきたが、そうした出発点がいったいどのような目的地へと我々読者を誘うかに、そろそろ考察を進めるべきだろう。そこで鍵となるのは、著者の批評的実践に抜きがたく見られる〝話者性〟ではないかと思う。

小説言語における「人」の問題は、本書のとくに第Ⅳ章でかなり集中的に検討されている。たとえば自由間接話法をめぐる考察では、文を思っているのはいったい誰なのか？ といった問題が提示される。その延長上で、場面描写の背後に想定される「人」は誰なのか？ これはいったい誰の心理なのか？ といった問題も取り上げられる。そうした議論のひとつの帰結は第Ⅰ章の、本書の中でもとりわけ喚起的な一連の議論に見ることができる。著者はここで、エンマがはじめて森の中でロドルフに身をまかせる場面をとりあげ、そこにエンマという一人の人物を措定することがほとんど無意味であるどころか、本当の意味で小説を読むためには障害にすらなりうることを示唆する。

実際、もはや名ざされることすらない匿名の個体と化した存在が、不意に距離なしに接しあう世界とひとつになってひそかに生の鼓動を脈打ち始める瞬間、言葉がみずからの脈動を介してその震えに同調するといった事態に立ちあうわれわれは、それが物語の数ある挿話のひとつでしかないことをあやうく失念しそうになる。読むものは、言葉のもらす吐息ともいうべきものに聞き入るのみであり、それこそ、「優れた散文の文章」の力によるものにほかならない。（中略）

確かに、人は、何よりもまず「作品」の言葉を読む。だが、そのとき、ある文章の中――たとえば、いま見たロドルフとの森への散策の挿話がそれにあたる――で「彼女」と呼ばれている人物が「エンマ」にほかならぬと同定することさえ意味を失う瞬間が「テクスト」に書きこまれているのを察知することが、「読む」ことにほかならぬと理解されねばならない。（八四―八五頁）

著者がここでいささかの興奮と力感とともに語っているのは、実はきわめてベーシックな問題である。すなわち「読むとはどういうことか？」という問題。そして、ここにおいて本書の狙いが露わになっていると見ることができる。忍耐強くアカデミックな議論に付き合い、ひとつひとつ先行研究を覆してはおのれの論点を構築的に示していく部分から、あるいはこの本がアカデミックな発見をひけらかし、手柄を見せつけることに執心していると錯覚する向きもあるかもしれないが、著者のほんとうの関心は、むしろ読むとはどういうことか、その基本的な所作を実演・実践してみせることにある。『「ボヴァリー夫人」論』はアカデミックな研究書であるよりも、まずは徹頭徹尾啓蒙的な書物なのである。しかもその話題の中心は〝読む〟というまったくもって初歩的な知的作業なのであり、にもかかわらずそれを昂奮や感動とともに語りうるところに、本書が真に感動的な所以もある。そこにあるのは時代が――一九八〇年代にも増して、この現代という時代が――〝読む〟という営みから限りなく遠くへと漂流し、そのやり方を忘却しつつあるという意識である。批評的不毛は、まさにこの〝読む〟ことの退廃に発したものである。そして、だからこそ、私たちの時代は『「ボヴァリー夫人」論』を十分に欲しえたのである。

しかし、人はいかに読むことについて語りうるか。考えてみれば、これまでも数々の批評家が読むことをめぐる宣言を行ってきたのである。エンマ・ボヴァリーの人物像を云々したり、そこに感情移入してみせる批評にしても、一種の読みの方法を提示したのは間違いない。しかし、『「ボヴァリー夫人」論』の著者が際立つのは、ついさっき我々が「いささか」をはじめとした副詞的表現をとっかかりにして明らかにしたように、徹底的に「人」という概念から距離を置くという点においてである。それとひきかえに著者が得たのは「散文」だった。

しかし、散文はそれだけでは機能しない。「確かに、人は、何よりもまず『作品』の言葉を読む」という先の引用箇所の一節に「人」という語があることにもあらわれているように、散文を機能させるのはやはり「人」なのである。しかし、ここで要請されているのは、勝手に登場人物に自分を投影するような厚かましい読者ではない。そうではなくて、むしろ「いささか」という語彙に具現された読者、すなわち慎重に相手の「程度」に耳を澄ましさじ加減をはかるような、つまり相手から身を遠ざけることでこそ相手を生かすような読者なのである。そういう「人」を得ることが、読むことを可能にする。

そんな「人」を得るために著者が試みたのが、徹底的にある種の「話者」になるということだったのではないかと私は考えている。本書でも「話者」の問題は第Ⅳ章で詳細に検討されているが、著者はそこで『ボヴァリー夫人』の「話者」の独特さについて、次のように述べている。

> だが、『ボヴァリー夫人』の「話者」は、自分の視線ではとらえがたい光景をあえて提示し、それが見えてはいないと口にすることで、「語る」ことの限界とともにみずからの位置どりの微妙さをもきわだたせるという高度な戦略を作品に導入している。そのように、自分には語りえないことがあり、描きえないものもあると語ることで、つまり、語ることも描くことも不可能な瞬間にあえて立ち会いながら、にもかかわらず、あえて「語り」、あえて「描く」機能を行使するという逆説的な主体こそ、ここで「話者」と名付けられたものにほかならない。（二七二頁）

『ボヴァリー夫人』のこの「高度な戦略」とは、まさに著者自身が距離の保持を通して『ボヴァリー夫人』という作品に対してとった批評的態度と重なるものである。決してすべてを語るのではない。限りなく慎重かつ正確でありながら、最後の最後で対象を読み誤ってみせること。あるいは見失ってみせること。そうしたプロセスを通してこそ、批評的な〝話者〟は生まれるのである。

そもそも言葉と人との関係に決定的な正確さなどというものがありえないことを、著者は口がすっぱくなるほど強調してきた。第Ⅳ章では著者は、エンマの口にする言葉が「彼女の思いとはいっさい無縁の、どこかで読んだり聞いたりしただけの『他人の言葉』の無意識の反復である可能性も大いにありうる」（二五七頁）ことに注意を促している。

フィクションにおいて、人はいつでもおのれの「意識」を言葉にしているわけではなく、書物で読んだりふと耳にした他人の言葉をまるで自分の言葉のようにくり返すこともあれば、その要約めいた空疎な命題をとうとうと述べたてることもある。（二五七頁）

そんな不可思議なフィクションなるものを読むとはいったいどういうことなのか。それが安易な〝正確さ〟への信仰によってはなしとげられないのは明白である。浅薄な人物主義とも無縁。そのかわりに『「ボヴァリー夫人」論』の著者は、批評者自身の限りない〝話者性〟を通して読むことの行為らしさを提示したのである。そこには失敗や偶然の発見もあれば、ときには狂喜乱舞や苛立ちも、あるいは執拗なこだわりもありうる。そんな読みという行為の実情を、ときに実況中継をまじえ、ときに実験室で顕微鏡を前にした白衣の科学者を演じてみせながら、しかし、最終的にはあくまで啓蒙的な配慮とともに我々に届けようというのがこの著者のやり方なのである。

そうした啓蒙性は、もちろん読者とのきちんとした約束の上に成り立つものである。著書のポライトネスへのこだわりは、そうした対人的な配慮とも密接につながっている。あるいは中には、蓮實先生のお言葉はややムツカシイです！　などと泣き言を言う読者もいるかもしれないが、そのような人はすでに読みという行為の根本的な困難に直面しているわけだから、これをもって著者の目的のひとつは達せられていると見ることができる。読むとは難しいことなのである。人類はそもそも読むことが苦手なのだ。

あるいは各章における著者の問題設定が簡単には見えないと洩らす人もいるだろう。「論」というものは基本的にはQ＆Aの形で、自分で提示した問題に対し、自分で答えを引っ張り出してくることで完結するのが習いだが、たとえば「言葉と数字」と題された第Ⅸ章。著者はまず『ボヴァリー夫人』の三部構成にそれとわかるような「原理」が見えないことを説明するのだが、その上で「三部構成の『三』には、はたして、読むべきいかなる意味もこめられてはいないのだろうか」（五四二頁）と問いかけてくる。読者はこの問いの強引さにやや戸惑わざるを得ないだろう。だって、そもそも「原理」がないとたった今強調したのは著者であるあなたじゃないですか？　と思う人も出てくるかもしれない。つまり、この問いは先行する議論から自然に滑らかに導き出されてきたものとは到底言えないのである。明らかに著者の隠し持ったボールが、ひそませてある。ごく簡単に言えば、ちょっとずるい。

しかし、通読すればわかるように、本書では通常のアカデミックな論考とはちがってQ&Aの「Q」の部分にそれほどの比重はおかれていない。別の言い方をすると、『「ボヴァリー夫人」論』を上手に読むためには、問題提起の問題提起らしさにこだわりすぎないことが肝心になる。その理由は、実はこの書物の重点が、何より読みを行為として示すことにあるということとも関係している。読むとは――そしてひいては語るとは――Q&Aというような一問一答式の論理の下に、秩序だって行われるものではありえない。むしろ「Q」の段階では思いもかけなかった「A」が立ち現れる、あるいはそもそも「Q」などないところから、いきなり唐突に「A」が出現するということこそが読みの現場では起きうるし、起きねばならない。第Ⅸ章の中でやがて明かされる「三」という数字の意義深さにしても、冒頭で立てられた「三部構成の『三』には、はたして、読むべきいかなる意味もこめられてはいないのだろうか」という問いに対する真っ直ぐな答えとは到底言えない。にもかかわらず、我々読者は「三」が「文字通りの不快きわまりない脅威をもたらす不穏な数字」（五九八頁）だと言葉巧みに論ずる、著者の弁述にすっかり説き伏せられ、思わず青ざめたりしながら、感動しさえする。読みが出来事として、事件として、体験として実演されている証左である。

読むことの退廃は、おそらく批評家が〝話者性〟を忘れたことと平行して起きている。一方にはQ&A的な思考に縛られた機械的な言説が横行しつつある。他方、読むよりも語ることに熱心な批評家がいる。読みを欠いた語りは、しばしばカラ威張りに終わる。言葉をめぐる鈍感さが横行しているのである。エンマの言葉が「彼女の思いとはいっさい無縁の、どこかで読んだり聞いたりしただけの『他人の言葉』の無意識の反復である可能性も大いにありうる」という、かつて八〇年代に著者が口がすっぱくなるほど力説したポイントが、今、あらためて力説されるべき時がきたのだろう。剽窃かどうかを安易に問題にするよりも、その奥に目をむけなければならない。その上で読む。なるほど『「ボヴァリー夫人」論』は切実に欲せられているのである。

作家と胃弱
——佐藤正午のある視点

「次はどんな仕事をされるのですか？」と訊かれることがある。次の仕事。何という清々しい言葉だろう。壮大なプロジェクト。大いなる野望。まるで悠々と広がる大海原に乗り出していく冒険家のような気分になる。

もちろん、一瞬のことだ。

次の仕事と言えば、「レポートを出し忘れました。どうか単位をください！」みたいな学生の嘆願メールへの冷たい返信だったり、「今後二ヵ月間の朝昼晩の都合を○×で知らせよ」という委員会の日程調整メールへの返事だったり（記入するのに一五分くらいかかる）、科研費の実績報告書にハンコを押し忘れているからすぐ出し直せ、という命令への対応だったりする（もちろん、悪いのは私だ）。

しかし、そんな私でも大海原を想起させるようなプロジェクトに巡りあうことがある。「次はどんなお仕事を……？」という問いに対し「押し忘れたハンコを押しに行きます」という野暮な答えのかわりに私が今、用意しているのは「胃弱プロジェクト」である。次の仕事？　はい、作家の胃弱について考えています。

これはデタラメではない。この数年、暇さえあれば、私は作家と胃弱について考えてきた。その延長上で、日本英文学会関東支部のシンポジウムでは「ゲロの謎」という発表もしたし、国文学系の学会では「漱石のお腹の具合」という発表もする予定だ。「むかつきの真相」という原稿も書きたい。今、私の目には世界が胃弱の色に染まって見える。

だから、以前、『朝日新聞』の土曜版連載「作家の口福」で佐藤正午の「海賊の酒盛り」（二〇一五年六月六日）という記事が載ったときには、嬉しさのあまり思わずジャンプしそうになった。タイトルの通り、この連載は作家たちが食とのかかわりを綴るもので、多くの作家は思い出の一品や、好物について語っている。

ところが佐藤は違った。彼は胃弱の人なのだ。小学校の給食以来、思い浮かぶのは嫌いな物、食べたくない物ばかり。給食が食べきれず、ずっと教室に残されたという拷問のような体験もある。今でも、とりたてて好きな食べ物などない。

ここまで読んで私は「しめた！」と思った。そうか、佐藤正午こそ私が求めていた作家だったのだ。

佐世保に住むこの胃弱作家のところにも、打ち合わせのために東京から編集者がやってくる。せっかくだから食事でも、となる。するとどの編集者も必ず生ビールをジョッキで注文する。

真夏ならわかる。ところが彼らは季節に関係なく冷たい生のジョッキなのだ。胃弱作家がお腹をカイロで暖めているような真冬でもおかまいなし。しかも、おかわりまでする。佐藤は啞然とするしかない。

どんな胃袋をしてるんだよ、と僕は思う。海賊か。九州に遠征した海賊の酒盛りか。僕は人質か？　でもそれは思うだけで言わない。言えば仕事に支障をきたすかもしれないので言わない。海賊のかしらのような飲みっぷりを、黙って見守っている。（「海賊の酒盛り」）

彼は思い出す。そう言えば小学生のときも、毎日の給食を楽しみにして何でももりもり食べる子供たちがいた。あっという間に食事を終わらせ校庭に飛び出して元気に遊ぶ連中だ。いつまでも給食と格闘していた自分とは別世界の子供たちだ。「ああいう子供が、こういう不死身の胃袋を持つ大人になるんだろうな」と佐藤はしみじみ思う。

まさに我が意を得たりだ。このクソ寒いのに、どうしてこの編集者さんたちは冷たい生ビールをジョッキでぐいぐい呑むのだろう？　と芋焼酎のお湯割りにしがみつきながらこっそり思っていたのは私だけではなかったのだ。海賊！　何という適切な比喩だろう。いっそここを空欄にして、試験問題に出したいくらいだ。選択肢は「1・海賊」「2・ヒグマ」「3・北京原人」「4・アンドレ・ザ・ジャイアント」。簡単すぎるかもしれないが、子供たちに胃弱的現実を知ってもらうための問題なので、これで十分だ。

その佐藤正午の『月の満ち欠け』（岩波書店）が刊行された。二〇数年ぶりの書き下ろしだという。冒頭から謎めいた雰囲気に満ちた小説である。地方から東京に出てきた男が、東京駅構内で母子と待ち合わせている。会話には明らかに緊張感。男は守勢にまわっている。母親に連れられた女の子が自分の記憶をたどる。男が強く否定する。あやしい。女の子は彼の隠し子なのか？　愛人の子供か？　そんなプロットがぼんやり浮かぶ。

この時点で読者の多くは、この小山内という男が主人公だと決めたくなるだろう。しかし、物語はそんな予測から全く外れた方向に進む。小山内にはかつて妻も子供もいたが、自動車事故で亡くなった。ただ、事故の前、娘の瑠璃には妙な事があった。原因不明の高熱を発してから、人が変わったようになってしまったのだ。何だか大人びてしまった、と母親が語る。知っているはずのない昔のことになぜか詳しくなってもいた。

物語は幼くして亡くなったはずのこの瑠璃の行方を追うようにして進んでいく。瑠璃はたしかに死んだ。しかし、どうやら完全に消えたわけではない。数十年をへて、瑠璃は今、小山内の前にふたたび現れたのである。それだけではない。かつて瑠璃の中にも、別の女性が生きていたのだ。『月の満ち欠け』は女たちの転生を描いた物語なのである。

贅沢な作品である。瑠璃という一人の幼い女の子の後を追っているだけなのに、さまざまな男や女と新しく出会ってしまう。単に瑠璃が、脇役としての人物たちとばったり遭遇していくのではない。瑠璃の出会う人物もまた奥深い独自の内面と希望と可能性とをひめた主人公としてゼロから立ち現れる。つまり、彼らと出会うのは瑠璃ではなく、私たち自身なのだ。私たちの感情移入を十分に受け入れる余地が彼らの人物像にはある。

小説のもっともおいしい部分の一つは、人物登場の場面だ。作家も力をそそぐ。一人の人間を登場させるために、どれだけの労力を作家はかけるものか。この作品では、それこそ惜しみなく出会いの瞬間の旨味が書きこまれている。主人公だったはずの女たちが次々に亡くなるという展開なのに、そこに喪失感よりも何かの満ちてくる充溢感が強く感じられるのもそのためではないか。

でも、それだけではない。何かこう、この作家だからこそ書けたものがある。胃弱作家である佐藤正午だから書けた何か。

佐藤には『小説の読み書き』（岩波新書）という実におもしろいエッセイ集がある。一つ一つのエッセイはごく短くて、せいぜい原稿用紙一〇枚くらい。それぞれが各一篇、近現代の古典的名作をとりあげている。川端康成『雪国』や志賀直哉『暗夜行路』からはじまって開高健『夏の闇』、吉行淳之介『技巧的生活』、最後は佐藤自身の『取り扱い注意』まで、全部で二五篇というラインナップである。

このエッセイ集の趣向としておもしろいのは、作品を読み解いていく過程が、作家の出会いとして、読みの体験として描かれていることである。作品の価値を抽象的に語ったり分析したりするよりも、佐藤自身が生活の中でどんなふうに作品とかかわりあったかに話の基点がある。単なる印象主義ではない。書き手の気分や趣味も話題になるが、提示される洞察には奥行きがあって、思わず「なるほど」と手を打ちたくなる。個人の事情から出発しながら、誰もが共有できる話につながる。何より、作品を読みたくなるのがいい。

ここに発揮されているのが、胃弱者の視点ではないかと私は思う。たとえば、『雪国』は何度読んでもわからないと佐藤は首をかしげる。どこがわからないのか。筋はごく単純で、登場人物も少ない。難解な文章でもない。でも、主人公の島村が「無為徒食で、酒を飲まず、小太りで、妻子持ち」という設定がどうしても解せないという。せめて島村が独身だったり、酒飲みだったり、会社員だったりして、一つでも異なる要素があれば違う。でも、この取り合わせでは一人の人物として焦点を結ばないという。

なるほど、と思う。いかにも胃弱者らしい見方ではないか。答えが出そうにない問いに拘泥し、いつまでも反芻しているこの消化不良な感じ。その消化不良的実感そのものを読み、かつ楽しんでしまうしぶとさ。さりげなく人物の飲食癖にも目が向いている。私がとりわけ好きなのは、森鷗外『雁』を扱った章だ。佐藤は『雁』の筋書きをすっかり忘れてしまったという。でも、そこにサバの味噌煮の話が出てくることだけは覚えている。なぜか。佐藤は年に一度か二度、サバの味噌煮を食べる。そのとき、いつも『雁』を思い出すという。う〜ん。はあ、そうですかあ、と言いたくなるかもしれないが、そこからがおもしろい。佐藤の反芻が始まり、思わぬ読みが展開するのである。まるで推理小説のようだが、単純に犯人を言い当てるという話ではない。反芻と逸脱が続く。飲みこんで消化してしまえ、というのではない。

『月の満ち欠け』でも、微妙に逸れながら新しいものに出会っていく感性が生きている。ミステリーがミステリーを呼び、問いも立てられるが、犯人が暴かれるわけではない。むしろ犯人が暴かれないまま謎が消化されずに次々に新しい生命が生まれてくるプロセスに私たちは魅せられてしまう。哀しい物語だが、どこかほっとする。少なくとも、海賊譚ではないようだ。

大丈夫だ、オレ

——佐伯一麦の呼吸

文章には甘いものも苦いものもある。硬いものや、にゅるにゅるしたもの、べとっとまとわりつくものもある。文章には人間の魅力やイヤらしさや生理や情念がくっついている。だから、きれい事ではすまないし、きれい事ですまそうとしている文章はちっともおもしろくない。

ただ、ときに思わず「美しい文章だ。いいね」と言いたくなることがある。不思議なすがすがしさを持った文章。それはいったいどんなときでしょう。「甘いね」でも「硬いね」でも「にゅるにゅるしてるね」でもなく、「美しいね」。そんなとき、ほんとうに美しいのは何なのか。「美しい日本語」は私たちの立ち会いなくしては出現しません。すばらしい太陽が照りつけたとき、すばらしいウナギを食べたとき、すばらしいタックルを目撃したとき。みんな同じです。出来事として遭遇し、受け入れる。そこには必ず「私」がいます。文章だけが勝手に美しいのではない。美しい文章は、まるでウナギのように私たちの中に入ってきて内臓をもみほぐし、「おお。今、このオレは美しい！」という変な気分にしてくれます。

大事なのは「大丈夫だ、オレ」という〝凪《みなぎ》り〟ではないでしょうか。〝オレの横溢〟です。そんな心地をもたらしてくれるのは、英語ならワーズワス。「不滅のオード」や「ティンターン寺院」や『序曲』など、その要所要所で、実に簡単な言葉を遣っているのに――ぎこちなくさえあるのに――すうっと呼吸が通り、透明な微風が身体の隅々に行き渡り、目がくらくらして自分が文章を読んでいるのか書いているのかさえ判然としなくなる。「オレは美しい」という、変な瞬間が到来するのです。

呼吸というものは、相手を自分の中に呼びこみ、自分を相手へと送り出す。だからこそ、どっちがどっちかわからなくなる。日本語でそんなことを可能にする書き手として思い浮かぶのは、佐伯一麦さんです。『空にみずうみ』なんて、買った机が大きすぎて部屋に入るか入らないか、たいへんだ、みたいなおそろしく地味な話題ばかりなのですが、いやいや、まるですばらしい太陽に照りつけられたかのよう。小説を読んでいることすら忘れそうになります。

具体的に見てみましょう。サンプルはごく地味な箇所で、この作品に無数にちりばめられた「風景との出会い」を描いています。視点人物は主人公早瀬の妻の柚子です。その柚子が少しずつ世界の中へと溶けこんでいくプロセスに注目してください。

幼稚園のサツマイモの畑の向こうには、桐の木が何本かあり、初夏になると、遠くに薄い紫色の花をいくつもつける。その先の、駐車場になっている広い空き地の脇は、雑木林になっていて、杉や小楢《こなら》などを葛が覆い尽くして、さながら〝葛の木〟だ。
その雑木の中に朴《ほお》の木があり、桐の花と前後して、白い大きな花をつける。合歓の花の甘い匂いに似ているが、もっと香りが高貴で力強く、遠くまでにおってくる。一度花を持って帰りたいと思うけれど、背の高い木で、遥か上に花があるので、叶わない。朴の花の、ほんの少し黄みを加えた、たっぷりとした気品がある白を、柚子はとても気に入っていた。

一つ一つの呼吸を愛おしそうに行っている意識がここにはあります。呼吸の継ぎ目は細かく、何かをじっくり積み上げている。ただ、いろいろな植物に目移りしているうちに、何だか視線はわずかに迷子になって、でも受け身なだけではない、「さながら」と見立てたり、匂いを嗅いだり、花を欲しがったりしながら、積極的に風景に参加してもいます。そんな流れの果てに最後の「たっぷりとした気品がある白を、柚子はとても気に入っていた」まで来ると、こんな単純な一節なのに、世界に身をまかせるような「うわぁーっ」という一体化の歓びがはじける。
実はこの作品の底流には「鬱」の記憶があります。主人公の早瀬にとって、鬱は世界との断絶でした。鬱になると「自分の心の中にしか、思いも目も耳も向かなかった。その状態から逃れられたときに、周りのけしきに目が向かうようになり、音が聞こえるようになってきた。その順番は逆だったかもしれない。ともかく、こうして自分を取り巻いているものが見え、聞こえているうちは大丈夫だ、と早瀬は思う。」

なるほど、と思います。地味なようですが、佐伯さんの風景描写にはかろうじて世界の色や匂いを自分のうちに取りこめるという、奇跡的な達成感がにじみ出しているのです。かろうじて息をつぎ、言葉をつみあげる中で、だんだんと相手なのか自分なのか世界なのか、妻なのか夫なのか、その境界がわからなくなる。いつの間にか私たち読者もそんな呼吸のやり取りに巻きこまれています。美しい「大丈夫だ、オレ」の瞬間です。

小川洋子の不安

いつも思う。何という読み心地の良さだろう、と。やわらかいマットに身体をあずけ、温《ぬく》もりに包まれていくような穏やかさとやさしさ。小川洋子の小説は、読者に対する親切さと善意に満ちている。まるでページ面がにこやかにこちらに微笑みかけ、「大丈夫、警戒しなくていいのよ」とうなずきかけてくるかのようだ。その言葉は読者への「愛」にあふれている。

しかし、そんな安逸や「愛」は、同時に私を不安にもさせる。なぜなら、小説とはそんなものではないこともわかっているから。

だって、小説は「愛の不可能」からはじまったジャンルでしょう。言葉に酔い、物語に騙されることを近代人は警戒するのじゃないですか。みんなで合唱して甘いメロディーに酔う瞬間は現代人にももちろんあるけれど、少なくとも小説を読むとき、私たちはそんな自分を遠ざけて、あえて人間の苦みや酸味や渋みを口いっぱいに含もうとする。散文精神とはそういうものじゃないんですか。

……そんな声が聞こえてくる。だから私は不安になる。もちろん、それは「愛」など裏切られるのでは？ という予感のせいではない。小川洋子が手ごわいのは、決して読者への愛を裏切らないところである。むしろ、しつこいほどにこの作家は愛に満ちている。にもかかわらず、私は不安にかられる。

なぜだろう。そこではいったい何が起きているのだろう。そんな問いへの答えを見つけ、小川作品の魅力をよりよく理解するためには、おそらく「小説のおもしろさとは何か？」という根本的な問いと面と向かう必要が出てくる。近代小説が看板としてかかげてきた味のようなものがあるとして、小川作品はそれとどのような関係を持ってきたのだろうか。

二〇〇四年に刊行された『ブラフマンの埋葬』（講談社）は中編ながら濃厚な小川臭を漂わせた作品で、作家中期の代表作の一つと見なすことができる。この作品が、そもそもどのようにして「作品」たり得ているかを考えていくと、小川ならではの「愛の構造」が見えてくるのではないかと思う。

ブラフマンとはサンスクリット語で「謎」の意。小説中でもっとも重要な役割を持つのは、「ブラフマン」と呼ばれる謎の動物である。それ以外にも、この物語には謎めいた雰囲気が漂っている。設定からしてかなり独特で、出版社社長の遺言に基づいて運営される〈創作者の家〉なる舞台にしても、語り手の「僕」や、「娘」としか呼ばれない女性、その娘と関係があるらしい「男」にしても、詳細がほとんど明かされず匿名のままで、存在がみな抽象的である。

多くの人はそこにカフカ的な夢幻のような不条理世界を想起するかもしれない。実際、奥泉光は作品の印象を「明け方に見る夢に似た」と評している（講談社文庫版所収の「解説」）。この作品が泉鏡花賞を受賞したのも示唆的だ。細部を欠落させたままスルスルと叙述が展開し、そのうちに私たち読者は、通常の小説で前提となる約束事が守られていない事態をそのまま受け入れざるを得なくなる。そんな手法は、他の小川作品でも少なからず見られるものだが、この作品ではとりわけ強く、この「よくわからないままどんどん進む」感が表現されている。

人物たちの最低限の背景、性格、関係性が知らされていないことは、読者からすると、登場人物に対するいわゆる感情移入にもとづいた読みが難しくなることを意味する。加えて「～をする」の部分もわからない。小説に限らず物語一般と接する際、私たちが無意識のうちにとらえようとするのは、「誰」と「する」を組み合わせた「～が……をする」という骨組みである。「主人公が病気のお母さんを救うため、海底の山芋を探す」というふうに、ストーリーの要約はたいていこの「～が……をする」という形で語り直すことができる。こうした主語＋動詞の枠組みはいわゆる「プロット」と同一視されることも多いが、ここではこの言語的なモデルをあえて使っておく。『ブラフマンの埋葬』のように「～が」と「……をする」の部分が不明瞭な作品を考えるにあたっては、このアプローチが助けとなるからだ。

さて、「～が……をする」のよく見えない小説とはどんなものだろう。読者にとっては、いささか居心地が悪いのはたしかだ。わかるようなわからないようなもどかしさ。読者として知っておきたい情報が十分には与えられず、隔靴掻痒《かっかそうよう》の感。『ブラフマンの埋葬』の冒頭部にはすでにそんな作品の方向性が存分に出ている。

　夏のはじめのある日、ブラフマンが僕の元にやってきた。朝日はまだ弱々しく、オリーブ林の向こうの空には沈みきらない月が残っているような時刻で、僕以外に目を覚ました者は誰もいなかった。

　ブラフマンは裏庭のゴミバケツの脇に潜み、脚を縮め、勝手口の扉に鼻先をこすりつけていた。助けを呼ぶ、というにはあまりにも控えめな合図だった。できるだけ騒ぎを大きくしたくなかったのか、鳴きもせず、ただその黒いボタンのような鼻をひくひくさせているだけだった。

「やってきた」のがどうやら動物らしいのはわかる。しかし、それがいきなり「ブラフマン」と呼ばれ、しかもそれ以上の情報がないとなると、いささか困る。多数派とは思えないサンスクリット語ぺらぺらの人は別として、急に出てきた「ブラフマン」なる語に反応できる人はそういない。

何と不親切な出だしだろう。小川洋子としたことが！

ところが、他方でこの冒頭部は親切さに満ち満ちてもいる。たとえばその視線の流れを追ってみる。「僕の元にやってきた」からはじまって、「朝日はまだ弱々しく……」「僕以外に目を覚ました者は……」といった大きな状況の説明。そこから「ブラフマンは裏庭のゴミバケツの脇に……」というふうにフォーカスは実になめらかに細部へと移動していく。読者はこうしてほとんどストレスを感じずに作品世界に入っていくことになる。あるいは、少なくとも入っていったかのような錯覚を覚える。

この導入のスムーズさと合わせ、今一つの親切さも目につく。この冒頭部で、ブラフマンと呼ばれる動物は「助けを呼ぶ」ようにも見えるという。もしくは、なついてきているようにも見える。いずれにしても、語り手はその弱々しさを十分に認知している。そして、それを痛ましいもの、愛おしいものとして見ている。「できるだけ騒ぎを大きくしたくなかったのか、鳴きもせず、ただその黒いボタンのような鼻をひくひくさせているだけだった」といった書き方にあらわれているように、ブラフマンの仕草をひとつひとつ丁寧にとらえ、その意図に感情移入し、かつそうした意図を受け入れようとする語り手の慈愛に満ちた姿勢がわかる。そんな語り手の姿は、自然と背後の作家の姿勢とも重なる。

読者の手をとってやさしく小説世界に導き込む叙述の流れにしても、ブラフマンを慈しむ身振りにしても、作品世界のムードを形成するのに大きな役割を果たしている。親切さややさしさが色濃くあらわれている。このあとも作中では、語り手「僕」のブラフマンに対する穏やかな愛情がたっぷり描かれる。

まず、ベッド脇の床にバスタオルを二枚重ねて敷き、彼を横たえた。しかしその姿勢はあまり気に入らなかったらしい。発育の途中だからなのか、元々そういうバランスなのか、胴回りに比べてあきらかに短い四本の脚を懸命に突っ張り、お尻をくねらせながら腹ばいになった。そしてこちらを見上げ、少しでも僕に近付こうとして脚をばたつかせたが、ただバスタオルがよれるばかりで、一センチも前進できなかった。

「無理しちゃ駄目だ」

僕は頭を撫でた。

「君は怪我をしているんだ」

何というやさしさ。「君は怪我をしているんだ」というセリフに如実にあらわれているように、「僕」とブラフマンとの関係では、後者が傷つき弱っているという状況が前提とされている。そこには、弱ったものをやさしく保護しようとする語り手の姿勢が織りこまれている。言うまでもなく、傷つき弱ったものを見守る視線は小川の初期、中期の作品から最近のものまで広く遍在する。そこにあるのは、まさに愛の語りである。

しかし、果たして愛だけで小説になるのだろうか。小説世界というものは、そして小説のおもしろさというものは、愛への信頼だけで成立するものなのか。このような問いを立ててみると、さらに大きな構図が見えてくる。いわゆる前近代的な「愛の語り」を支えていたのは、宗教の力だった。それがユダヤ・キリスト教的な絶対者への帰依《きえ》であるにせよ、また東洋的な自然信仰であるにせよ、より上位の力や権威や価値に身をゆだねることと、愛を信頼することは重なっている。つまり、愛の語りを支えているのは、多くの場合、畏怖の念なのである。

「ブラフマン」という、微妙に形而上的な気配を感じさせる動物を中心に展開するこの作品でも、そうした畏怖はたしかに読み取れる。何より、「埋葬」という行為に焦点があるところからして、現世を越えた世界に意識が向けられているのは間違いない。語り手の「僕」が担う「やさしさ」は、そうした超越的なものの存在を織りこんでいるからこそ可能になる。つまり、小川作品のやさしさや愛は、超越的なものに対する畏怖の念を土台にした上で、作品自体が——そして語り手や視点人物が——そうした超越者の「愛」を模倣し、演じるところから生まれるようにも見えるのである。

しかし、近代とはそうした絶対的な価値が力を失った時代ではなかったか。そして近代小説とは、絶対的な価値に対する懐疑を体現してきたジャンルではないのか。小川作品は小説というジャンルの「近代」とどう付き合おうとしているのだろう。

小川洋子の「近代」を考える上では、『ブラフマンの埋葬』の中程に挿入されたエピソードが参考になる。「僕」が「娘」に車の運転を教える箇所である。

「車の運転を教えてあげるよ」

と、僕は娘に言った。

「どうして?」

娘は尋ねた。

「だって、車が運転できれば、店の配達の手伝いだってできるし、何かと便利じゃないかと思うんだ」

「僕」は語り手であり視点人物なのだが、彼がなぜ「娘」に運転を教えることにしたのか、そのほんとうの理由もきっかけもわからない。ただ唐突に、彼は「車の運転を教えてあげるよ」と言い出す。

このような唐突さは、冒頭部の不可解さにも通じるものだ。心理的な動機付けを欠いていて、近代小説というジャンルのある種の慣習に慣れた人にとっては微妙な違和感を感じさせる。小説の「近代」は、超越者に対する畏怖を徐々に失うのと引き替えに、内面の神話を得た。心の奥の奥、底の底にあるものを引っ張り出すことで、絶対者の存在にまさるとも劣らない拠り所を得たのである。究極的には、一人称であるにせよ三人称であるにせよ、「僕/あたし/彼/彼女がほんとうに思っていること」に辿り着き、「なるほどそうだったか!」というカタルシスを呼び起こすことが近代小説の最大の約束事となってきた。

これに対し、『ブラフマンの埋葬』の「僕」は、「心の底で思っていること」などには、たいして関心がないようだ。しかし、「何も思っていない」とか「内面がない」ということではない。そうではなくて、いかにも近代小説的な内面への強いこだわりや、詮索や、疑り深い視線がないというだけである。内面はすでに当たり前のものとしてそこにある。当たり前すぎて、小説で焦点化され得ないほどに。

しかし、そのかわりに別のものがある。「やり方」である。『ブラフマンの埋葬』には「やり方」があふれているのだ。突如あらわれたブラフマンとの付き合い方、しつけ方、ブラフマンの行動パターン……。たとえば次のような描写には、方法に対するほとんどフェティッシュなほどの作家のこだわりが見て取れる。

哺乳瓶を入手するまでの間、ブラフマンにミルクを飲ませるためのさまざまな方法を編み出したが、ことごとく失敗した。例えば、マヨネーズの空き容器は、念入りに洗浄したにもかかわらず、匂いがミルクに移って彼のお気に召さなかった。顎をつかみ、口を開かせ、コップから喉の奥に注ぐ作戦は、ただ咳込ませるだけに終わった。

結局行き着いたのは、ミルクを含ませた脱脂綿を口元に持ってゆく方法だった。そうしてやるとブラフマンは母親の乳房を思い出すらしく、大人しく抱かれたまま、前脚を脱脂綿にあてがい、音を立ててミルクを吸い込んだ。唇から漏れるその音を聞いているだけで、彼がようやく安心したのが分かった。前脚の指は乳房の柔らかさを求めるように脱脂綿の中に埋もれてゆき、目蓋は次第に閉じていった。

こうした方法への拘泥は、出来事の展開や内面の露出にはあまり結びつかない。方法はあくまで方法そのものにおいて価値を持つ。内面からも切り離されている。と同時に、こうした方法の背後には、超越的なものの影が感じられなくもない。やり方に没入するその静かな執念は、邪念を超克するための宗教的な修行を想起させるし、そのやり方を詳細にわたってまるで誰かのために記述するような丁寧さと親切さは、超越者への畏怖に由来する「愛」の身振りを感じさせる。

タイトルにもあるように、『ブラフマンの埋葬』では途中から「埋葬」のテーマが前景化する。結末でこれが効いてくるのだが、言うまでもなく「埋葬」は死者への敬意や畏怖と深く結びつく。ところが、おもしろいのはその「埋葬」もまた、「やり方」の問題として受け止められていることである。

> （前略）木箱に死体を入れ、川に流したのだ。それを引き上げ、石棺におさめ、家族に代わって葬る、埋葬人という仕事が生まれた。村の埋葬人たちは、川の曲がりの内側に小屋を建て、昼夜交替で流れを見張った。専用の網を仕掛け、木箱が流れてくると、それを川岸に引っ張り上げた。
>
> 死体が入っている目印として、蓋をラベンダー色に塗るのが約束になっていた。そのため人々はそれを、ラベンダーの箱と呼んだ。実際、腐敗を防ぐため中にはラベンダーのドライフラワーが詰められていた。その他、墓碑に刻むべき死者の名前や年齢を記した書類、一緒に埋葬してもらいたい思い出の品々、そしてお金がおさめられていた。

ひたすら描かれるのは、ここでも「やり方」なのだ。どうやら、方法を練習し、実践し、達成するそのプロセスの全体が、小川作品のとても重要な部分を占めているらしい。その魅力も

「やり方」の描写と切り離すことはできないのだ。

しかし、そうした小川作品は決して前近代的な「愛」への回帰に安住しているわけではない。むしろ、小川作品の力は、そうした「愛の語り」の居場所を「近代」の中に模索するところから生まれる。

先の運転エピソードにきわめて印象深い一節がある。

「さあ、まず何からはじめたらいいの?」

助手席を振り向いて娘は言った。彼女はジャスミンの石鹼の匂いがした。

ギアをローに入れ、ブレーキペダルから足を離していよいよ車が走りだした時、彼女は歓声を上げた。

「ねえ、どうして動いてるの?」

「君が運転してるからさ」

「信じられない」

「ねえ、どうして動いてるの?」「君が運転してるからさ」のやり取りには素っ頓狂な微笑ましさがあるが、実はこの二人の間の「ずれ」は意外に意味深い。小川洋子のきわどい立ち位置がそこによくあらわれているから。

自分が車を運転しているにもかかわらず「ねえ、どうして動いてるの?」「信じられない」

と口走ってしまう「娘」は、「僕」が奉《ほう》ずるような方法への愛をいとも軽々と超えてしまっている。彼女にとっては方法などより、車が動いていること、そしてその動きに自分が感動していることのほうがはるかに重要なのである。

ここにはきらびやかな近代人がいる。方法よりも結果を求め、禁欲や受苦や悟りよりも、自らの欲望に正直に快楽を追い求める人。

「もっとスピードが出したい」

娘は言った。風の流れのせいか、声がすぐ耳元で聞こえた。

「これぐらいで十分だよ」

「こんなの走ってるうちに入らないわ。自転車並みじゃない。ねえ、ギアを上げればいいんでしょ?」

とにかく彼女はそのレバーを動かしたくて仕方ないのだった。

この「娘」に対し、「僕」がエロティックな関心を抱きつつあることは、彼女の肉体へ向ける彼の視線の「やり方」からわかる。「僕」は彼女の白いふくらはぎやサンダルからのぞくつま先、踵に目を引きつけられているが、そこからは近代小説的な欲望の心理がすけて見える。きらびやかな近代人である「娘」が、「僕」の中にもいかにも近代人らしい欲望の種を産み落としてしまったのだ。

案の定、というべきか、小説に終わりをもたらすのは「もっとスピードが出したい」とはしゃぐ娘が引き起こすブラフマンの死だった。

その時不意に、視界の隅から何かが飛び出してきた。僕たちは同時にはっと息を飲んだ。娘はブレーキを踏んだ。その白い踵で、きつくブレーキを踏み続けた。

車から飛び降りた僕の目に映ったのは、地面に横たわるブラフマンだった。僕を探してひとり、泉から駈けてきたのだろう。体は水で濡れていた。首は不自然に折れ曲がり、後ろ脚は痙攣していた。それでもブラフマンは、ようやく見つけた僕の腕にもたれ掛かろうとした。

僕とブラフマンとの間には、欲望や恋愛と異なる「愛」の論理があるのがわかる。死の瞬間がまさにそう。彼が「ブラフマン」とその名を呼ぶと、「初めて彼に触れた時のあの温かさが、損なわれることなく、真っすぐ胸の奥に届いてきた」というのだから。

しかし、続く一文は、何か今までと違うことが起きたとも感じさせる。

もう一度名前を呼ぼうとした時、彼は小さな悲鳴を上げた。

それが僕が耳にした、最初で最後の、たった一回きりの、ブラフマンの声だった。

これは、いったい何なのだろう。畏怖に裏づけられた「愛」とは何かがちがう。そこには個人と個人との間ではじめて生ずるひそやかな関係——畏怖よりも欲望につき動かされた「愛」——が示唆されているのではないか。

「僕」と「娘」と「ブラフマン」の奇妙な三角関係がここではじめて顕在化したと見ることもできる。きらびやかな近代人である「娘」のために、「僕」の中に欲望が生じ、その結果、「ブラフマン」は愛と畏怖の世界から引っ張り出されて、欲望関係の一端を担う存在に堕してしまった、そのことで近代へと回収されてしまった、と。これなら、きれいに話がまとまる。でも、きれいすぎてかえって疑わしくはないだろうか。

小説の末尾では、そうしたプロットに抵抗するかのように、ブラフマンの埋葬の手順が淡々と精緻に描かれる。情緒を排し、穏やかに、丁寧に、ただし静かな愛情とともに。

＊ブラフマンの埋葬

1遺体の処置

濡れた毛を乾かす。専用のバスタオルで拭い、ドライヤーで乾かす手順はいつもと同じだった。そして毛はいつもと同じようにふんわりと乾いた。生きている時と何ら変わりなかった。出血はなかった。口元にわずかに赤いものを認めたが、よく見ればそれは半開きになった口から覗く舌だった。

方法とプロセスへの執拗なこだわりが明らかにある。このこだわりは淡々と機械的なようで、その視線にはブラフマンへの慈愛が読み取れる。「生きている時と何ら変わりなかった。出血はなかった。口元にわずかに赤いものを認めたが、よく見ればそれは半開きになった口から覗く舌だった」。個人的な欲望や激しい感情とは違う。語りに露出する、このやさしさをいったいどうとらえたらいいのだろう。何と呼んだらいいのだろう。

そこで関係すると思えるのが、冒頭で私が感じた「不安」である。不安という言葉がやや強すぎるなら、「情緒のきざし」とか、「心のざわめき」と言ってもいい。小川洋子を読んでいてほんとうに「これだ」と思えるのは、私にとっては、愛の語りのなめらかさよりも、この揺れの部分なのである。

「エンジンが掛かる時の音って、どうしてこんなふうに苦しそうなの?」
「おんぼろの車だから、仕方ないよ」
「私が余計なボタンでも押したんじゃないかって、どきっとしちゃう」

エンジンの音へのこの反応の裏側に、「娘」の心の絶えざる揺れが感じられる。その切り取り方は実にあざやかだ。これまで引用した「僕」と「娘」の会話の随所に、そうしたぴりっとしたものが感じ取れる。このぴりっとしたものに思わず共振し、そのさざ波を受け取めずして、果たして小川洋子を読んだと言えるか。

あらためて小川作品の全体像を確認してみよう。一方には親切で慈愛に満ちた愛の語りがある。愛の語りは、甘やかな催眠術のようにこちらの心のガードを解いてしまう。しかし、その愛は何より、やり方を説明しプロセスを描きだすことに注力している。よく読むと執念や妄念めいたものさえ感じられるほどだ。

愛の語りから漏れ出すようにして「どきっとしちゃう」瞬間が生ずるのは、まさにこのこだわりのせいではないだろうか。愛はつねに過剰さと表裏一体である。小川洋子の愛も「やり方」というなめらかなフォルムの中に静かに潜伏しつつ、ときにぴりっと神経に障《さわ》る異物のような瞬間を生み出す。登場人物がにこやかに違和感を表明したりするのはそんなときだ。そこには小川流の愛のあり方がよくあらわれている。小川的「愛」は、憎悪や絶望や欲望などと対になるのではない。むしろ愛と対になるのは愛そのもの。つまり、愛に満ちた小川の小説をつくるのは、対立する物と物とのぶつかり合いよりも、同一の波の振幅なのだ。愛の波が束の間、過剰さへと振れるとき、ごく短い刹那、電気のようなものが走り、読者の心にぴりっとしたものが生み出される。

小川の小説は、一見、この波を穏やかに保とうとする作業のように思える。作家自身のコメントも、そうした見方を裏書きするかもしれない。「人は、生きていくうえで難しい現実をどうやって受け入れていくかということに直面した時にそれをありのままの形では到底受け入れがたいので、自分の心の形に合うように、その人なりに現実を物語化して記憶にしていくという作業を、必ずやっていると思うんです」(『生きるとは、自分の物語をつくること』新潮社)。しかし、波が波たりえるのは、波が立つからこそである。過剰さの到来とともに、小説は小説として形を持つ。衝突したり屹立したりするのではない。内部からほとばしる熱にうかされ、それ自体であることに抗う。

『ブラフマンの埋葬』も、ぴりっとした心の震えを馴致することで完結した。その様は、心の凝りや淀みをほぐすセラピーのように見えるかもしれない。しかし、凝りも淀みも、そのセラピーが生み出すものなのかもしれない。すべては同じ波の一部なのだ。

小川洋子の初期の代表作『妊娠カレンダー』（文藝春秋）は、姉の妊娠を見守る妹の視線から語られている。この妹の不機嫌なことときたら！　姉の夫を評する言葉からだけでも、彼女のイライラが十分にくみ取れる。

「君は大切な身体だから、無理して動かない方がいいよ」

義兄がキイウイの透明な果汁で濡れた唇をなめながら、姉に向かって言った。彼は、こんな分りきったありふれたせりふを、いかにも親切そうに喋る癖があるのだ。

小川洋子の作品の中でも、とくに情緒の震えが著しい小説である。妹は、姉の妊娠という愛と祝福にあふれたはずの事態を前にして、終始不機嫌。しかし、そんな彼女の目を通して、姉のいびつさもまた明らかになる。妊娠という事態が、はじめからそこにあったある何かを暴いてしまったのだ。

おもしろいのは小川的な愛の作法が、つわりのロジックと酷似していることでもある。

昼、二人でマカロニグラタンを食べていると、突然姉がスプーンを目の高さまで持ち上げ、じろじろ眺めはじめた。

「このスプーン、変なにおいがしない?」

わたしには、何の変哲もないスプーンに見えた。

「砂のにおいがするわ」

何という絶妙な一節だろう。こうした一節に出会うために、私たちは小川洋子を読むのではないだろうか。そして『ブラフマンの埋葬』とちょうど同じように——見かけとしては一見逆に見えるかもしれないが——スプーンに「変なにおい」を嗅ぎつけるようなとげとげしい刹那は、妊娠という「愛の事態」があればこそ、生まれたのだと言える。不機嫌と不快感がそこここにあふれている『妊娠カレンダー』も、情緒の震えの馴致を淡々と行っている『ブラフマンの埋葬』と同じく、大きな波をどう乗りこなすか、という小説として読みたくなる。

『薬指の標本』(新潮社)の指や靴からはじまって、小川洋子作品ではさまざまなシンボルが使われてきた。これらのシンボルはプロセスへの執拗な拘泥を引き起こす。プロセスを進めるための道具がそこにはある。しかし、他方で、シンボルはシンボルとして屹立することはない。『猫を抱いて象と泳ぐ』(文藝春秋)や『博士の愛した数式』(新潮社)、『ことり』(朝日新聞出版）など、近年、作家はプロセスへのこだわりをさらに深化させた。そうしたプロセスへの愛は穏やかで、親切で、マッサージのように心地のよい語りを生み出すが、そこここにのぞくぴりっとした瞬間を逃さないことでこそ、その愛の味を十分に味わえる。

先に引用した『生きるとは、自分の物語をつくること』は河合隼雄との一連の対談を収めており、時期的にはちょうど『ブラフマンの埋葬』の刊行につづく頃のものである。対談中、小川が「結局『人間はどうして死ぬのか』とか『死んだらどうなるんだろう』という恐怖が、物語を生み出しているということでしょうか」と問うのに対し、河合が「もう絶対にそうですね」と返す一幕もある。実に示唆的なやり取りではないだろうか。どんな些細な不安の陰にも「死」は隠れている。小川がつねに見すえているのは、「死」なのかもしれない。

対談の終わり近く、河合は「ブラフマンというのは、ユングが大好きな言葉ですよ」「今度はあの作品の話からしましょう」と『ブラフマンの埋葬』へ強い興味を示している。だが、残念ながらこの計画は実現しなかった。これが河合の最後の対談となったのである。

元純文学作家の職業意識
——島本理生の「こだわり」

応援して下さった皆様、本当にありがとうございました。
今回で純文学誌は卒業して、今後はエンターテイメント誌でがんばります。

島本理生がこの「卒業宣言」をツイートで発信したのは二〇一五年のことだった。奇しくも、その頃『群像』には、今回、『夜　は　お　し　ま　い』（講談社）にまとめられた短篇群「夜のまっただなか」「サテライトの女たち」「雪ト逃ゲル」「静寂」が連載されていた。
『夜　は　お　し　ま　い』はとても野心的な作品だ。各篇の位置はしっかりと計算され、人物の性格は幾何学的なほどの美しい対照性をつくる。しかし、ほんとうの野心性はその先だ。主人公となる女性たちは「人物」という枠を越えるような、これでもかというほどの迷路に入りこむ。それぞれが自分をもてあまし、制御不能となり、おかしな事態にも巻きこまれる。

これほどのことが可能になるのは、作者もまた、かなり過激な自由を自分に許し、また人物たちにも許しているからだろう。作品ごとにかわるスタイルだが、それぞれ書きぶりが柔らかい。着地点すら必要としないほどの自由。まさに純文学の面目躍如とも見える。

卒業宣言に先立ち、島本は『夏の裁断』(文藝春秋)で四度目の芥川賞候補に選ばれていた。「今後はエンターテイメント誌でがんばります」との意思表明は、選考会の結果発表を受けてのものである。

もともと『群像』で一七歳のときにデビューした島本は、純文学というジャンルとはずっと縁を保ちつづけ、つねに「芥川賞候補」と目される位置にいた。しかし、他方では純文学誌という狭い場に収まらない多彩なスタイルの作品を手がけ、たとえば臨床心理学への興味をふくらませ、法廷ものを書きたいという希望もあった。それが形になったのが『夏の裁断』である。その執筆背景を島本は以下のように説明する。

> ここ数年、法廷ものを書きたくて裁判の傍聴に行っていたんです。見ていて、洗脳系の事件がいちばん怖くて。直接暴力を振るったり監禁したりするのもひどいですけれど、言葉で人を操ることがいちばん怖いと思いました。それに、そういう男の人がいちばん病んでいるなと思うこともあって、イメージを作っていきました。
>
> (瀧井朝世によるインタビュー『文春オンライン』二〇一五年一〇月二四日・二五日)

「言葉で人を操る」男というのは、この作品に登場する「柴田」のことだ。こうした人物は、『生まれる森』（講談社）の「サイトウさん」のように形を変えて島本作品に登場している。

あらためて『夜　は　お　し　ま　い』が卒業作品となった事情が気になる。モチーフやイメージ、人物造形など、あきらかにこの作家には「こだわり」のポイントがある。それは純文学とエンターテインメントの垣根をもこえており、たとえば『夜　は　お　し　ま　い』と直木賞を受賞した『ファーストラヴ』（文藝春秋）にも重なるものがある。もしこのように自在にジャンルの間を行き来しつつ、自身の軸となるこだわりを維持し続けることができるのなら、なぜ純文学を「卒業」する必要があるのだろう。過激な「自由」だけの問題なのだろうか。

ここで『夜　は　お　し　ま　い』におさめられた作品のストーリーを確認しておこう。いずれも主人公は女性。彼女たちが一人称で語るという形式で話はすすむ。四人の性格造形は多岐にわたっていて、かつ、重要なのは、そうした性格の違いを反映して語り口がそれぞれかなり異なるものになっていることである。ただ、四人には共通するところもある。他者との依存的な関係だ。その依存性ゆえに、人間関係が非常に不安定になる。しかし、そんな「迷える子羊」に救いの手を差し伸べるかのように、四篇のいずれにも金井神父という人物が登場する。

たとえば冒頭の「夜のまったただなか」の主人公琴子。その名前からもすでに育ちの良さがうかがえる。おずおずとですます調で語るその調子には、太宰治の『斜陽』の主人公を思わせるデリケートさが見える。そして、これも『斜陽』の主人公と重なるかもしれないが、その過剰な構えの裏には、崩壊願望のようなものも潜んでいる。

琴子はふとしたことから学園祭のミスコンに出場するが、そこでプライドを粉々にされるような体験をした。そんな心の隙を狙いすましたかのように近づいてきたのがタレント事務所のマネージャーを名乗る北川だった。下手に出ていた北川が次第に本性をあらわし琴子の貞操を奪う、という展開はまさに予想通り。しかし、そのあたりから、琴子の「目」が冴える。

北川さんは明かりをつけたまま、シャツを脱ぎ捨てました。予想外に貧相な体でした。そのわりに水を詰めたような肉がところどころについています。

見た目だけはかっこいいと信じていた北川さんが、全裸になった途端、ぬめぬめとした粘液を出す妖怪にしか見えなくなりました。

「水を詰めたような肉がところどころについています」という描写の卓抜さは、残酷なほどのイノセンスをたたえた琴子ならではだろう。この一節だけでも、この人物設定を選択した意味を感じる。しかし、琴子はこのような「目」を持っているにもかかわらず、類型的な軽薄さをたたえた北川に騙されてしまう。いや、それだけではなく、騙されたいと願っているようにも見えるのである。

二篇目の「サテライトの女たち」の主人公は、奥手の琴子とは対照的な結衣。その容姿を武器に、何人ものパトロンを操る凄腕の女という設定だ。彼女が住むのは、「川端さん」が借りてくれているマンション。川端さんはお弁当チェーンのナンバー2だが、いかにも見栄えのしないお人よしの中年男。これまた「夜のまっただなか」の北川さんとは対照的である。

しかし、結衣が調子に乗って川端さんから金をむしりとろうとすると、思わぬ逆襲に遭う。変態的なSMプレイを強要されるのである。金を払って女子高生に観客を頼んだうえで、徹底的に川端さんにいじめられるのだ。はじめて男の裸を見るような女子たちは、結衣と川端の暴力的なプレイにとまどうが、川端さんは高慢な結衣を、徹底的に貶めることに至上の喜びを得る。二百万円払うんだから、これくらい、と思っている。そんな二人の女子高生の目に映る自分を、結衣はいやでも意識する。最後は、女子高生達が吐きだしたサンドイッチを、結衣が食べさせられる。

結衣はこの屈辱的な仕事をやりとげ二百万円を手にするが、すぐにホストクラブに行ってシャンパンを何本も頼み、なじみのホストに一気飲みを強要、病院送りにする。一夜のうちに百万円以上が使い果たされてしまうことになる。

結衣の不安定さの背後には過去の病がある。それは母親と自分の関係であり、また母親と「神」との関係だった。金井神父の助けを借りながら、結衣はそれを少しずつ言葉にしようとする。

この二作のストーリーから見えてくるのは、『夜　は　お　し　ま　い』で中心的に描かれるのがかならずしも人物ではないということである。たしかに琴子も結衣も明確な性格づけがあり、心理もそれなりに詳しく濃厚に描かれる。しかし、それは明確に動機づけられた、ロジカルに説明可能な心の動きではない。琴子も結衣も、自分たちの心の動きを語り手としてレポートしつつも、自らの衝動に戸惑い、しかし、それを説明する理屈も持たないし、制御するための支柱もない。

だからこそ、彼女たちは「誰か」を必要とする。琴子も結衣も、北川や川端なしではまるで人物として完結しないかのようだ。彼らは傷つけ、翻弄する。しかし、そこにあるのは一方的な加害被害関係ではない。むしろ、一方が他方を支配するという権力の構造が無限に連鎖し、ひいては自分もまたその一端に加担するかもしれない、そんなネットワークなのだ。

三篇目の「雪ト逃ゲル」は本書の中心となる作品だ。主人公は小説家。心の動きは繊細で、他者の情感にも敏感。「愛しくなるとなぜか手の指の股を開きたくなる」という彼女は、琴子の未熟な鈍感さや、結衣の投げやりな弱さとは違う、より至近的で、それだけに膠着的な男女関係へと足を踏み入れる。

夫と子どもがいる。交際相手は年上のK。それ以外にも複数の男と関係を持つ。誘われると断れないという。そんな小説家がKに抱く感情は、つねに愛情と嫌悪感の線上を行き来する複雑なものだ。「Kは不思議そうに笑った。崩れた表情は疲れた元文学青年そのもので、ぎゅっとこみ上げた嫌悪は、次の瞬間、ゆるい欲情へと姿をかえて下腹部にじんわりと広がった」。「Kがガウンを脱いだので、とっさに目をそらす。一瞬視界に入ってしまったKの腹が腰骨よりも薄くなっていたことに、胃の底がぞっとした。最近はその痩せた体を見ないようにしていた。責められているようで嫌だった。だから肩を、手首を、押さえつける力が強ければ強いほどほっとした」。

このように彼女の嫌悪感は、胃部不快感と似たものとして実感されることが多い。それがいつの間にか性的な衝動と重なっていく。いかにも小説家らしく、彼女はKとのかかわりを罪悪感や情感の言葉でこまかく微分的にとらえようとするものの、最終的にたどり着くのは生理的な現実なのである。それをあくまで言葉でとらえたことにする。言葉の網でからめとったというアリバイを欲するかのように。これは小説家としての性《さが》なのか。

Kがかぶさってきてからも、私は何度か抵抗した。Kは無理にでもしたほうがいいと理解したらしく、途中から私の腰を押さえつけて動かしていた。Kは分かっている。同意の上でのセックスでは私が罪悪感に耐えられない。

小説家は相手に対しても、自分に対しても「分かっている」という心理を保とうとする。そうでもしないと心のバランスが保てないのである。

やがてあきらかになるのは「雪ト逃ゲル」の語り手が微妙な心理の襞をとらえているようで、ほんとうに語られるべきことは語りきれていないということである。物語の時間軸は錯綜し、現在と過去とが不分明になっていく、そんな混乱の中から、主人公にとって十分に消化されていない過去が、まるで悲鳴をあげるかのようにむくむくと立ち上がってくるのである。

「雪ト逃ゲル」を読んであらためて感じるのは、語られていないことを言葉にするというストーリーの枠組みに島本理生が非常なこだわりを見せていることだ。それだけではない。よりおもしろいのは、神父やカウンセラーなど、人の話を聞くことを職業上の務めとしている人たちがそうしたプロセスを助けることでもある。第四作の「静寂」でもそれまで少しずつ登場していた精神科医の更紗が主人公として設定され、自身のセクシュアリティを語ったり、逆に金井神父の語られていない過去をあきらかにするのを助けたりする。

『夜　は　お　し　ま　い』はこのように職業小説としてまとまっていく。これは『ファーストラヴ』の設定とも重なるものだ。『ファーストラヴ』で中心となるのは、父親を殺したとの容疑で逮捕された女子大生をめぐる、カウンセラーと弁護士たちの活動だった。殺人事件の解明も、彼らにとっては仕事である。島本のエンターテインメントというジャンルへのこだわりは、このような職業意識と関係あるのだろうか。

その向こうに見えるのは、小説家という職業である。いまだ語られていない言葉を言葉にすることを務めとする職業。小説家の果たす役割はカウンセラーや神父の仕事とも重なる。エンターテインメントというジャンルでは、小説家が弁護士やカウンセラーや精神科医と同じように堂々と職務を果たすさまが、そのまま物語の骨子となることが許されるのかもしれない。しかし、純文学ではそれが抑圧される……。

かつて芥川龍之介と谷崎潤一郎との間で、文学にどこまでストーリー性を求めるかという問題が議論されたことがあった。それほどに、純文学とストーリー性とは微妙な問題をはらんできた。小説家は決して「お話をする」ものではないという意識は、一種の矜持として多くの純文学作家たちに共有されてもきた。

では、「純文学」という枠の中にいる小説家の「職」とはいったいどのようなものなのだろう。その職務とは何か。話をするのでなければ……しないこと？　話を聞くこと？　聞きつけること？　あるいは悩むこと？　演ずること？　それとも、ともかく、生きること？　少なくとも純文学作家の多くは、そう簡単には小説家という顔を見せないし、小説を書くとはどういうことなのかを、明瞭な答えとして差し出したりはしない。

これはなかなか苦しいことだ。しかし、その苦しさをごく自然に身にまとう作家もいる。何を書くか、書くとはどういうことかを規定せずに書き続けるのは、修行のようでもある。どこか運命のようなところもある。島本理生の「こだわり」は、そういうところとも関係していそうだ。

この作家がなぜ「卒業」を決断したのかは、これからも興味深い問題でありつづけるだろう。その決断が揺れないとも限らない。しかし、少なくとも彼女がこの時期を境に取り組んでいる作品の中で、話を聞き、語るという「職業」が、何の逡巡もなく堂々とフォーカスされるようになったことには注目したい。彼らは聞き手としても、語り手としてもプロフェッショナル。そこからスタートする話があってもいい。逆に、プロフェッショナルだからこそ語れない、聞けないという境地に至ることができたのなら、それはエンターテインメントなのか、それとも一周回って純文学なのか。『夜　は　お　し　ま　い』にはその問いに答えるためのヒントがこめられているように思う。

第6部

どうしても
うまく語れない
作家たち

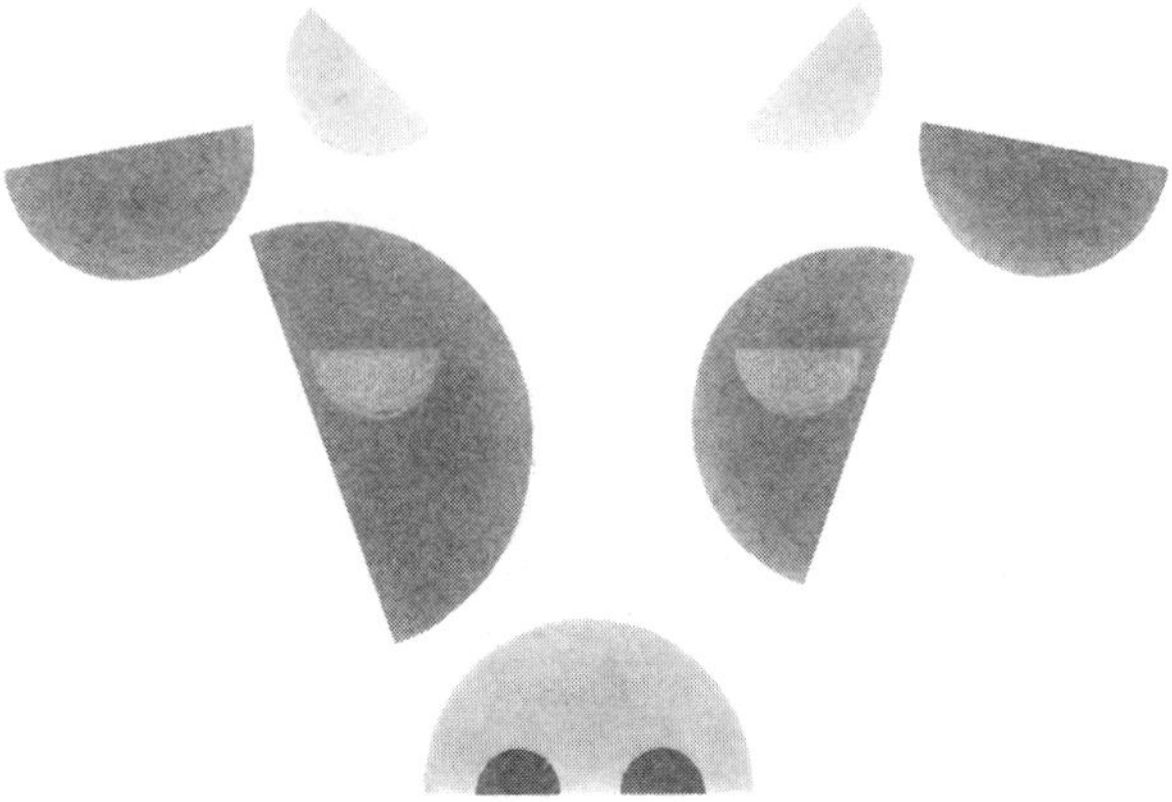

大江健三郎の作品についてはこれまでも何度か書いてきた。今回は「終わり方」に光をあてたが、おかげで日本語の「である」の不思議さを話題にできた。大江は、その論じにくさそのものが、作品読解の鍵となる。読みにくさや論じにくさが、読みどころ味わいどころ論じどころとなる典型的な作家である。
カズオ・イシグロもまた、私にとっては論じにくい作家だ。そしてイシグロもまた、なぜ論じにくいかを考えることでその持ち味を堪能できる作家である。
学生時代、毎晩のように長電話を仕掛けてきた友人は、若くして亡くなった。この文章を読み返すたび、その人がすぐそこにいるような気になる。

大江健三郎と英詩
——日本語の未開領域をめぐって

大江健三郎には通常の方法論や文学史的枠組みではなかなかうまくとらえられない独特な言葉との関わり方がある。不協和音めいた思いつきや連呼、突飛な比喩、唐突な遭遇、至近距離からの声など、一種のずらしととらえることもできるような癖というか技というかジェスチャーのようなものである。大江の作品について語ろうとするなら、どんなに壮大なテーマやグローバルな関心に話をひろげたとしても、いずれ、このレベルの話に戻ってこざるをえない。こうした言葉遣いの効果はなかなか不思議なものでもあり容易には説明し尽くせないので、仮にそれを「大江マジック」と呼んでもいい。大江を語ろうとする人はどこかの段階でこの「マジック」とどう向き合うかを考えることになる。

その考察にはいくつかのアプローチがありそうだが、本章ではとくに外国文化や外国語との付き合い方に焦点をあててみたい。もちろんこれは新しい着想ではない。外国語の学習がどのように大江の文体に影響を与えてきたかについては、本人の述懐もふくめたびたび指摘がされてきた。たとえば以下にあげるのは、井上ひさしが鼎談の席上、大江のさまざまな文体的特徴に触れた際の発言のひとつで、大江自身による、「まず僕の小説家としての基本方針をいえば、何とか新しい文章をつくろうと考えてきたわけです」という言葉を受けたものである。

例えば、『死者の奢り』の冒頭の部分、
〈死者たちは、濃褐色の液に浸って、腕を絡みあい、頭を押しつけあって、ぎっしり浮かび、また半ば沈みかかっている。〉
死体の描写から始まっているこの文章も、それまで読んだことがありません。細かいことをいうと、死体への指示代名詞に新しい使い方があった。火葬される死者と、死んでアルコール溶液漬けになって解剖を待っている死者の違いを、「あれら」と「これら」とで使い分けていた。僕の記憶では、こういう指示代名詞の使い方はそれまでないのです。「これら」「あれら」と見事に使い分けたものを初めて読みました。
（『大江健三郎・再発見』、五二頁）

指示代名詞のこのような過剰な使用には、英語など西洋語の影響が見て取れる。井上はここでとりあえず「新しい」という言い方をしているが、彼が指し示そうとしている大江的文体の特質が単なる相対的な「新しさ」にあるわけではないこともまた明らかだろう。それはひととき新しくともいずれ時とともに自然に受け入れられ消費されてしまうようなものではなく、その後も――今なお――大江的な独特さとしていささかの奇妙さや違和感とともに、読者に賞味されうるものである。では、大江の外国語とのつきあいのどのあたりに、こうした独特さを生む素因があるのだろう。大江はさまざまな場で彼なりの外国語読解の方法について述べている。たとえば河合隼雄、谷川俊太郎とともに行った「日本語と創造性」と題されたシンポジウムの席上、大江は次のように発言している。

外国語を読むことは、毎日読みます。それは私に非常に重要なことなんです。私は、最初にも申しましたが、田舎の人間なのですが、村の中学校の三年生くらいから英語の本を読んでいました。それは松山市のお城のふもとにあった占領軍の図書館から本を借りてきて読んだのです。

そのころから私が興味を抱いていたのは、日本語を自分が書いたり読んだりして生きていく、日本語を生きていくのだけれども、その日本語が、ほかの言葉では同じことをどのように表現するのかということでした。それがほんとうにおもしろかった。ですから、いつも外国語のテキストを横において日本語を読む。外国語の本を読むときも、私は丹念に辞書を引く人間ですが、辞書を引いて、書き込んで、これが日本語ならどうなるだろうかということを、つねに考えながら読むというのが私の読み方なのです。

(『日本語と日本人の心』、一一六―一一七頁)

『「雨の木《レイン・ツリー》」を聴く女たち』あたりから、大江の作品に外国語の作品（主に英語）を読む主人公が頻出するようになるが、大江にとってそもそも外国語と日常的に接するのは、中学生以来の習慣だったという。しかし、そこでおもしろいのは大江が決して外国語慣れしてしまわずに、「これが日本語ならどうなるだろうか」という、一見回り道するような問いに執拗に立ち戻ってくるということである。

それは、外国語を勉強する人にとってはあまりいい方法ではなくて、私の同級生の秀才は、みんなフランス語だけでものを読んで、考えていくという人たちですよ。そして、結局はなにも考えていないという人もあるんです（笑）。

私は自分と外国語と日本語との三角形のなかにずっと生きてきたと思います。それが現在の自分の文学をつくっているとも思うのです。（二一七頁）

ある程度集中的に外国語を通しての勉強なり仕事なりをした人なら、ここで大江がいささかの揶揄をこめて指摘するように、「フランス語だけでものを読んで、考えていく」ような方法の方が案外やさしいことをよく知っているだろう。大江が自嘲気味に言うような「三角形」を維持する方がはるかに難しい。それは外国語に片足を踏み入れつつ、もう片方の足を日本語に残しておくということである。外国語を学んでしまわないこと。日本語に戻りきってしまわないこと。言葉のスイッチをやすやすとは切り替えずに、中間領域にとどまりつづけること。そういう中で、たとえば指示代名詞の独特な用法も、単に「新しい」というにとどまらない、言語の未開領域のようなものに私たちを導きつづける。

以下考えてみたいのは、大江がそのような中間領域を開拓するにあたって英詩の役割がどのようなものだったかということである。周知のように大江の外国語との付き合いの中でもとくに目につくのは、英語圏の詩人たちとの出会いである。W・H・オーデン、ウィリアム・ブレイク、エドガー・アラン・ポオ、W・B・イエイツ、T・S・エリオットなど、いずれも英、米、アイルランドのそれぞれの潮流を代表する詩人が作品に頻繁に登場する。オーデンとイエイツはその政治とのかかわりにおいて、ブレイクやポオは幻視や幻想性において、そしてエリオットの場合は——とくに後期の作品は——宗教がらみで話題になることが多い詩人であり、大江自身もかなりの時間を割いてそうした側面を研究したようである。

ただ、そうした研究が創作の上での血となり肉となったというだけでは、単なる研究者と変わるところはない。大江の個性は、英詩とのそうした接触の中で執拗にあの「三角形」に立ち戻ったことにある。つまり、英詩を下手に消化してしまわない。あくまで片足はこちら側に残している。それはいったいどんな付き合い方だろう。

考えてみると日本語の使い手にとって、英詩の受容は容易なものではない。そもそも英語と日本語では詩の規則が大きく異なっているからである。言うまでもなく日本語詩の定型は、音節の数に依存している。五七五や八六など、音節の数をコントロールすることによって言葉に「形」が与えられる。そのような「形」がやがて束縛として、さらには呪縛として感じられるようになったことから口語自由詩の長い格闘がはじまるわけだが、日本語に内在的なリズムが音節の数の配置とかかわっているという事実にはかわりはない。「古池や……」とはじまるだけで、私たちは無意識のうちに型を感じてしまうのである。

このような日本語の傾向はおそらく散文のリズムの作り方にも影響を与えている。小林秀雄が文章の校正に際し語尾だけを修正したというのは有名な話だが、このことは韻文だけでなく散文でも、「長さ」（音節の数）がリズムの生成に大きな役割を果たしていることと無関係ではないだろう。語尾に神経を使うということは、述語が文末にくる日本語構文の特性ともあいまって、文の切り方や終わりどころで彩《いろどり》を生みだそうとする意識を反映している。文をどこで終わらせるか、どのように終わらせるかに、日本語の書き手は細心の注意を払ってきたのである。

後ほどそのあたりを大江の文章を例にして考えてみたいが、ここでひとまず英詩について確認しておく。英詩でも音節の数が問題にならないわけではないが、より強く耳に訴えるのは強勢《アクセント》の位置である。たとえば『美しいアナベル・リイ』で大江が下敷きにしているポオの「アナベル・リー」という作品の一節では、太字で示すような場所に強勢が置かれる。

For the **moon** never **beams** without **bringing** me **dreams**

Of the **beau**tiful **Ann**abel **Lee**;
And the **stars** never **rise** but I **see** the bright **eyes**
Of the **beau**tiful **Ann**abel **Lee**;

かなり規則的に弱勢と強勢が入れ替わり、弱と強のセットが小さなユニット＝脚を構成しているのがわかる。この脚を斜線で示すと次のようになる。For the **moon**/ never **beams**/ without **bring**/ing me **dreams**/ Of the **beau**/tiful **Ann**/abel **Lee**; それぞれ〈弱・弱・強〉というパターンが、一貫して繰り返されている。

英詩の場合、このように弱勢と強勢とをどのように組み合わせるかがリズムの基礎をつくる。今の例ではそのパターンが〈弱・弱・強〉だったが、英語でより一般的なのは〈弱・強〉という組み合わせである。典型的な例として、『新しい人よ眼ざめよ』で言及される"The Little Boy Lost" というウィリアム・ブレイクの作品の一節を見てみよう。「アナベル・リー」と同じように、強勢の位置と脚の構成を示してみる。

The **night**/ was **dark**,/ no **fa**ther/ was **there**,
The **child**/ was **wet**/ with **dew**.
The **mire**/ was **deep**,/ & the **child**/ did **weep**,
And a**way**/ the **va**/pour **flew**.

ユニットごとに〈弱・強〉という組み合わせが繰り返されているのがわかる。このようにリズムをパターン化した上で、行ごとの音節の数をほぼ規則的にそろえ、行の終わりでいわゆる脚韻を踏むというのが英語定型詩のだいたいの枠組みである。

脚韻があるということは、やはり「切れ目」や「終わり」に神経が使われているわけだが、日本語との違いは、ユニットの長さそのものがほぼ一定だということである。日本語のように、五七五というような長さのヴァリエーションが心地良さを生み出すということは英語ではあまりなく、むしろ同じ長さの呼吸が繰り返されることで「形」の美がつくられる。日本語ではどこに休止と、それに伴う余韻がくるかで文章の色合いが決まってくるのに対し、英語は休止の位置にはそれほどドラマ性がなく、むしろ連なり積み重なることに重点があって、連続感が文章の風情をつくるのである。もちろん英語でも休止や断絶（caesura などと呼ばれる）を効果的に使う手法は韻文でも散文でも見られないわけではないが、どちらかというと副次的なもので、近現代の英語に内在するのはつながり広がり展開しようとする衝動だと考えられる。もちろん大江がとくに読み込んだ詩人たちについてもこのような傾向は見られるのである。

では、このような英詩の特質は大江作品にどのような影響を与えているだろう。『新しい人よ眼ざめよ』には以下のような一節がある。イーヨーと呼ばれる、障害を持った息子の強い感情の揺れを描いた場面で、主人公が成長した息子に何か大きな抵抗のようなものを感じるあたりが印象的に描かれている。

しかし息子は、僕の言葉に反応することはせず、ソファにあらためて躰を沈めると、両手でしっかり顔をおさえこみ全身をこわばらせるのである。僕は引っこみがつかぬまま、微笑こそ失いはしたけれども、どうしたんだい、イーヨー、あの人が死んでしまっても、そんなに驚くことないじゃないか？　とつづけていいながら立って行った。脇にしゃがみこんで息子の肩を揺さぶってみもしたのだが、息子はさらに躰をかたくするのみである。理由もなく、僕は息子の顔から両手を引き剥がそうとした。ところが息子の手は固定された鉄の蓋の堅固さで顔を覆っているのである。……考えてみれば、この時分から親としても容易にあつかいかねる、息子の肉体の抵抗力の増大が、露わになってきていたのだが、僕はそこだけ知的な繊細さをあらわして、躰の他の部分にそぐわぬ感じの、息子の十本の指を見つめながら、そのましゃがみこんでいるほかなかった。

（『大江健三郎小説　7』、二二四―二二五頁）

譲歩や挿入的な修飾が多用され、なかなか文の行く先が見えない。このあたりも大江が翻訳体を用いたと言われる所以だろう。このような部分にはたしかに、節を構築的に重ねる西洋語の構文を移入しようとする意図が見えるかもしれない。そのために通常の意味での日本語的読みやすさからは遠い文体ともなっている。とくに引用部の最後の文など、読点ごとに意味の方向が変わるようで、たいへん落ち着きが悪い。

　従来の日本語散文との決別の痕跡をこのあたりの文章に読み込むことも十分に可能だろう。志賀直哉のそれを筆頭に、日本語の文章では短い文を組み合わせながら緊張感を保ち、品の良い簡潔さをあらわすことがひとつの理想とされてきた。その背後にあるのは、文の長さのヴァリエーションを通して休止にさまざまな色合いを与えようとする、日本語的リズムへの意識である。このリズムに敏感でいるためには、一文はあまり長くならないほうがいい。ひとつひとつの文の長さの記憶こそがリズムを生起させるからである。そのため、書き手は文章の中で頻繁に小さな「終わり」を演ずることが必要になってくる。

　大江はそのような伝統的な文章作法に抵抗した。大江の文章はあえて挿入を重ね、紆余曲折をつらねることで、意味の通りの悪い吃音的な読みにくさを生み出してきた。しかし、このような「長さ」による抗いは決して読みにくさそのものを至上命題にした試みではない。あらためて注目したいのは、大江の文章が驚くほどつながってもいるということである。少し先の部分を見てみよう。

　これまで僕は、息子の外と内においておこっていることどもにつき、なにもかも知っているつもりでやってきた。ところが息子が発作を起し、白眼を剝いて床をバタバタ叩いていた間、かれの内面にひろがっていたはずの光景について——息子は実際、大仕事をした、というように疲れ切っていびきをかいて眠ったのであり、その大仕事には、なにか重大な幻《ヴィジョン》を見るということがふくまれていたのではないかとも感じられたのだ——僕はなにひとつ聞き出すことができない。僕は息子が、かつて見たウグイどもの巣のような、一瞬そこに永遠が顕現する光景を見たのかもしれぬと夢想したりもするのだが……　そしていまはまた、息子が死についてどのような考えを持つゆえに、あのようにも胸につき刺さるほどの哀傷の声をあげたのか、おしはかる手がかりもつかめぬのである。いったい息子は、どのようにして、死についての感情を自分の内部にかもしたのだったか？（二二五頁）

息子の心の中ではいったい何が起きていたのか。なぜイーヨーは死をめぐってかくも狼狽しているのか。その答えはやがて作品中で出されるのだが、興味深いのはこのような描写を行うに際しての、語り手のこだわりの「形」である。「——」や「……」といった記号を使う書き手はある時期から増えてきたかもしれないが、大江の独特さはそれが文の「終わり」の処理を際だたせるということである。言いよどみを示す「……」はもちろんのこと、ふつうなら単に挿入を示す「——」にしても、大江の場合には「……」と似たような、節と節の間をにじませるような働きを果たしている。本来なら言葉を区分けし整理するための記号が、むしろユニット間の境界を曖昧化してしまうのである。同じことは文章の全体にわたっても起きている。文と文とを区切るはずの語尾の語尾らしさが抹消され、全体が切れ目なくつながっていく。こうして節や文は論理的なステップとともに語りを構成するかわりに、境目の不明瞭な連続体として、語り手の感情や意志のうねりをそのまま体現することになる。そこに生ずるのは、何もかもが関係し合っている世界である。無関係なものなどない。語り手の言葉のいちいちも先行する文章の記憶を背負っている。いちいちの文が過去の文とつながっているのである。結果として、柔らかさと強さとをともに備えた粘り気とともに語り手の心が「それ以前」と結びついていることが表現される。

とりわけ印象深いのは、傍線を引いた「そしていまはまた、息子が死についてどのような考えを持つゆえに、あのようにも胸につき刺さるほどの哀傷の声をあげたのか、おしはかる手がかりもつかめぬのである」というような文の末尾である。この「のである」の表向きの働きは断定と強調だろう。その「強さ」は単なる主張への意志だけでなく、嘆きをも含んでいるかもしれない。だが、それだけではない。しばしば「終わること」にこだわる日本語的嘆きは、余韻を響かせようとするような、どちらかというとはかなさの強調や諦めの表明に軸足を置きがちである。上林暁のいわゆる「病妻もの」から例を見てみよう。

私は今、妹に二人の子供の世話をさせながら、淋しい生活を送っている。妻はいないのである。半年ばかり前から、私の妻は或る病院に入院しているのである。どんな病院であるか、また書くことがあると思うから、今はあまり言いたくない。

(「花の精」『星を撒いた街　上林暁傑作小説集』、一九頁)

この「のである」が典型的に示すように、力をこめて言っているわりには語り手は全部を言おうとしない。そこから読み取れるのは、「のである」という強い語尾だからこその余韻を響かせようとする語り手の姿勢である。こうした「のである」に読めるのは、主に行為の放棄や諦め、そして読者に対する訴えかけだろう。

上林の「のである」とならべてみると、苦しみを抱えた家族への思いを語っているのは同じでも、大江の「のである」の嘆きには「終わること」への抵抗が読めるように思える。語り手はむしろ終わるまいとしている。まるで後から後から過去の想念がつらなってくる、その連続感のただ中にあるかのようなのだ。その直前の「一瞬そこに永遠が顕現する光景を見たのかもしれぬと夢想したりもするのだが……」や、その直後の「いったい息子は、どのようにして、死についての感情を自分の内部にかもしたのだったか？」といったくだりが、「のである」の文とほとんど不可分なほどに重なり合っている。たしかに文として形の上では切れていても、語り手の議論も感情もそのような切れ目は易々と乗り越えている。そのため、それぞれの文が前や後ろの文と区別しがたく連鎖し、個々のユニットを超越したひと連なりの連続体をなす。こうした状況が示すのは、大江の嘆きがはかなくもなく、諦めてもいないということだろう。それはむしろ執拗であり、どん欲でさえある。終わりの連鎖を聞き慣れた耳にはかなり圧倒的な、筋肉質と言ってもいい持続力を持っているのである。

『新しい人よ眼ざめよ』の着想にあたっては、「預言詩」と呼ばれるウィリアム・ブレイクの作品が重要な役割を果たした。とりわけ鍵になったのは、以下の一節である。

That Man should Labour & sorrow, & learn & forget, & return
To the dark valley whence he came, to begin his labours anew.

人間は労役しなければならず、悲しまねばならず、そして習わねばならず、忘れねばならず、そして帰ってゆかねばならぬ
そこからやってきた暗い谷へと、労役をまた新しく始めるために（『読む人間』、一〇一頁）

大江のこの一節との出会いが思い出深いものであったことは、図書館でのエピソードが作中やエッセイで繰り返し語られてきたことからもわかる。東京大学に入った大江は、駒場の図書館で夕暮れまで本を読むのを習慣としていた。ある日、隣に座っていた、院生か若い教員かという感じの人の読んでいる大きい洋書が目にとまる。「それが大学図書館の本だったらば、その人物が返すのを待ち受けて借りることができるけれど、その人個人の本らしい。大切に保護されている本で、ダストカヴァーの上からハトロン紙でくるんでいる。そして開いた一ページにこの人はずっと集中している。」「覗いてみると、大きい本のページが真っ黒に見えるくらい、長い長い詩らしい。数百行の規模、詩のわきに行数が書いてある。わあ、それだけ長い詩かとね、気になった。そしてその人がトイレに立った際に、開かれたままのページを見ますとね、強く心を惹きつけられる詩の二行が、そこにあったんです。」（一〇〇頁）

上記の一節がその二行だった。That Man should Labour & sorrow, & learn & forget, & return という行の、&を媒介に続いていく連鎖は、まさに英詩で頻繁に見られる技法であり、とりわけブレイクをはじめとするロマン派の詩人はこういった言葉遣いを好んでした。大江による「労役しなければならず、悲しまねばならず、そして習わねばならず、忘れねばならず……」という日本語の訳が、必ずしも日本語の詩としてはおさまりがよくないだけに（誰が訳してもそうなるだろう）、あらためて大江の言う「三角形」が意識される。こうした連鎖の方法は日本語にとってはどこか異物感が残るが、それだけにそうした異物感を通して、ふだんは〝美しい日本語〟の影に隠れているような、日本語の裏の領域に声が与えられるのである。大江はこの一節の「苦しみ」に打たれ、自分の運命をそこに読んだと述懐しているが、たしかに大江がこの一節から喚起されて書き起こした『新しい人よ眼ざめよ』には独特な「苦しみ」の連鎖が、不思議な力強い抵抗感とともに描き出されている。思い出すことが悲しみをもたらす一方で、力強さにもつながっている。息子が「死」を口にする〝危機の瞬間〟を描いた場面にしても、それが切れ目の無い言葉で語られるのは、記憶や悔いを生きることで語り手が力を得ているからなのである。

――イーヨー、だめでしょう、そういうことをしては！　と妻がいう。私たちが死んでしまった後は、妹と弟の世話にならなければならないのよ。いまみたいなことをしていたら、みんなから嫌われてしまうわ。そうなったらどうするの？　私たちが死んでしまった後、どうやって暮すの？

僕は、ある悔いの思いにおいて納得した。そうだ、このようにしてわれわれは、息子に死の課題を提出しつづけていたのだ、それも幾度となく繰りかえして、と……　ところがこの日、息子はわれわれの定まり文句に対して、まったく新しい応答を示したのだった。

——大丈夫ですよ！　僕は死ぬから！　僕はすぐに死にますから、大丈夫ですよ！

一瞬、息をのむような間があって——というのは、僕がこの思いがけない、しかし確信にみちた、沈みこんだ声音の言明に茫然としたのと同じだけ、妻もたじろいでいたのを示しているが——それまでのなじる響きとはことなった、むしろなだめるような調子で妻がこうつづけていた。

——そんなことないよ、イーヨー。イーヨーは死なないよ。どうしたの？　どうしてすぐに死ぬと思うの？　誰かがそういったの？

——僕はすぐ死にますよ！　発作がおこりましたからね！　大丈夫ですよ。僕は死にますから！（『大江健三郎小説　7』、二二五—二二六頁）

この「一瞬」の危機に胸を突かれた語り手の衝撃は大きいが、彼は驚きや悲しみのために口ごもったりはしない。むしろ衝撃は彼に語る力を与える。記憶を契機に、過去をたぐりよせるようにして語りを展開するのが『新しい人よ眼ざめよ』の流儀なのである。

妻ならびに僕は、実際自分自身を恥じてしょげこみ、これまで幾たびとなく繰りかえした言葉、われわれが死んだ後、イーヨー、きみはどうなるか、あなたはどうするの、という言葉のことを思ったのである。僕としてはとくに、そのように重大な言葉が息子の心の深部にどう響いているか、よく考えもしなかった以上、死について――かれにとっての死についてはもとより、自分にとっての死についてすらも、よく定義しえてはいないということだと自覚しつつ……（二二六―二二七頁）

「……」は嘆息や余韻を生むための便利な記号などではない。そこには作家の抗いがこめられている。きれいな日本語表現には決しておさまるまいとする、剛性《ごうせい》の高い記憶の力がみなぎっている。

繰り返すことからくる連続性でこそリズムを生む英詩。そこから大江が受けとったのは、そうした連続性によって駆動される記憶のメカニズムだったのではないだろうか。忘れるために落ち着くために語る伝統的な私小説の名文とは違い、むしろ忘れないために、落ち着かないために、しつこくたくましく継承するために語る。そこでは連続することのいびつさこそが力となる。その連続感はバランスを失するほどで、ときには異様にさえ聞こえるかもしれないが、そういう領域に踏みこむことでこそ大江は言葉で記憶するためのひとつの方法を日本語に提起したのではないか。

欧米の詩のモードに哀歌（elegy）というものがある。死者を弔うためのモードである。どの詩人も必ずといっていいほど、哀歌を書いている。近代抒情詩の神髄にあるといってもいいモードである。死を嘆き、死者の偉業をたたえ、なぐさめを得るというのがこの様式の典型的な流れだが、そこでもっとも重要なのはいかに「忘れまい」というジェスチャーを言葉が示しているかである。

日本語の定型詩は基本的に短い。そのため、忘れまいとする意志を言葉の連鎖を通して演ずるということがあまりされてこなかった。何しろ、散文であっても表現されるのは「終わりっぷり」なのである。いかに終わらないかにこだわるなど意地汚いとされてもおかしくはない。しかし、大江はそのような視線を恐れない。そのほとんどの作品が記憶や懐かしさにこだわり、同じエピソードを何度でも繰り返し語る。そんな作家の姿勢を見るにつけ、『新しい人よ眼ざめよ』の中で「のである」をあのように使えることの背後にある覚悟を思い知るのである。

冒頭でも触れたように大江の愛読者の多くは、その不協和音的な飛躍や突飛な比喩に反応することに慣れている。そうした突出的な文章の彩に身をさらすことがまさに大江を読むということなのだろう。しかし、そうした語り手の躁病めいた明るさを支えているのが、一文を長く連鎖させるにとどまらず、完結したはずの文をもそれ以前の文に溶接するようにして生み出される終わらない嘆きであることはあらためて確認しておいてもいいように思う。私が大江の中にウィリアム・ワーズワス的なもの——必ずしも大江が熱中した英詩人の一人ではないかもしれないが——を読んでしまうのもそのためなのである。

引用文献

大江健三郎『大江健三郎小説 7』新潮社、一九九六年
大江健三郎『読む人間』集英社文庫、二〇一一年
大江健三郎・河合隼雄・谷川俊太郎『日本語と日本人の心』岩波現代文庫、二〇〇二年
大江健三郎・すばる編集部編『大江健三郎・再発見』集英社、二〇〇一年
上林暁『星を撒いた街　上林暁傑作小説集』夏葉社、二〇一一年
英詩の引用は *The Norton Anthology of Poetry*, ed. by Margaret Ferguson, Mary Jo Salter and Jon Stallworthy (New York: Norton, 1996) に基づく。

ボブ・ディランの拒絶力

ディランは「偉大」ではあっても「ポップ」ではないと言われてきた。濃厚なファンはもちろんたくさんいる。しかし、ディランのことをたいして好きだと思っていない人にも「ディラン、好きかも」とつい何となく言わせてしまうような、いかにも消費社会的な誘発性を彼がどれくらい備えてきたか。「ポップ」になるためには、よくわからないままに「好きかも」とつぶやかせる何かが必要になる。ディランはそうした力の欠如においてこそ際立っているのではないだろうか。それは単なる欠如というより、むしろ拒絶力と呼びたくなるような積極的な価値でもある。ディランの魅力を考えるためには、この点を突き詰めなければならないように思う。

たとえばビートルズの明晰な甘さは、心地よい感情移入を誘う。私たちはどんどんその中に入っていきたい。理解したいと思うし、理解できるとも思う。そしてぎゅっと抱きしめられたい。ローリング・ストーンズはこちらの出方など待たない。天性の誘惑者性を発揮して、向こうからぐいぐい押してくる。直接身体に働きかけてくる。こちらは、いつの間にか腰のあたりから支配され自分でもわからないままに相手の動きを追っている。経路はともあれ、酔わせる力においてこれらのバンドは傑出していた。対してディランはどうだろう。どれくらい人を酔わせるだろう。

そんな問いを立てたくなるのも、ディランの歌につねに酔いを冷ますような要素が紛れこんでいるからである。ディランの曲でもっともポップな位置を獲得したのは「ライク・ア・ローリング・ストーン」だろう。ほかでもないローリング・ストーン誌が選ぶ「オールタイム・グレイテスト・ソング500」の一位に輝いたこの曲は、ストーンズをはじめさまざまなバンドによってカバーされ、ディランの曲の中でも、おもわず口ずさませてしまう力においては傑出している。まさに「ポップ」な曲だ。

しかし、「ライク・ア・ローリング・ストーン」の酔わせる力は誤解に基づいたものでもある。たしかにそのメロディは華やかで甘く、切れも悪くない。食傷することもない。いくらでも聴いていたいと思わせるような安定した包容力がこの曲にはある。しかし、歌詞を見てみるとどうだろう。英文学者のクリストファー・リックスが詳細に分析しているように、たとえば「どんな気持ちだい？（How does it feel?）」というリフレインは曲の展開に応じてニュアンスを変えていく複雑なものだ。一般に英語の疑問文は単純な問いともなりうるし、修辞疑問的に相手にメッセージを突きつけることもできる。もちろん、詠嘆もこめられる。このリフレインはいったいどれなのだろう。少なくとも、単純にこのさびをコーラスして酔った気になれるようなものではない。冒頭では語り手は嘲りとも、批判とも、突き放しともとれるポーズをとるが、曲が進むにつれてそのスタンスは徐々に変わる。最後に到達する地点をリックスは「赦し」ととらえているが、私はさらに一歩進めてそこにはわずかに憧れや敬意さえ含まれているのではないかとも考える。いずれにしても、そうした語りの揺れや展開には葛藤や矛盾が含まれていて、メロディが持っている陶酔的な方向を微妙にずらしたり、揺すぶりをかけたりする。

この語り手はいったい何をしたいのだろう。この曲に歌われるのは、かつて華やかに着飾って人々の注目を集めていた女性。彼女はその後落ちぶれいわゆるホームレス同然、娼婦めいた行動さえとるようになる。彼女はすべてをなくしたという。君は何者でもない、誰の目にもとまらない、と語り手は言う。悲惨な末路。墜ちた女の哀しい物語。しかし、これは〈成功物語〉と同じくらいアメリカに大量にあふれる、ごくありふれた〈失敗の物語〉でもある。そこから道徳的な教訓を導き出したい、というようなことではない。この女性の顚落《てんらく》を材料に「だから汝〜するなかれ」などと言いたいのではない。

そのあたりを一歩深めて考えるためには、英詩の伝統を参照するのが助けになる。英詩がギリシャやラテンの古典詩から受け継いだ重要な様式にエレジー（哀歌）やオード（頌歌）というものがある。「ライク・ア・ローリング・ストーン」はこうした様式と微妙に共鳴する。エレジーは主に死者を弔うための様式で、典型的なパターンとしては、人物の死に対する嘆きからはじまってその業績や美点を回顧し、最終的には人物の再生を願いつつ癒しとともに終わる。他者の死に際して私たちが取るべきスタンスが様式化されたのがエレジーだと言える。古典詩にくらべて英詩ではとりわけ「嘆き」の要素が強いのが特徴だ。

「ライク・ア・ローリング・ストーン」の女性がひょっとしたらすでに死んでいる、という仮説はありうるだろうか。それが無理だとしても、擬似的な、もしくは象徴的な死がそこに歌われていると考えることはできなくはない。旧来の「嘆き、讃え、懐かしむ」という伝統を踏まえつつ、異なった角度から対象を歌うという意味ではこの曲はエレジー的な要素を持っている。その結末には、一種の再生さえ暗示されているのだから。

オードの方はどうだろう。オードは英詩ではとくに一九世紀ロマン派の頃に流行した様式で、鳥や美術品から、風、女神、霊といった対象に至るまで、語り手が強い憧憬を抱くものに語りかけ、その魅力や美しさ、潜在力をたたえるというのがその典型的な展開だ。とくにワーズワスやキーツ、シェリーといったロマン派詩人のオードの特徴は、こうした対象との対峙を通して語り手自身が大きな変化を被り、そのことを通して自身の危機を乗り越えるという点にある。

「ライク・ア・ローリング・ストーン」の構成も、墜ちた女性の人生に心を動かされ、魅了される(to be fascinated)という意味では、「あなた」との強烈な関係に立脚したオード的なものになっている。これもリックスによってすでに指摘されていることだが、この曲では「あなた」という語が執拗に繰り返されている。「あなた」に呼びかけ、「あなた」について語ることが原動力になっているという点では、ロマン派的なオードのパターンときわめて似かよった作りなのである。ただ、そこで一つ気になるのが、巧妙に抹消されている「私」だ。この歌詞にはほとんど「私」が出てこない。イギリスロマン派のオードが体現した近代的な抒情は、だいたいにおいて「私」を芯に立てることで成り立ってきた。「あなた」について語るはずのオードでもそうだし、他者の死について語ることを眼目とするはずのエレジーも、その近代版においてはしばしば「嘆く私」に脚光があたる。ところがオードやエレジーと似たような構造を持つと思える「ライク・ア・ローリング・ストーン」は、「私」を抹消するという点は明らかに非ロマン派的、ひいては非近代的な風情を湛えている。ディランをアメリカの大詩人ウォルト・ホイットマンとなぞらえる見方もあるが、ホイットマンとなれば「私」の存在感はイギリスロマン派以上に強烈で、ディランとの違いはより鮮明だ。

「ライク・ア・ローリング・ストーン」のように明らかに「私」が隠されそのスタンスが曖昧化されている作品の他にも、「雨の日の女」のように「私」の個性が歌の枠組みに飲み込まれてしまう曲がディランには多い。ブルースをはじめとして、共同体由来の構成を彼が多用したということもあるが、逆の見方をとると、ディランがもともと備えていた「私」との付き合い方ゆえに、形式的な縛りの強い楽曲の方が都合がよかったということも言える。

ブルースやバラードでは、韻律やリフレインや語りのパターンがあらかじめ決まっていて、その中にエピソードがあてはめられる。つまり、ストーリーは形式に従属しがちなのである。ときに因果関係に無理が生じたり、展開が唐突だったり、つじつまの合わせ方が強引にもなる。ディランの歌詞のロジックがとらえどころがなく、「難解」とされたりするのも、このような形式への従属という観点からある程度説明できるように思える。共同体の縛りが強く、そもそも自己表現などという概念がなかった前近代ならともかく、近代以降の詩人にとってはこうした様式はしばしば邪魔なくびきととらえられることが多かったが、ディランは「私」の声や主体の一貫性よりも、そうした様式の潜在力を優先してきた。

では、ディランは近代個人主義以前に回帰しようとしているのだろうか。しかし、言うまでもなく、私たちはディランの曲に単純な民衆性や土俗性を聴くわけではない。そうした要素がおもしろい引力を働かせているのはある程度認められるかもしれないが、私たちがすっかり安心して酔っているわけではないのもまた確かである。何か別の要素も働いている。「ライク・ア・ローリング・ストーン」に限らず、ディランの曲には歌詞の「量」が過剰なものが多い。現代のラップや、少し前のパンクをも想起させるような、多量な言葉。決して雄弁というのではない。饒舌というのともちょっと違う。とにかくたくさんなのだ。イメージも多岐にわたりそれぞれがぶつかり合い、言葉そのものが溢れ氾濫している。情念や激情に直結するわけでもない。その多量さゆえに、比較的シンプルで甘いはずのメロディがむしろ阻害されたりもする。言葉がおとなしく枠組みに貢献せず、むしろ縛りの強い枠組みと拮抗し、ときには逸脱さえする。そこには散逸・散開していく「私」が演出されていると言える。ディランの「私」は求心的に曲調をまとめ、聴衆の気持ちを一点に引きつけるエージェントではない。むしろ酔おうとする私たちの安心感に雑音を送りこみ、追いついたと思うとするっと逃げてしまうような、とらえどころのない遠心性、エントロピー性を持っている。

「ライク・ア・ローリング・ストーン」というもっともわかりやすいはずのディランの曲で、徹底的に「あなた」ばかりが語られ、ついに「私」の心情がうつろいゆくまま曖昧化されるというのはきわめて象徴的ではなかろうか。私たちは「ああ、このディランなら酔える」と安心したいのかもしれない。そして、うっかり安心しさえするかもしれない。実際、私もディランではなくミック・ジャガーの歌う「ライク・ア・ローリング・ストーン」ともなれば、すっかり安心して興奮のうちに（そのときの気分によっては）つい涙を流しそうになる。しかし、私たちは勘違いしているのである。あるいはだまされているのである。「あなた」ばかりを歌う語り手がいかに幻影的でとらえどころがないか。私たちは「ディランが好き！」だと宣言する前に、この「だまされの心地」について考えてみる必要がある。ディランのいったいどこが気持いいのか、大いに反省してみるいい機会だ。

ナマ・イシグロの「ナマさ」は？
――英語原文をちら見する

カズオ・イシグロのノーベル賞受賞の報《しら》せに、さっそく訳書を手に入れたという人も多いだろう。もちろんどの作品もすぐれた翻訳者の手によって訳出されているから、まずは日本語を通してイシグロの世界に足を踏み入れたい。

しかし、せっかくの機会である。ひとしきり翻訳書に親しんだら、英語原文のナマ・イシグロにも触れてみてはどうだろう。実はイシグロの英語は、現代小説の文章としてはそれほど難易度が高くない。大学のテキストに使われることも多いくらいで、それほど英語の読解に自信がない人でも訳書を傍《かたわ》らにおけば十分読み進めることができる。

実はこうして「ナマ・イシグロ体験」をお勧めするのには、より深い理由がある。というのも、イシグロという作家、そもそも「ナマ」であることに微妙に抵抗しているフシがあるのだ。よく小説家の文体について、「いかにも××らしい書き方」という形容をすることがある。

日本の文豪でも、太宰治、志賀直哉、谷崎潤一郎など、いずれもその作家らしさが刻印された文章を書いている。そういうものには「これこそ太宰だ」とか「いかにも志賀だよね」とでもいう匂いがついてまわる。あるいはついてまわるような気がする。英米の文豪でも、チャールズ・ディケンズ、ヴァージニア・ウルフ、アーネスト・ヘミングウェイなど、そうした体臭をたっぷりさせる作家が何人もいる。

これに対しイシグロの作品にはあまり〝体臭〟がしない。近代小説の世界では、どちらかというと体臭のぷんぷんと匂う作家が優遇されてきたが、イシグロはむしろ「ナマ」さを出すことを警戒してきたのではないかと思える。でも、文章には呼吸があり、癖があり、雰囲気がある。「ナマ」を回避することなどできるのだろうか？ そもそも何でそんなことをするのか？ ナマの英語原文を手に取れば、そんなイシグロの「反ナマ性」（？）の持つ意味がよりナマナマしく感じられるのである。

以下にあげるのは『日の名残り』からの一節である。語り手のスティーブンスはかつて貴族に仕えた執事だった。屋敷では、第二次大戦前夜、ヒトラーによる侵略の危機を前に要人たちが何度も外交会議を開いている。今、年齢を重ね、別の主に仕えるに至ったスティーブンスが、あらためてイングランドの「偉大さ」に感じ入りながら過去の追想へと進むというのが小説の構成なのだが、そのきっかけとなるのが、この一節で描写される美しい風景なのである。映画版をご覧になった方は、そこになだらかに広がる「ローリングヒル」と呼ばれる丘陵地帯が映し出されていたのをご記憶だろう。イングランドのイングランドらしさを徹底的に追求した

『日の名残り』でこの一節はとくに胸に迫る……と思えそうだが、果たしてどうだろう。

It is, I believe, a quality that will mark out the English landscape to any objective observer as the most deeply satisfying in the world, and this quality is probably best summed up by the term 'greatness'. For it is true, when I stood on that high ledge this morning and viewed the land before me, I distinctly felt that rare, yet unmistakable feeling — the feeling that one is in the presence of greatness. We call this land of ours Great Britain, and there may be those who believe this a somewhat immodest practice. Yet I would venture that the landscape of our country alone would justify the use of this lofty adjective.（Kazuo Ishiguro. *The Remains of the Day*. London: Faber and Faber, 1989. p. 28）

そしてその品格が、見る者にひじょうに深い満足感を与えるのだ、と。この品格は、おそらく「偉大さ」という言葉で表現するのが最も適切でしょう。今朝、あの丘に立ち、眼下にあの大地を見たとき、私ははっきりと偉大さの中にいることを感じました。じつにまれながら、まがいようのない感覚でした。この国土はグレートブリテン、「偉大なるブリテン」と呼ばれております。少し厚かましい呼び名ではないかという疑義があるやにも聞いておりますが、風景一つを取り上げてみましても、この堂々たる形容詞の使用はまったく正当であると申せましょう。（土屋政雄訳『日の名残り』ハヤカワepi文庫）

傍線を引いた部分に注目してほしい。英語の勉強をしている人にはこれらのフレーズは役立つものばかりだ。「心のフレーズ帳」に書き留めておけば、いずれ実際に使える日がくるにちがいない、汎用性の高い便利な言い回しばかりである。

しかし、そこで気になることがある。汎用性の高い便利な言い回しというのは、英語の勉強に役立って大いにけっこうなのだが、逆に言えばこうした言葉遣いが凡庸でつまらないものだということでもある。ところが、この大事な一節、その要所々々がまさに紋切り型で優等生的なフレーズで構成されているのである。こうした言い回しは、日常の英作文にはちょうどいいかもしれないが、小説の文章で、こんなに表情のない言葉が頻出していいものだろうか、と心配になる。

しかし、そこがまさにイシグロの「反ナマ」な姿勢が出ているところなのである。たしかに汎用性の高い言い回しをさけ、いちいち微妙に表現をずらしたり、ちょっとしたひねりを加えたりすれば、独特で個性的な「匂い」を醸し出すことができる。だが、少なくとも『日の名残り』では、イシグロはあえてそういう「匂い」を封じている。そのことでこそ、小説世界をつくっているのである。

この作品の大きな特徴は、華麗な上流階級の世界を執事という立場から観察し、記憶し、語るところにあるが、この語り手のスティーブンスという人物は全知全能でもなければ、スーパーヒーローでもない、むしろやや「勘違いなおじさん」として演出されている。だからこそ、その目を通して描かれる世界にも深みが増す。イシグロはそんな演出を、上記に示したような紋切り型の凡庸な言い回しを通して完成させているのである。そもそもイングランドのローリングヒルが美しいなどという感慨は、観光ガイドには載っていても、小説の地の文でこんなに堂々と語られるべきことではないのだ。「グレートブリテンはたしかにグレートだ」というような発言もそう。こうした言葉からは、明らかにスティーブンスの洞察力の欠如や、勘違いぶりが透けて見えるし、読者もそこに気づくようになっている。

こういう人が出てくると、「こんなこと言っちゃって。ケケケ」と皮肉な笑いとともにやや意地悪い雰囲気になりそうなものだ。しかし、イシグロのおもしろいのは、これが単なる風刺小説やブラックユーモアにはならないところだ。何とも微妙なラインのこちら側にとどまっている。スティーブンスの「勘違い」はたしかに伝わるが、それが嘲笑されるわけではない。そのかわり、スティーブンスの語りやこの小説全体から、どこか宙づりにされたような、不透明さが生まれる。「これだけじゃないよね」という疑念というか、かすかな遠さのようなものが感じられる。

近代小説は人物の性格や心理にどんどん踏みこんで、「まさにこれだよ」と指ささんばかりに、本質的な部分に私たちの注意をひき、間近まで近づいてのぞきこむというジェスチャーを取ってきた。そうした「接近」のジェスチャーは、時に匂いが鼻をつきそうなナマナマしさを生む。これに対し、イシグロの小説は「まさにこれだよ」というそぶりを見せない。そこでは言葉と、それが指し示す物とがうまくフィットしていない、むしろ何となくずれている——そんな気にさせるのである。『日の名残り』のスティーブンスの「勘違い」はその最たる例だ。しかし、それでいながら「勘違い」の向こうにほの見えるローリングヒルに、私たちはうっかり感動してしまうかもしれないのだ。これはいったいどういう体験なのだろう。

「今、これだよ。まさにこれだよ」を体現するのは、文体という即物的かつ身体的な要素である。イシグロの作品は文体的であることを避け、匂いを出さず、「ナマ」にならず、そのことでむしろ「ここじゃないんだ」とつねに別の場所を暗示し続けるような作用を持つ。その独特な味には、「ナマ」であることを回避しつづけることでこそ生み出される「ナマさ」があるように思えるのである。是非、お試しを。

カズオ・イシグロの長電話
——『わたしを離さないで』と〝ケア〟の語り

今、廃れつつある文化といえば、長電話かもしれない。といっても携帯ではなく、イエ電の方である。八〇年代までは連絡といえばまずは電話だった。かつて私の友人に長電話を得意とする人物がいて、一回かかってくるとたいてい一時間、場合によっては二〜三時間つづく。Mという人だった。「M氏は電話が得意ですねえ」と言うと、「うん、そう言われると嬉しいね」などというやり取りをした覚えがある。なんだ、本人も自覚済みだったのだ。長電話には「技」が必要である。途切れることのない話題。メリハリのなさ。下手に盛り上がって、「あ〜あ、おもしろかった」などという台詞に辿りつくと、「さあ、切りましょう」の合図になってしまうから、あくまでだらだら、へらへら、ずるずるとよどみなく語り続ける。携帯ではないから移動も難しい。キャッチホンもないから邪魔も入らない。家にじっと座って受話器を握り、でも、途中で食べたり、飲んだりくらいはあり。テレビを見たり。場合によっては居眠りすることも。そうまでするのは、携帯とちがって次はいつ相手がつかまるかわからないからか。もちろん、ほんとに退屈だと切りたくなるから、そこそこの刺激も欲しい。で、突き合ったりする。M氏はこちらが言ったことに、「え？ そう。違うと思うね」などといちいちからんでくるのを得意としていた。

イシグロの小説には上質の長電話のようなところがある。『わたしを離さないで』のスタイルも、よどみなさ、破綻のなさ、波乱のなさといった、「なさ」という否定形で形容したくなるような一歩退いた文章術が感じられる。物語は主人公のキャシーの目を通して語られ、キャシーの心の有りさまを反映した、ちょっと受け身で出遅れ気味の、うっすらと靄《もや》のかかったような視界を特徴としている。

いわゆる「意識の流れ」というほどの気まぐれさや脈絡のなさ、「詩的さ」はない。ヴァージニア・ウルフのようなぷんぷんと匂い立つような陶酔感はなく、情緒的な中にもどこかで意識が冴え冴えとしている感じがある。心の奥底の気持ち悪い部分をどろっと露わにするような暴力性、切ったり割いたりの凄惨な分析の視線もない。じつにふつうなのである。乱れもなく、裂け目もない。ときおり貴重な物語的「瞬間」が訪れることもあるが、そこもまた、紋切り型と言っていいほどのスムーズさで書ききられる。キャシーのキャラクターも、尖ったりへこんだりした部分は目につかない。あくまでよどみなく語り続ける人なのである。なめらかで、切れ目がない。終わらない。長い長い電話のように。

クローン人間という、きわめて毒々しいけれど、それを心に響く言葉で語るのがたいへん難しいテーマを設定したことが、この小説の「たくらみ」の出発点にはあった。しかし、この問題が正面切って語られるのは、ほんとうに小説の最後の数十頁だけ。イシグロはテーマを叫ぶことによってではなく、徹底的に地面をならすことによって、つまり、いかにテーマを飛ばすかに腐心するのではなく、いかにテーマを着地させるかにこだわることで「たくらみ」を成就しようとした。その挑戦はたしかに成功している。クローン人間の培養されるヘールシャムという異常な世界の、その「尋常さ」を徹底的にイシグロは描いてみせたのである。

このやり方には、まるでマッチ棒だけで世界を作り上げてしまうような、熟練した匠の技が感じられる。一見、だらだらしてメリハリがないようでいて、実は水も漏らさぬような持続と安定の感覚に裏打ちされた世界。でも、なぜここまでこだわるのだろう、という気もする。なぜここまで精緻に、小説世界の地面をならそうとするのか。なぜ小説の形を借りた長電話をする必要があったのだろう。

気になる箇所がひとつある。

物語の潮目がちょっと変わるところである。クローンたちのための隔離施設ヘールシャムから、コテージと呼ばれる場所に舞台が移った後。語り手のキャシーはひそかにトミーに思いを寄せていたが、トミーはキャシーの親友でもあるルースと付き合っている。ヘールシャムでも恋愛沙汰はあったが、コテージに移ってからはそれがやや控えめの形をとるようになる。ルースもトミーに対し、人前でいちゃつくようなことをするかわりに、あるジェスチャーを行うようになった。

どうするかというと、相手の腕の肘の辺りを手の甲で軽く叩くのです。ちょうど、後ろを向いている誰かに、こちらを向かせようとしてやるあのしぐさです。二人が別方向に向かおうとする瞬間、女のほうから男にやるのが普通でした。この習慣は、冬まではしだいに廃れていきましたが、わたしたちが到着した頃に盛んに行われていて、ルースもそれをトミーにやりはじめました。（土屋政雄訳『わたしを離さないで』ハヤカワepi文庫）

キャシーはルースがあらたに採用したこのジェスチャーが気に入らない。テレビドラマの物真似だからである。見ていると苛々する。それである日ついに、そんなつまらないことをやるな、とルースに忠告してしまう。「真似するような価値のないことよ」と。これに対しルースは、「そんなことしてるの気づかなかった」ととぼけ、逆にキャシーに傷つけるようなことを言う。それでもキャシーは挑発には乗らず、いかにもトミーを密かに慕う者の言葉らしく、「トミーをおもちゃにしないで」と訴える。つまりここは、ルースとキャシーとトミーの三角関係が一気に顕在化する場面なのである。と同時に、キャシーとトミーとの間柄に、ルースという人物の性格がどう関わっているのかもはっきりしてくる。

先に気になると言ったのは、キャシーとルースのやり合いのきっかけである。キャシーはいきなりルースの仕草に腹を立てたわけではなかった。実はある出来事がきっかけとなって、キャシーは忠告を決意した。キャシーはそのときのことを次のように語る。

あの日の午後、わたしが草の上で『ダニエル・デロンダ』を読んでいて、ルースが邪魔をしてしかたがなかったとき、そろそろ誰かが指摘してやるべきだと思ったのでした。

『ダニエル・デロンダ』の読書を邪魔されたのが腹に据えかねた、というのである。これだけなら単なる状況説明とも読めるのだが、このあと、さらに詳しく事の顚末が語られる箇所は以下のような具合である。

わたしが古い防水シートに腹ばいになり、申し上げたとおり『ダニエル・デロンダ』を読んでいると、そこへルースがふらりとやって来て、横にすわりました。そして、本の表紙をじろりと見て、なるほど、というふうにうなずきました。待つこと約一分。恐れていたとおり、やはり始まりました。ルースが『ダニエル・デロンダ』の粗筋をとうとうと語りはじめたのです。わたしはいまのいままで上々の気分で、ルースが来てくれたことも歓迎でしたのに、とたんにいらいらしはじめました。前に二度ほど同じことをされていましたし、ルースがほかの人にそれをやっているのも見ていました。

キャシーのなめらかでよどみない語り口からすると、この『ダニエル・デロンダ』へのこだわりはちょっと過剰にも見える。単なる状況説明の一環というだけでは済まない何かが、このジョージ・エリオットの作品への言及には隠されているのではないか、という気がしてくるのである。

キャシー自身の説明は次の通りである。

いらいらの原因は、助けてあげるから感謝しなさいと言わんばかりのルースの態度です。親切めかした押しつけがましさとでも言うのでしょうか。そんな態度の背後にある理由にも、あのときのわたしはすでに薄々気づいていたように思います。初めてコテージに来てからの数ヵ月間に、わたしたちはなぜか読書量で何かが計れるような気がしていました。どれだけコテージに馴染んだか。新しい環境にどれだけ適応できているか。それが、読んだ本の冊数に現れる……。

『ダニエル・デロンダ』と言えば、内容および文体の重さと、長さとが際だった作品である。この箇所でも『戦争と平和』と並べて語られ、「有名だけど退屈な古典」の代名詞として扱われてもいる。せっかくその古典を読み始めたというのに、ルースは意地悪にも粗筋を言おうとする。それで怒った、という展開なのである。しかし、『ダニエル・デロンダ』への言及はさらにもう一回ある。

あの日、ルースが『ダニエル・デロンダ』の粗筋を語りはじめたとき——まあ、あまり面白い小説ではなく、別に楽しみを邪魔されたというわけではありませんでしたが――わたしは本を閉じ、起き直りました。いきなりで、ルースは驚いたでしょう。

このあと、いよいよキャシーのルースに対する批難がはじまる、というところである。それにしても、『ダニエル・デロンダ』というタイトルがこうして幾度も言及されるのはどうしてなのだろう。

『ダニエル・デロンダ』の主要人物は、キリストの生まれ変わりのような無垢さと使命感を持ったダニエル・デロンダと、美貌ゆえにこそ悲劇に巻き込まれるグウェンドレン・ハーレス、そしてユダヤ民族の行く末を案ずる預言者めいたモルデカイである。イスラエル建国の礎を築いた「バルフォア宣言」で有名な英国首相バルフォアは、この作品に感銘を受け、実際にジョージ・エリオットと面会さえしている。その意味でこの作品は、二〇世紀の中東問題とも深くつながっているのかもしれないのだが、そうした明白な政治性や思想性とならんで、作中ではいかにも小説的な三角関係のプロットも機能しているし、最終的には、孤児とされるダニエル・デロンダの出自をめぐる謎が、劇的な展開に結びつくことにもなる。

『わたしを離さないで』では、クローン人間がノアの箱船めいた「船」に乗り込む風景が想像されたりする。クローンが、むしろ人類の生き残りを助ける世界。それは『ダニエル・デロンダ』的なルーツ探し・アイデンティティ探求がほぼ遠く無効になった世界とも見える。だからこそ、この『わたしを離さないで』の世界では『ダニエル・デロンダ』などという古典はどうしようもなく「退屈」なのだろう。しかし、にもかかわらずキャシーは『ダニエル・デロンダ』に過剰にこだわる。なぜか。

ここにはキャシーの「介護人」という役柄が関係しているのではないか、というのが私の解釈である。介護人に課せられるのは、「提供者」(donor)が「使命を終える」(complete)まで、その世話をするという仕事である。提供者であるルースやトミーは、人間のパーツを提供しながら少しずつ死んでいく、そういう人生を──それを「人生」と呼ぶことが可能ならだが──いかにスムーズなものにするか、それが介護人の腕の見せ所なのである。

「介護人」は英語でcarer、つまり元になっているのはcareという語である。「心配する、気にかける」から「世話をする、看護する」、さらには「愛する、好む、欲する」といった語義を持つこの語は、キャシーの語り口にそのまま反映されている。土屋政雄訳がその口調をですます調で訳しているのはまったく適切で、キャシーのなめらかな語り口にこめられたやさしさや誠実さだけでなく、そのくどさや執拗さ、鈍感さ、じれったさなども含めて、たいへんうまく訳出していると思う。

キャシーという人物とその語りを象徴するcareという語は、実は『ダニエル・デロンダ』のキーワードでもある。この長大な古典に登場する人物たちのこだわり、使命感、愛憎、そして何よりも執拗で重ったるいエリオットの語り口には、careという語から発する温度感がはっきりと読める。それはエリオットの作品にいつもある鬱陶しいほどの「温み」に通ずるものであり、登場人物や、場合によっては読者に対して独特の執拗さを発揮するその文体の特性をよく表すものだ。

キャシーもまた執拗で「温み」に満ちた、care の語り口で語る人なのである。それは「使命を終える」ことを義務づけられたクローンと接する介護人としての仕事が要請する語り口なのである。とにかく持続させること。相手が生きている間は、ひたすら、生きることを手伝うこと。切れ目を作らず、先のことには触れずに、振り返らず、「今」を語りつづけること。まさに電話を切らないためにこそつづける長電話のような語りなのである。

しかし、『ダニエル・デロンダ』を読んでそれを「長電話」と形容する人はいないだろう。『ダニエル・デロンダ』はやはりプロットで書かれた小説なのである。そこにはロジックがあり、意思や倫理があり、そして神の影がほの見える。それに対し、『わたしを離さないで』にあるのはむしろプロットに対する強烈な拒絶反応である。むろん作品にはプロットがあるのだが、語り手のキャシーはそのプロットを忌避する、ということなのだ。だから彼女は長電話にこだわった。

頭の良いルースは整理が得意である。鋭い目も持っている。トミーのパートナーとしてほんとうにふさわしいのが、自分ではなくキャシーであることも見抜いていた。そういうルースは、『ダニエル・デロンダ』を粗筋で語ってしまうことで、キャシーの介護人としての持続の語りをも台無しにしようとするのである。だからこそ、キャシーは怒った。死ぬことが決まっている存在に向かって、粗筋を語ってどうするというのだろう。整理して、地図を書いて、どうなるのか。生きている今を語るしかないではないか。care とはそういうことなのではないか。

長電話のしつこさや鬱陶しさには、寂しさや孤独から救われたいという願いがこめられている。care の語りとはそういうものなのだろう。

あとがき

ここしばらく考えてきたことを一冊の本としてまとめることができた。各章はさまざまな媒体に発表されたものである。議論の背景は異なり、語り口にも幅があるが、どの文章も私なりの熱をこめて書いたものだ。すべてに思い入れがある。あらためて思うが、文脈を離れてしまうとどんな文章も木の葉のような軽い断片となりうる。広い海原の上をぷかぷかと浮かびながら、あちこちに流される。小さな流れが集まれば巨大な潮流を生むこともあるだろう。木の葉の集積が河川の口を詰まらせることもあるかもしれない。しかし、方向が定まらなければ威勢のいい叫びも、怨念のこもったつぶやきも、やがては無表情な落ち葉のように朽ち、はかなく消えていくだけだ。

青土社編集部の足立朋也さんがどこからともなく現れて、私の木の葉たちを魔法のように整理してくださらなければこの本は生まれなかった。そうだ、こういう建物を造りたかったのだ、と今さら自分で実感できる形にまとめてくださった。あらためて感謝申し上げたい。足立さんのおかげで、私がずっと抱えてきた「こだわり」が透かし模様のように浮かび上がった。国語のこと、英語のこと、病のこと、事務文書のこと、うまく語れない作家たちのこと……。これを枠内におさめてシュートまで持っていくのは至難の技だった。机の上を見ていただければわかるように、私は整理整頓の習慣がない人間なのである。

これをすごく美化して言えば、短距離型ということになる。目の前の仕事は、どんな媒体からの注文でも全力疾走でこなしているつもりだ。その結果、長距離走や駅伝よりも四〇〇メートルリレーくらいの単位のまとまりができる。本書もそんな構成になったと思う。幹になる部分はあるので、木がうまく枝を広げてくれたならと願っている。

第1部冒頭の「言葉は技能なのか」にも書いたように、私は一時期、すっかり「入試制度について文句を言う人」となった。墓石にまでそう書かれそうだった。しかし、入試改革をめぐる騒乱と関係したおかげで、貴重な出会いもたくさんあった。雑誌『現代思想』(二〇一九年五月号)に「『読解力が危機だ!』論が迷走するのはなぜか?」という一文を寄稿したのも、そんな出会いの一つだったと思う。

言葉が伝わらないのはなぜか。なぜ文章は読めないのか。なぜうまく語れないのか。本書の「はじめに」でも言ったように、言葉が失敗するのはあたりまえなのである。ただし、失敗の原因を考えることには意味がある。私が『現代思想』に書いた文章で言いたかったのは概略、以下のようなことだ。たしかに私たちは「この人は読めていない!」と文句を言いたくなる状況を経験する。しかし、その原因は多岐にわたる。そもそも個人の「読解力」と言っても、着目点はさまざま。注意力、文脈把握力、知識……。読む側よりも、書く側に障害が生じていることもある。読めないことが、まさにその文章の読みどころということもある。さらには「読解力がない！」と糾弾する人自身が何かを間違っていることだってあるのだ。

何と複雑なことだろう。この文章は東京大学文学部広報委員会編『ことばの危機——大学入試改革・教育政策を問う』（集英社新書）に再録されているので、参照していただければ幸いである。

いずれにせよ、これでは失敗が常態となるのも仕方がない。読むことに限らず、言葉はいつも故障を抱え、ときには逸脱し、ときには迷走する。言葉はつねに病んでいる。

しかし、本書を読んでくださった方にはわかったかもしれないが、この失敗や迷走こそが、豊かな表現や新しい他者理解のきっかけともなってきた。文化は失敗や誤解からこそ生み出される。言葉はつねにしぶとく回復し、生き延びるのである。このことは、墓石に刻まれるくらいしつこく言い続けたいと思っている。

なお、初出時の掲載元の方々には、執筆の機会を与えてくださったことと再録のご許可をいただいたこと、深く感謝申し上げます。

二〇二一年一〇月

阿部公彦

初出一覧

書籍化にあたり大幅に加筆修正しています。

第1部

言葉は技能なのか　東京大学大学院人文社会系研究科・文学部HP、二〇二一年一月一一日
小説と「礼儀作法」　『高校国語教育』二〇一六年夏号
しようと思ったことができない病　『図書』二〇一一年六月号
発語の境界線　『季刊び～ぐる』二三号、二〇一四年
「論理的な文章」って何だろう？　『どうする？どうなる？これからの「国語」教育』幻戯書房、二〇一九年
入試政策と「言葉の貧しさ」　『科学』二〇二〇年四月号

第2部

英語ができない楽しみ　『Argument』旺文社、二〇一九年第二号
英語はしゃべれなくていい？　『アステイオン』二〇一五年夏号
「英語教育」という幻想　『UP』二〇一六年一月号
「ぺらぺら信仰」の未来　『週刊新潮』二〇一九年一一月一四日号
「すばらしい英語学習」の落とし穴　『現代思想』二〇二〇年四月号

第3部

森鷗外と事務能力　『すばる』二〇二〇年四月号
漱石の食事法　『食餌の技法　身体医文化論Ⅳ』鈴木晃仁・石塚久郎編、慶應義塾大学出版会、二〇〇五年

「如是我聞」の妙な二人称をめぐって　『太宰治研究』第二二号、二〇一四年

西脇順三郎の英文学度、　『英語青年』二〇〇八年一月号

第4部

由良先生とコールリッジ顔のこと　『図書』二〇一一年一二月

記憶の捏造をめぐって　『図書』二〇一二年一月号

突然の人　『図書』二〇一二年二月号

少しばかり遅れた出会い　『マーク・トウェイン 研究と批評』第一二号、二〇一三年

小説はものになれるか？　『文學界』二〇一七年一〇月号

第5部

百合子さんのお腹の具合　『ユリイカ』二〇一三年一〇月号

境目に居つづけること　『現代詩手帖』二〇一七年六月号

蓮實重彦を十分に欲するということ　『群像』二〇一四年八月号

作家と胃弱　『図書』二〇一七年七月号

大丈夫だ、オレ　『群像』二〇一七年一月号

小川洋子の不安　『すばる』二〇一八年四月号

元純文学作家の職業意識　『群像』二〇一九年一一月号

第6部

大江健三郎と英詩　『早稲田文学』六号、二〇一三年九月

ボブ・ディランの拒絶力　『現代詩手帖』二〇一七年二月号

ナマ・イシグロの「ナマさ」は？　『カズオ・イシグロ読本』宝島社、二〇一七年

カズオ・イシグロの長電話　『水声通信』二〇〇八年九・一〇月合併号

阿部公彦（あべ・まさひこ）

1966年神奈川県生まれ。英文学者。東京大学文学部卒業。同大学院人文科学研究科修士課程修了。ケンブリッジ大学大学院で博士号取得。現在、東京大学大学院人文社会系研究科教授。専門は近現代の英米小説や英米詩だが、英・米の境界や小説・詩の境界にこだわることなく、日本の詩や小説も含みながら、個別のテーマを設定して研究している。「荒れ野に行く」で第15回早稲田文学新人賞受賞、『文学を〈凝視する〉』（岩波書店）で第35回サントリー学芸賞（芸術・文学部門）を受賞。主な著書に『英文学教授が教えたがる名作の英語』（文藝春秋）、『理想のリスニング』（東京大学出版会）、『名作をいじる』（立東舎）、『史上最悪の英語政策』（ひつじ書房）、『幼さという戦略』（朝日新聞出版）、『英語文章読本』（研究社）など、訳書にマラマッド『魔法の樽 他十二篇』、オコナー『フランク・オコナー短篇集』（いずれも岩波文庫）などがある。

病《や》んだ言葉《ことば》　癒《い》やす言葉《ことば》　生《い》きる言葉《ことば》

2021年11月11日　第1刷印刷
2021年11月22日　第1刷発行

著　者　阿部公彦《あべまさひこ》

発行者　清水一人
発行所　青土社
〒101-0051　東京都千代田区神田神保町1-29　市瀬ビル
電話　03-3291-9831（編集部）　03-3294-7829（営業部）
振替　00190-7-192955

印　刷　ディグ
製　本　ディグ

装　幀　堤 岳彦

©Masahiko Abe 2021
ISBN978-4-7917-7428-9　C0036
Printed in Japan